#연산반복학습
#생활속계산
#문장읽고계산식세우기
#학원에서검증된문제집

수학리더
연산

Chunjae Makes Chunjae

기획총괄 박금옥
편집개발 지유경, 정소현, 조선영, 최윤석
디자인총괄 김희정
표지디자인 윤순미, 박민정
내지디자인 박희춘
제작 황성진, 조규영

발행일 2022년 4월 15일 초판 2023년 4월 1일 2쇄
발행인 (주)천재교육
주소 서울시 금천구 가산로9길 54
신고번호 제2001-000018호
고객센터 1577-0902
교재 구입 문의 1522-5566

※ 정답 분실 시에는 천재교육 홈페이지에서 내려받으세요.
※ KC 마크는 이 제품이 공통안전기준에 적합하였음을 의미합니다.
※ 주의
책 모서리에 다칠 수 있으니 주의하시기 바랍니다.
부주의로 인한 사고의 경우 책임지지 않습니다.
8세 미만의 어린이는 부모님의 관리가 필요합니다.

수학 리더 연산 3-B

차례

이 책의 구성과 특징

이번에 배울 내용을 알아볼까요?

공부할 내용을 만화로 재미있게 확인할 수 있습니다.

기초 계산 연습

계산 원리와 방법을 한눈에
익힐 수 있고 계산 반복 훈련으로
확실하게 익힐 수 있습니다.

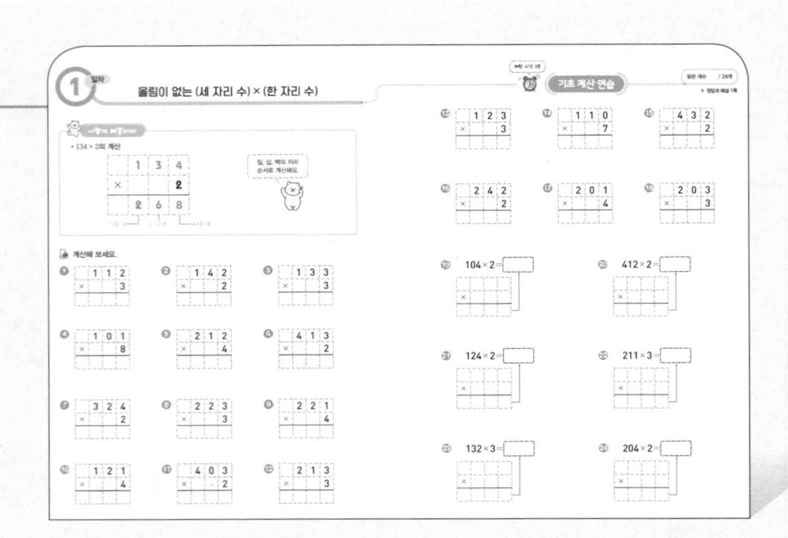

플러스 계산 연습

다양한 형태의 계산 문제를 반복하여
완벽하게 익힐 수 있습니다.

1 일차 올림이 없는 (세 자리 수) × (한 자리 수)

플러스 계산 연습

계산해 보세요.

1 143 × 2 =
2 202 × 4 =
3 231 × 3 =
4 103 × 3 =
5 441 × 2 =
6 211 × 4 =
7 112 × 4 =
8 234 × 2 =
9 232 × 3 =
10 304 × 2 =

빈칸에 알맞은 수를 써넣으세요.

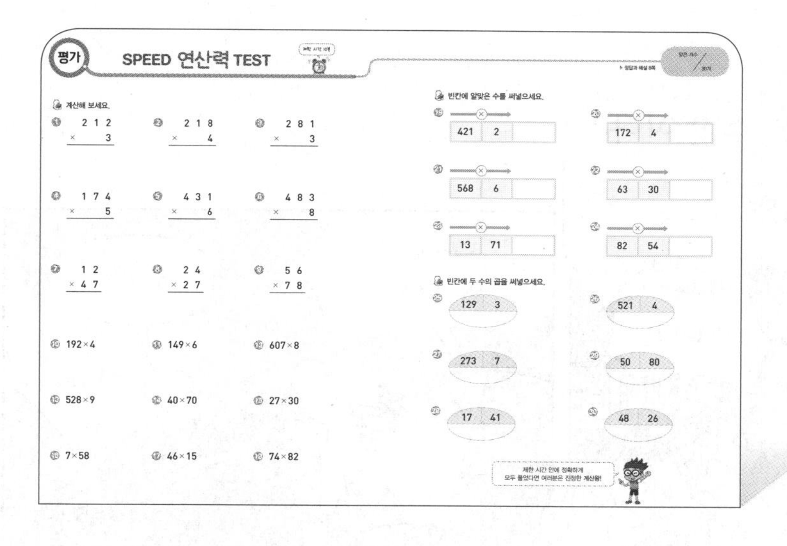
평가 SPEED 연산력 TEST

계산해 보세요.

① 212 × 3 ② 218 × 4 ③ 281 × 3

④ 174 × 5 ⑤ 431 × 6 ⑥ 483 × 8

⑦ 12 × 47 ⑧ 24 × 27 ⑨ 56 × 78

⑩ 192×4 ⑪ 149×6 ⑫ 607×8

⑬ 528×9 ⑭ 40×70 ⑮ 27×30

⑯ 7×58 ⑰ 46×15 ⑱ 74×82

빈칸에 알맞은 수를 써넣으세요.

421 2 / 172 4 / 568 6 / 63 30 / 13 71 / 82 54

빈칸에 두 수의 곱을 써넣으세요.

129 3 / 521 4 / 273 7 / 50 80 / 17 41 / 48 26

평가 SPEED 연산력 TEST

배운 내용을 테스트로 마무리 할 수 있습니다.

특강 문장제 문제 도전하기

단순 연산 문제와 함께
문장제 문제도 연습할 수
있습니다.

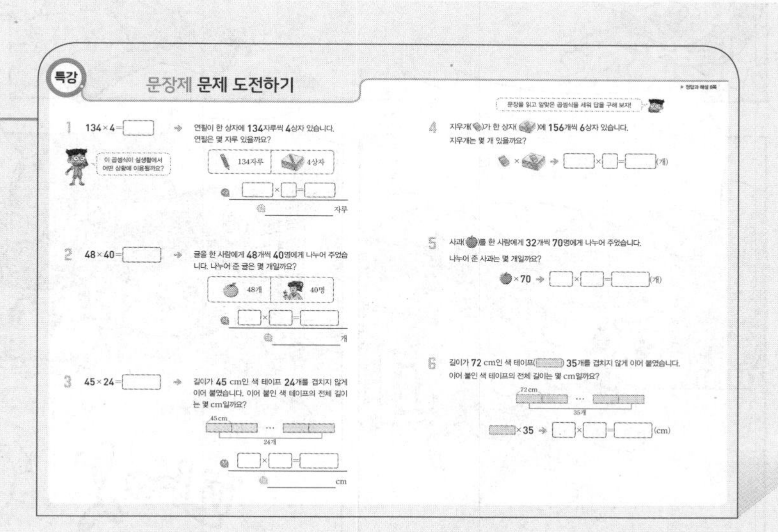
특강 문장제 문제 도전하기

1 134×4=

2 48×40=

3 45×24=

특강 창의·융합·코딩·도전하기

요즘 수학 문제인 창의·융합·코딩
문제를 수록하였습니다.

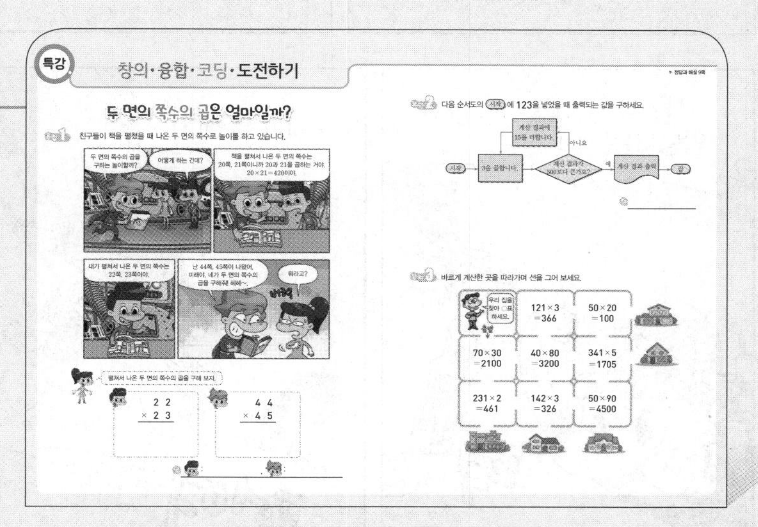
특강 창의·융합·코딩·도전하기

두 면의 쪽수의 곱은 얼마일까?

1 곱셈

실생활에서 알아보는 재미있는 수학 이야기

세계는 언젠가부터 악당들이 들끓기 시작했다.

이번에 배울 내용을 알아볼까요?

- 1일차 올림이 없는 (세 자리 수)×(한 자리 수)
- 2일차 ~ 7일차 올림이 1번, 2번, 3번 있는 (세 자리 수)×(한 자리 수)
- 8일차 (몇십)×(몇십), (몇십몇)×(몇십)
- 9일차 (몇)×(몇십몇)
- 10일차 ~ 12일차 (몇십몇)×(몇십몇)

1 일차

올림이 없는 (세 자리 수) × (한 자리 수)

이렇게 해결하자

• 134 × 2의 계산

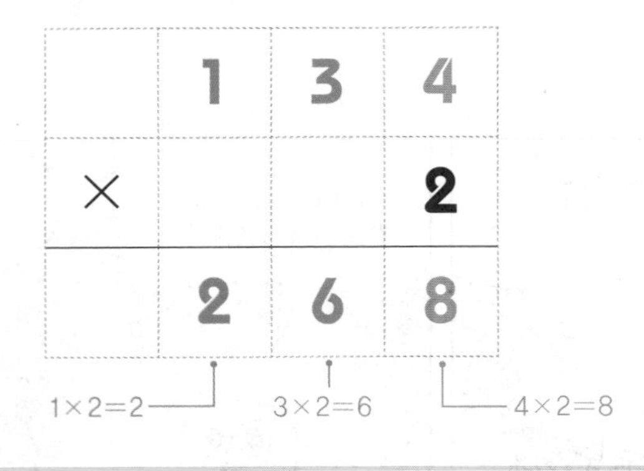

일, 십, 백의 자리 순서로 계산해요.

계산해 보세요.

❶ 112×3

❷ 142×2

❸ 133×3

❹ 101×8

❺ 212×4

❻ 413×2

❼ 324×2

❽ 223×3

❾ 221×4

❿ 121×4

⓫ 403×2

⓬ 213×3

기초 계산 연습

맞은 개수 / 24개

▶ 정답과 해설 1쪽

⑬

	1	2	3
×			3

⑭

	1	1	0
×			7

⑮

	4	3	2
×			2

⑯

	2	4	2
×			2

⑰

	2	0	1
×			4

⑱

	2	0	3
×			3

⑲ $104 \times 2 =$ ☐

×			

⑳ $412 \times 2 =$ ☐

×			

㉑ $124 \times 2 =$ ☐

×			

㉒ $211 \times 3 =$ ☐

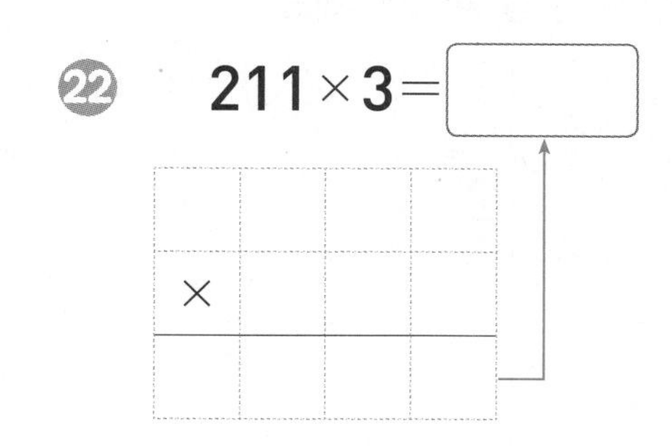

㉓ $132 \times 3 =$ ☐

×			

㉔ $204 \times 2 =$ ☐

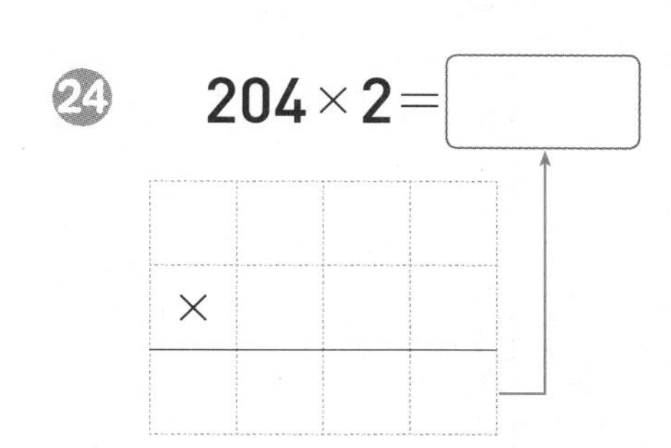

1 일차 올림이 없는 (세 자리 수)×(한 자리 수)

계산해 보세요.

1 $143\times2=$ ☐

2 $202\times4=$ ☐

3 $231\times3=$ ☐

4 $103\times3=$ ☐

5 $441\times2=$ ☐

6 $211\times4=$ ☐

7 $112\times4=$ ☐

8 $234\times2=$ ☐

9 $232\times3=$ ☐

10 $304\times2=$ ☐

빈칸에 알맞은 수를 써넣으세요.

11
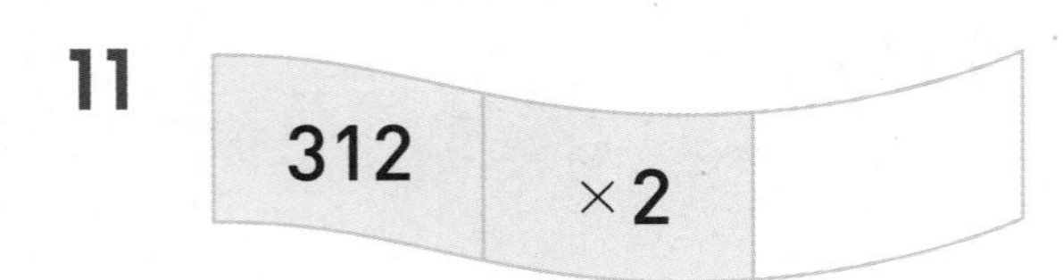

12

13 | 113 | ×3 | ☐ |

14 | 424 | ×2 | ☐ |

15 | 102 | ×4 | ☐ |

16
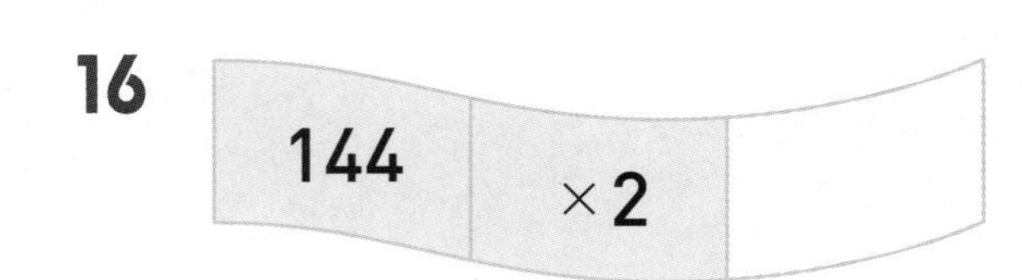

플러스 계산 연습

맞은 개수 / 24개

▶ 정답과 해설 1쪽

빈칸에 알맞은 수를 써넣으세요.

17 ×→

220	4	
310	2	

18

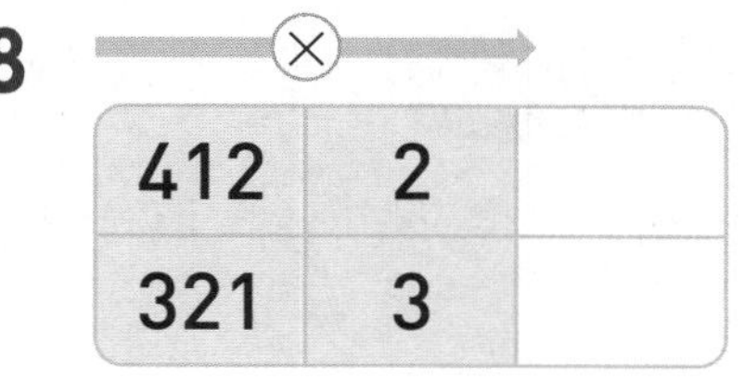

×→

412	2	
321	3	

생활 속 계산

각 학용품의 개수를 구하세요.

19

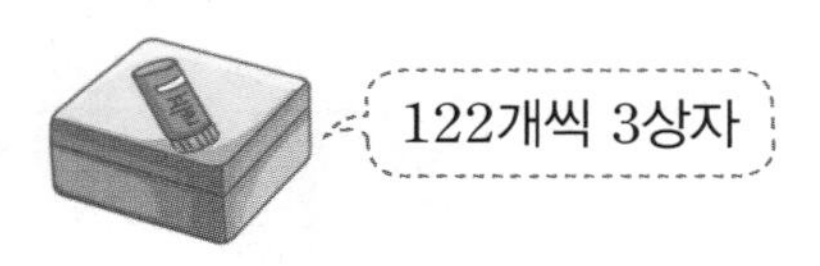

$122 \times \square = \square$ (개)

20

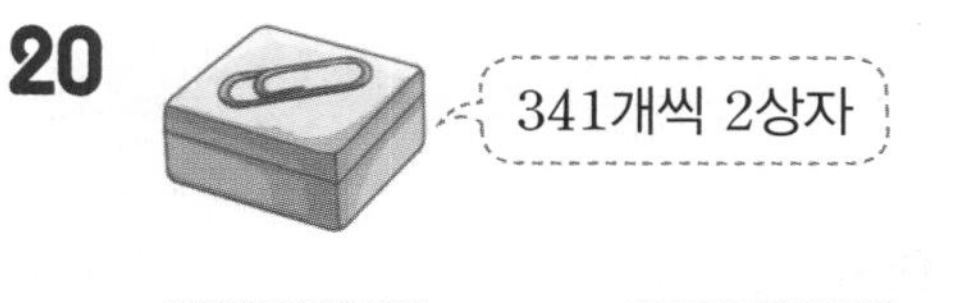

$\square \times 2 = \square$ (개)

문장 읽고 계산식 세우기

21 둘레가 313 m인 호수를 3바퀴 달렸을 때 달린 거리는?

식 $313 \times \square = \square$ (m)

22 둘레가 411 m인 운동장을 2바퀴 달렸을 때 달린 거리는?

식 $411 \times \square = \square$ (m)

23 인형 공장에서 하루에 122개씩 4일 동안 만든 인형은 모두 몇 개?

식 $\square \times 4 = \square$ (개)

24 단추 공장에서 하루에 302개씩 3일 동안 만든 단추는 모두 몇 개?

식 $\square \times 3 = \square$ (개)

1 곱셈

올림이 1번 있는 (세 자리 수)×(한 자리 수)(1)

이렇게 해결하자

• 124×4**의 계산** — 일의 자리에서 올림이 있는 (세 자리 수)×(한 자리 수)

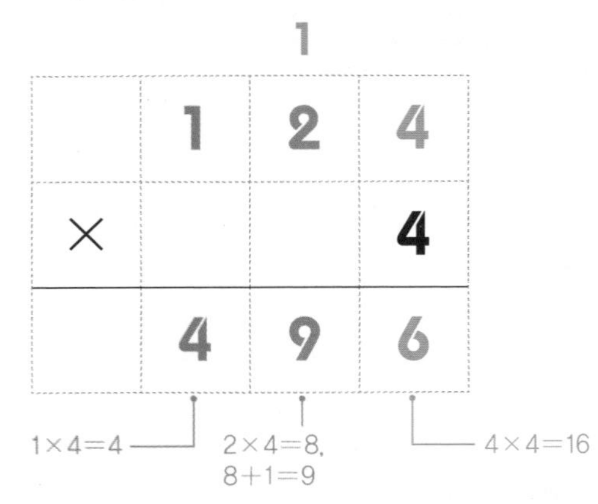

일의 자리 계산에서 올림한 수는
십의 자리 계산에 더해요.

계산해 보세요.

❶

	3	1	8
×			2

❷

	2	1	9
×			4

❸

	3	1	7
×			3

❹

	3	2	5
×			3

❺

	2	1	7
×			4

❻

	1	1	8
×			5

❼

	1	0	7
×			6

❽

	1	0	9
×			9

❾

	1	1	3
×			7

제한 시간 3분

기초 계산 연습

맞은 개수 / 21개

▶ 정답과 해설 1쪽

⑩

	2	0	8
×			4

⑪

	2	1	6
×			3

⑫

	3	2	5
×			2

⑬

	4	1	8
×			2

⑭

	1	2	7
×			3

⑮

	1	0	6
×			9

⑯ $348 \times 2 = \square$

×			

⑰ $228 \times 3 = \square$

×			

⑱ $114 \times 5 = \square$

×			

⑲ $119 \times 4 = \square$

×			

⑳ $109 \times 7 = \square$

×			

㉑ $105 \times 8 = \square$

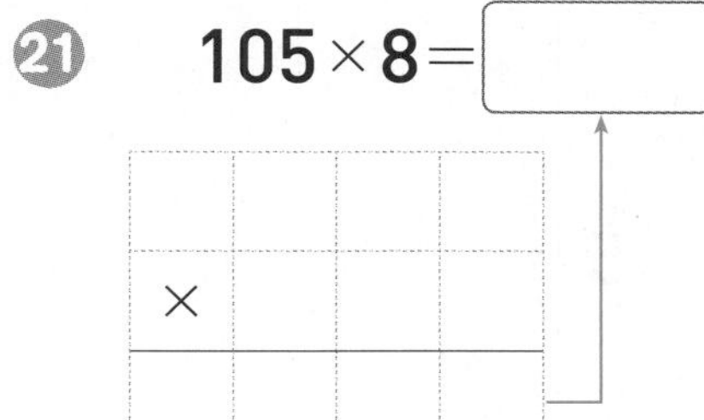

올림이 1번 있는 (세 자리 수)×(한 자리 수)(1)

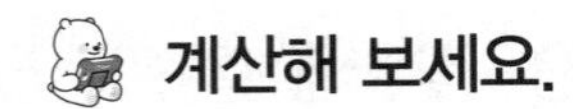

계산해 보세요.

1 $248 \times 2 = \square$

2 $315 \times 3 = \square$

3 $115 \times 4 = \square$

4 $117 \times 5 = \square$

5 $339 \times 2 = \square$

6 $107 \times 7 = \square$

7 $205 \times 4 = \square$

8 $439 \times 2 = \square$

9 $314 \times 3 = \square$

10 $104 \times 9 = \square$

빈칸에 두 수의 곱을 써넣으세요.

11

327	3

12

214	4

13

219	2

14

108	6

15

115	5

16

209	3

플러스 계산 연습

맞은 개수 / 24개

▶ 정답과 해설 1쪽

생활 속 계산

한 봉지의 양이 다음과 같을 때, 각 동물의 먹이는 모두 몇 g인지 구하세요.
(g: 무게의 단위, 그램이라고 읽습니다.)

17

225 × □ = □ (g)

18

106 × □ = □ (g)

19

□ × □ = □ (g)

20

□ × □ = □ (g)

문장 읽고 계산식 세우기

21 한 개의 무게가 217 g인 사과 4개의 무게는?

식 217 × □ = □ (g)

22 한 개의 무게가 146 g인 야구공 2개의 무게는?

식 146 × □ = □ (g)

23 한 봉지에 116개씩 들어 있는 밤이 6봉지 있다면?

식 □ × 6 = □ (개)

24 한 봉지에 109개씩 들어 있는 대추가 8봉지 있다면?

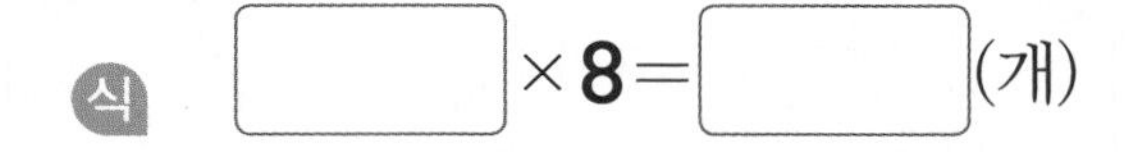

식 □ × 8 = □ (개)

3 일차

올림이 1번 있는 (세 자리 수) × (한 자리 수)(2)

이렇게 해결하자

• 132×4의 **계산** — 십의 자리에서 올림이 있는 (세 자리 수) × (한 자리 수)

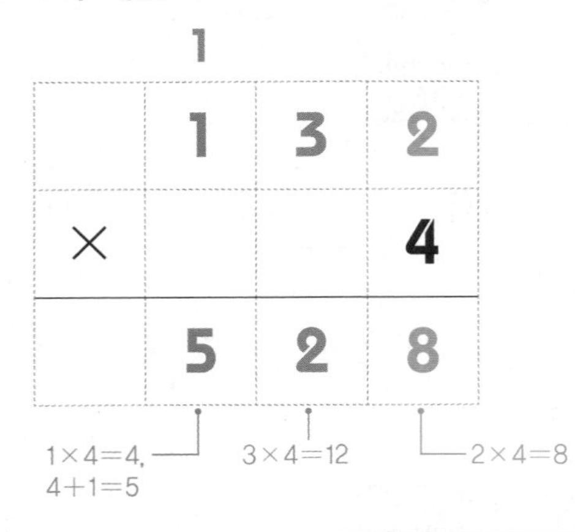

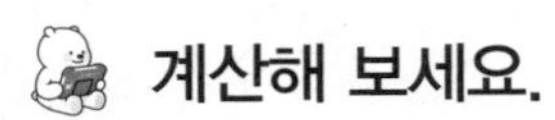

계산해 보세요.

❶

	□		
	2	5	1
×			3

❷

	□		
	1	9	2
×			4

❸

	□		
	1	7	1
×			5

❹

	□		
	2	4	1
×			4

❺

	□		
	1	5	1
×			6

❻

	□		
	2	6	3
×			3

❼

	□		
	1	4	1
×			7

❽

	□		
	3	9	1
×			2

❾

	□		
	1	6	1
×			4

제한 시간 3분

기초 계산 연습

맞은 개수 / 21개

▶ 정답과 해설 2쪽

⑩

	1	4	2
×			4

⑪

	2	6	1
×			3

⑫

	3	5	4
×			2

⑬

	1	5	3
×			3

⑭

	1	9	1
×			5

⑮

	4	7	4
×			2

⑯ $171 \times 4 = \square$

×			

⑰ $161 \times 6 = \square$

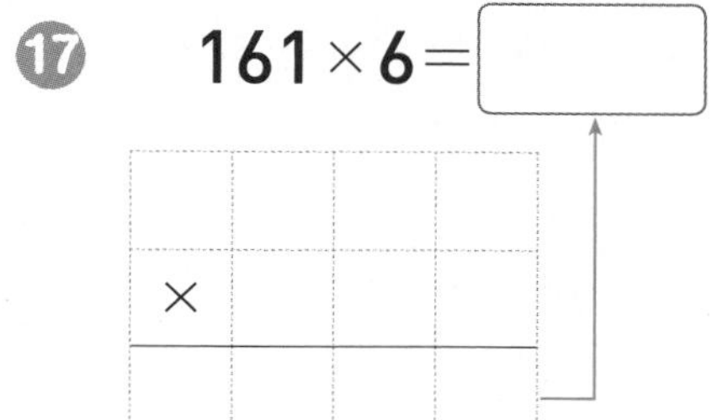

⑱ $173 \times 3 = \square$

×			

⑲ $130 \times 7 = \square$

×			

⑳ $121 \times 8 = \square$

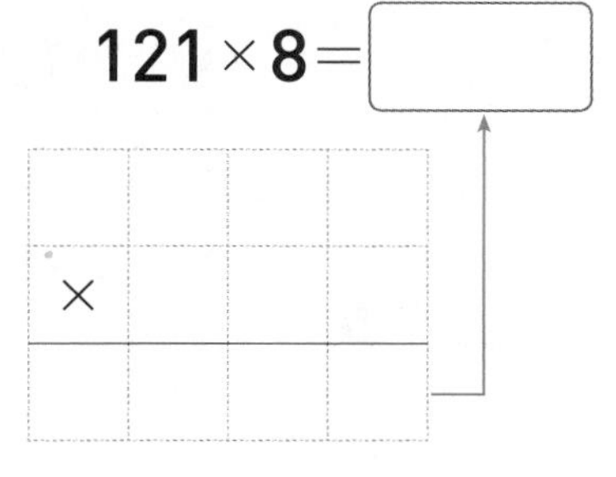

㉑ $494 \times 2 = \square$

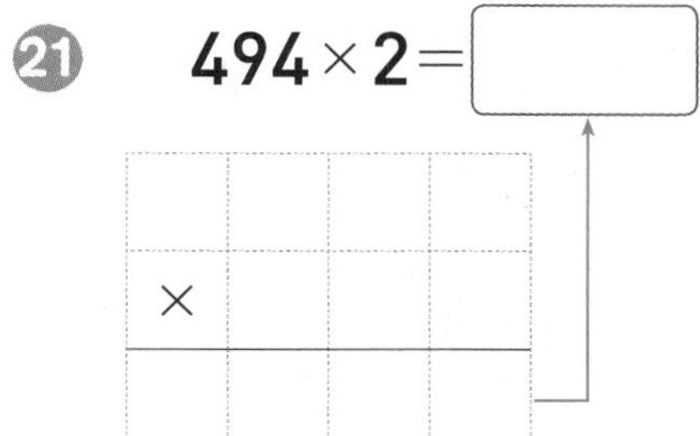

3 일차

올림이 1번 있는 (세 자리 수)×(한 자리 수)(2)

 계산해 보세요.

1 $273 \times 2 = \square$

2 $240 \times 4 = \square$

3 $120 \times 8 = \square$

4 $253 \times 3 = \square$

5 $143 \times 3 = \square$

6 $352 \times 2 = \square$

7 $453 \times 2 = \square$

8 $180 \times 5 = \square$

9 $162 \times 4 = \square$

10 $283 \times 3 = \square$

빈칸에 알맞은 수를 써넣으세요.

11 273 → ×3 → □

12 232 → ×4 → □

13 392 → ×2 → □

14 182 → ×4 → □

15 193 → ×3 → □

16

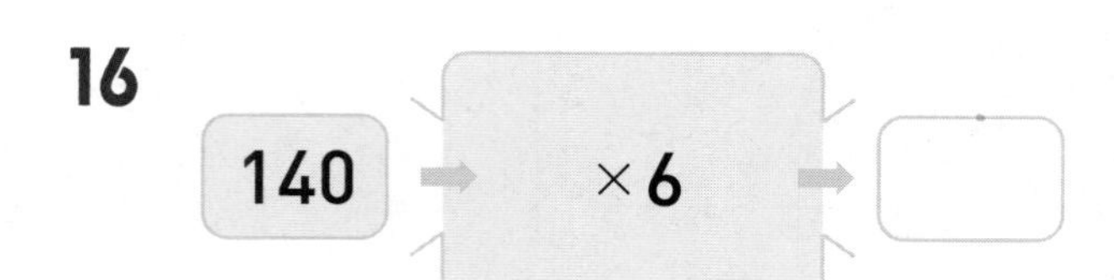

제한 시간 5분

플러스 계산 연습

맞은 개수 / 24개

▶ 정답과 해설 2쪽

선을 따라가며 계산해 보세요.

17

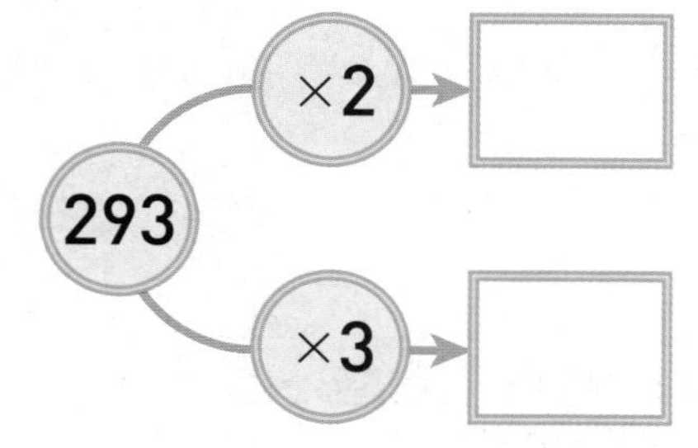

18

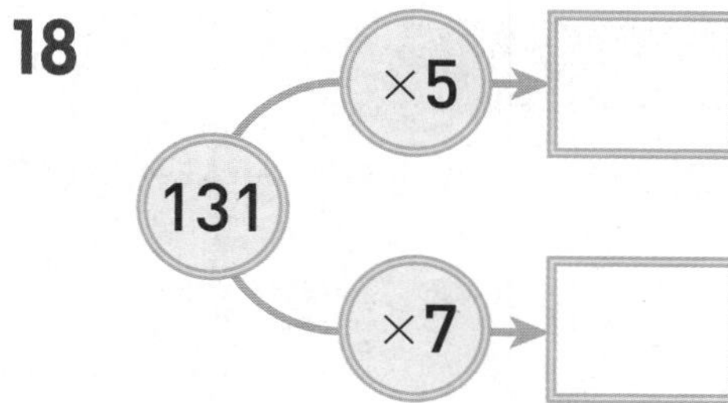

생활 속 계산

전체 과일의 수를 구하세요.

19

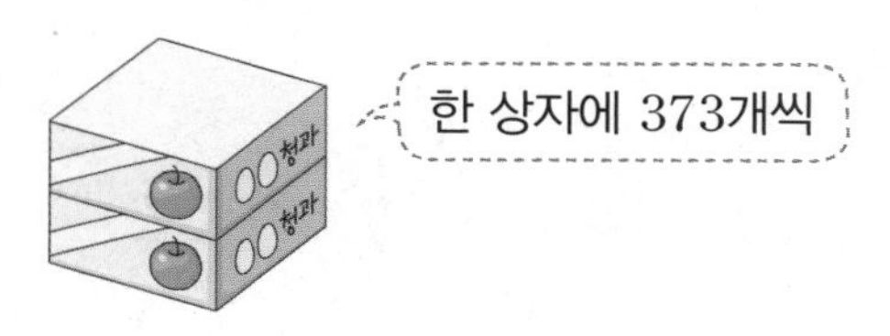

$\square \times 2 = \square$(개)

20

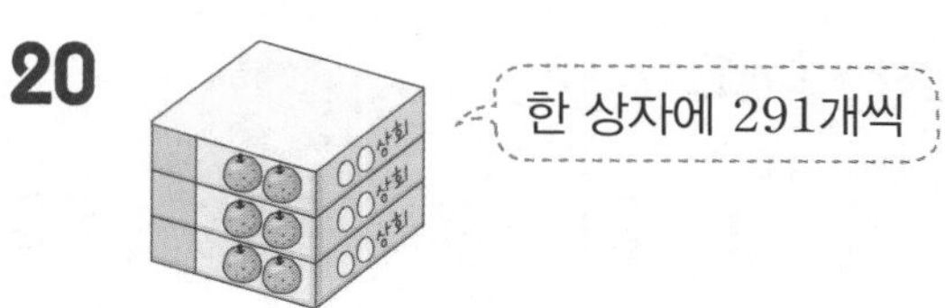

$\square \times 3 = \square$(개)

문장 읽고 계산식 세우기

21 한 상자에 151개씩 들어 있는 키위가 4상자 있다면?

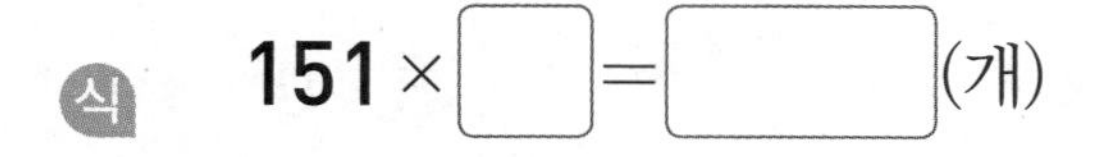

22 한 묶음에 272장씩 묶여 있는 색종이가 3묶음 있다면?

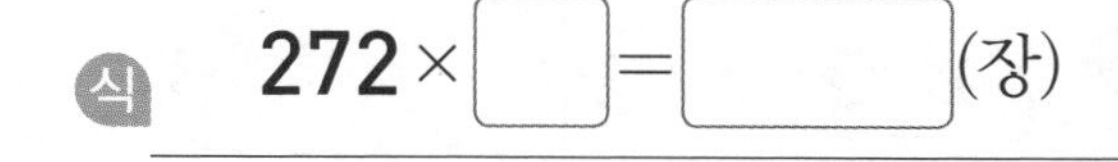

23 줄넘기를 매일 140번씩 7일 동안 했다면?

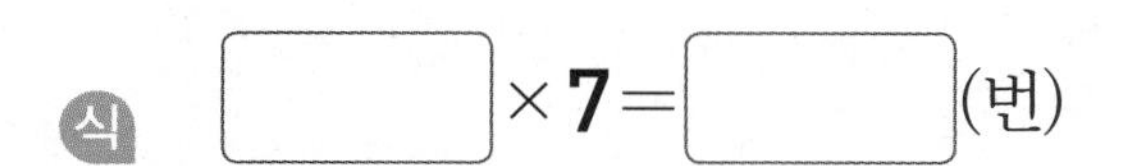

24 훌라후프를 매일 161번씩 5일 동안 돌렸다면?

4 일차

올림이 1번 있는 (세 자리 수)×(한 자리 수)(3)

이렇게 해결하자

• 624×2의 계산 — 백의 자리에서 올림이 있는 (세 자리 수)×(한 자리 수)

	6	2	4
×			2
1	2	4	8

6×2=12　2×2=4　4×2=8

백의 자리 계산에서 올림한 수는 천의 자리에 써요.

계산해 보세요.

❶

	8	1	2
×			3

❷

	5	0	2
×			4

❸

	7	2	4
×			2

❹

	5	1	3
×			3

❺

	9	3	2
×			2

❻

	3	1	0
×			8

❼

	3	2	1
×			4

❽

	7	0	3
×			3

❾

	8	0	1
×			6

❿

	6	1	3
×			2

⓫

	4	2	0
×			4

⓬

	5	2	1
×			3

기초 계산 연습

맞은 개수 / 24개

▶ 정답과 해설 2쪽

⑬

	6	3	2
×			2

⑭

	6	2	1
×			3

⑮

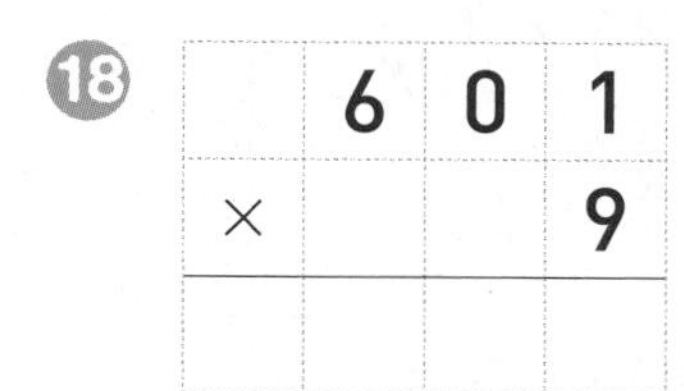

	8	2	1
×			4

⑯

	6	1	1
×			7

⑰

	8	2	4
×			2

⑱

	6	0	1
×			9

⑲ $501 \times 6 = \square$

×			

⑳ $613 \times 3 = \square$

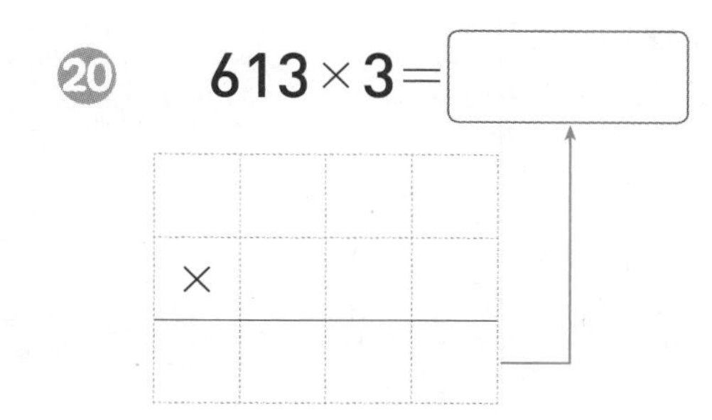

㉑ $812 \times 4 = \square$

×			

㉒ $914 \times 2 = \square$

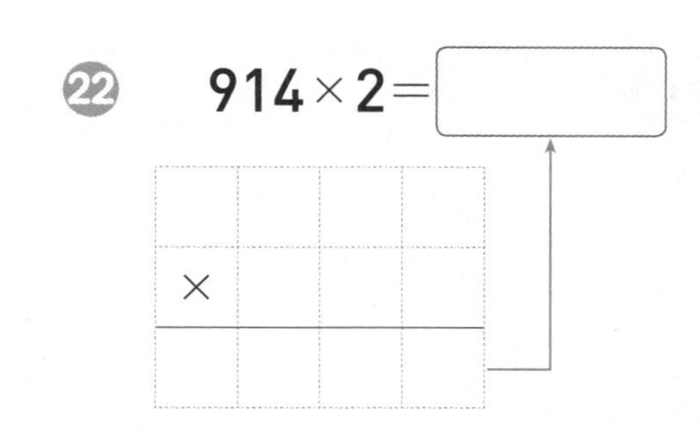

㉓ $911 \times 8 = \square$

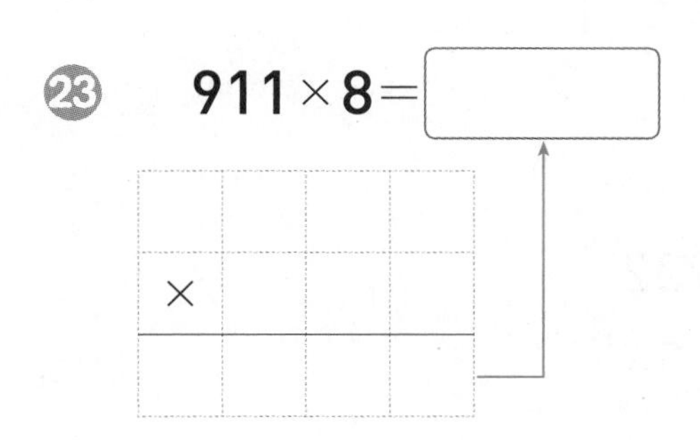

㉔ $512 \times 4 = \square$

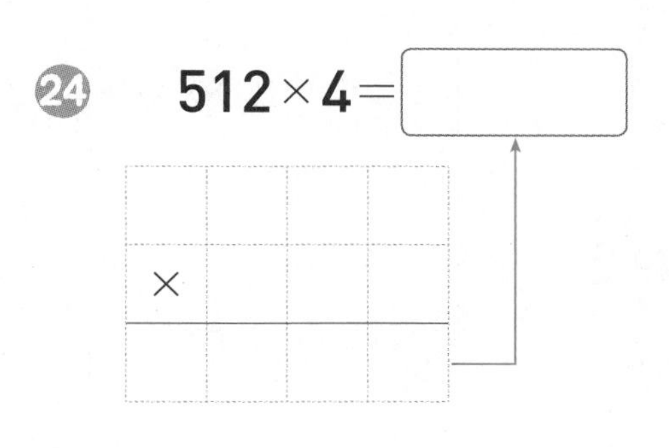

4 일차 올림이 1번 있는 (세 자리 수)×(한 자리 수)(3)

 계산해 보세요.

1 $731 \times 2 =$ ☐

2 $411 \times 9 =$ ☐

3 $431 \times 3 =$ ☐

4 $701 \times 4 =$ ☐

5 $803 \times 3 =$ ☐

6 $523 \times 2 =$ ☐

7 $601 \times 7 =$ ☐

8 $711 \times 5 =$ ☐

9 $621 \times 4 =$ ☐

10 $921 \times 3 =$ ☐

빈칸에 두 수의 곱을 써넣으세요.

11
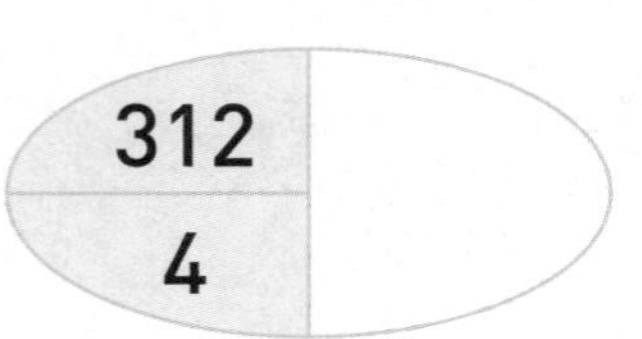

12
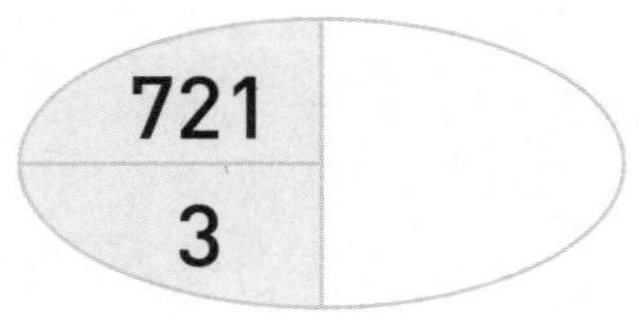

13
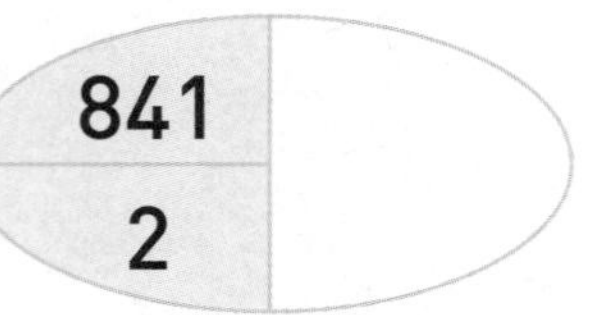

14
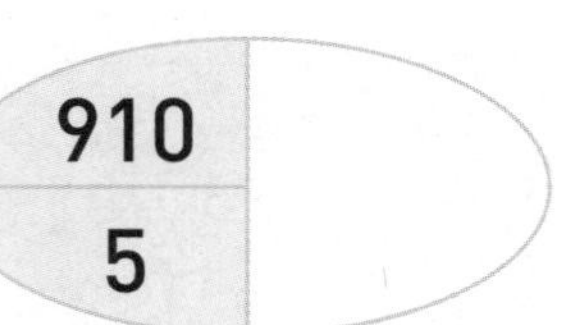

15
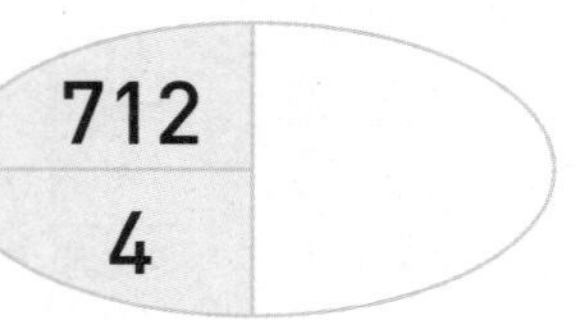

16
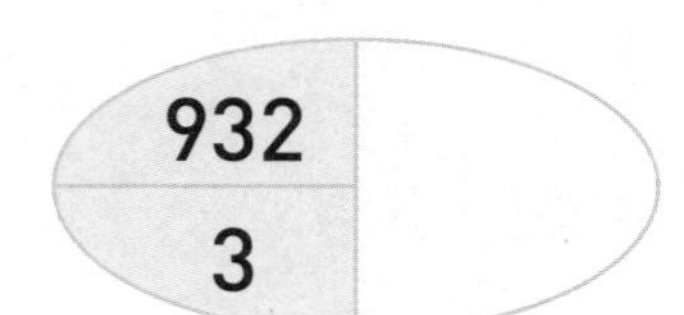

플러스 계산 연습

맞은 개수 / 24개

▶ 정답과 해설 2쪽

선을 따라가며 계산해 보세요.

17

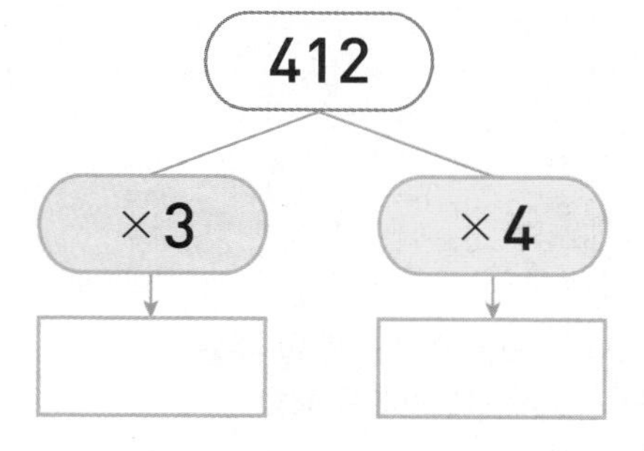

18

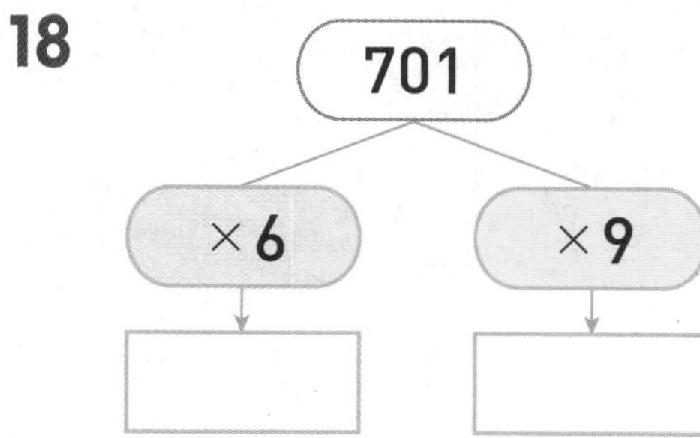

생활 속 계산

색 테이프 전체의 길이는 몇 cm인지 구하세요.

19

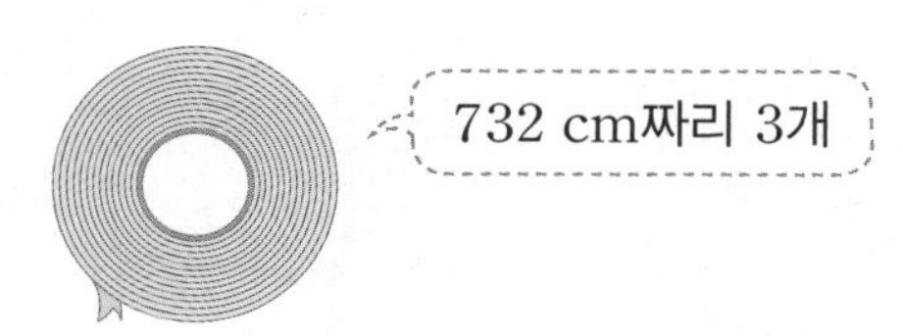

$\square \times 3 = \square$ (cm)

20

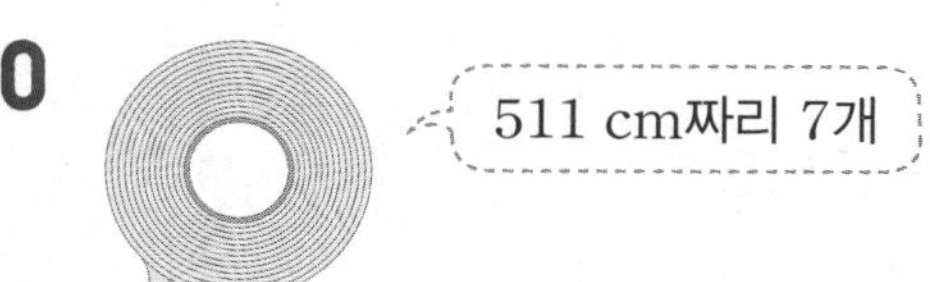

$\square \times 7 = \square$ (cm)

문장 읽고 계산식 세우기

21 한 도막의 길이가 821 mm인 철사 3도막의 길이는?

식 $821 \times \square = \square$ (mm)

22 한 도막의 길이가 602 mm인 털실 4도막의 길이는?

식 $602 \times \square = \square$ (mm)

23 한 봉지의 무게가 611 g인 소금 6봉지의 무게는?

식 $\square \times 6 = \square$ (g)

24 한 봉지의 무게가 410 g인 설탕 7봉지의 무게는?

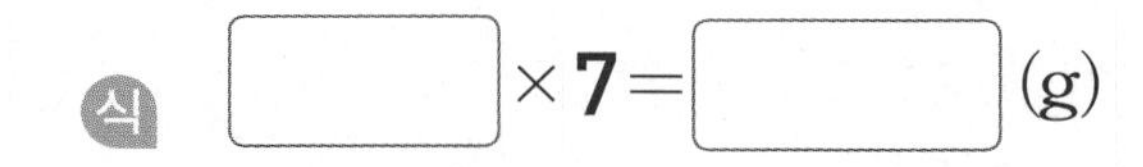

식 $\square \times 7 = \square$ (g)

5 일차 올림이 2번 있는 (세 자리 수) × (한 자리 수)(1)

이렇게 해결하자

• 174 × 3의 계산 — 일, 십의 자리에서 올림이 있는 (세 자리 수) × (한 자리 수)

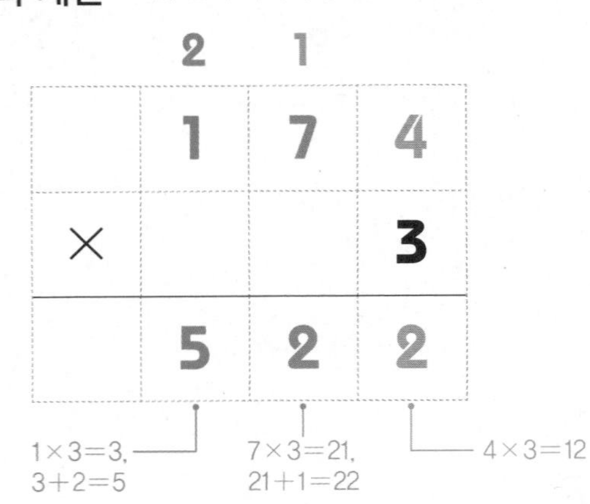

일, 십의 자리 계산에서 올림한 수는 십, 백의 자리 계산에 더해요.

계산해 보세요.

❶ 168 × 4

	1	6	8
×			4

❷ 269 × 3

	2	6	9
×			3

❸ 476 × 2

	4	7	6
×			2

❹ 175 × 3

	1	7	5
×			3

❺ 128 × 7

	1	2	8
×			7

❻ 396 × 2

	3	9	6
×			2

❼ 127 × 6

	1	2	7
×			6

❽ 164 × 5

	1	6	4
×			5

❾ 225 × 4

	2	2	5
×			4

기초 계산 연습

맞은 개수 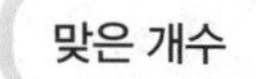 / 21개

▶ 정답과 해설 3쪽

⑩

	2	4	8
×			3

⑪

	1	9	6
×			4

⑫

	3	5	7
×			2

⑬

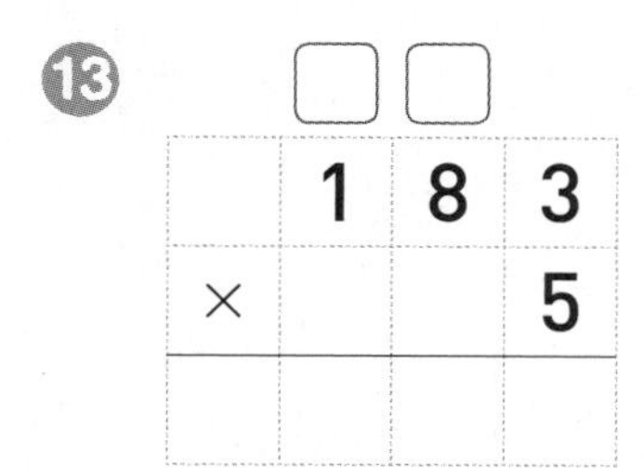

	1	8	3
×			5

⑭

	1	5	9
×			4

⑮

	1	6	5
×			6

⑯ $123 \times 7 =$ ☐

×			

⑰ $379 \times 2 =$ ☐

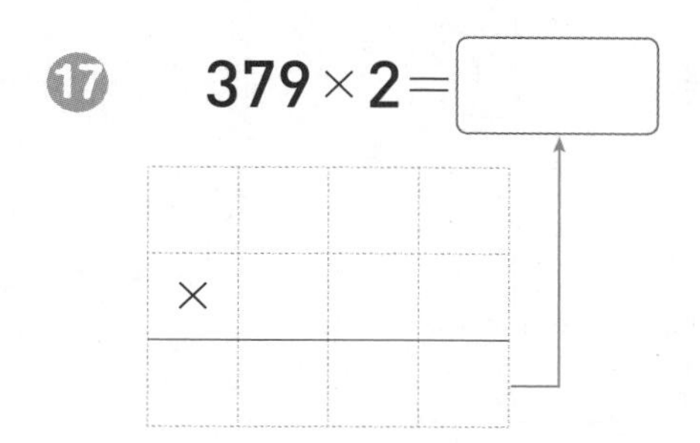

×			

⑱ $297 \times 3 =$ ☐

×			

⑲ $148 \times 5 =$ ☐

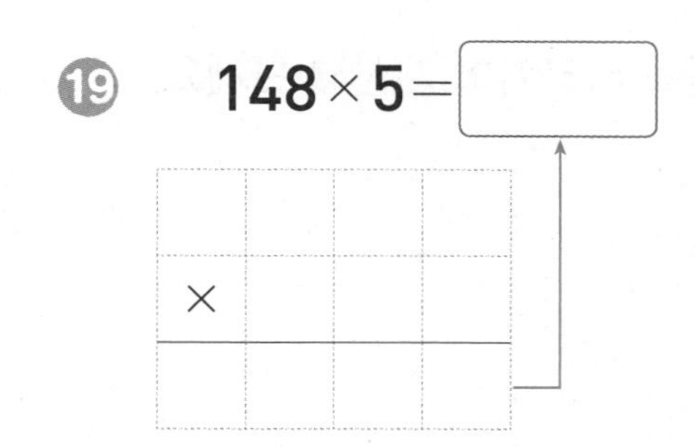

×			

⑳ $127 \times 7 =$ ☐

×			

㉑ $146 \times 6 =$ ☐

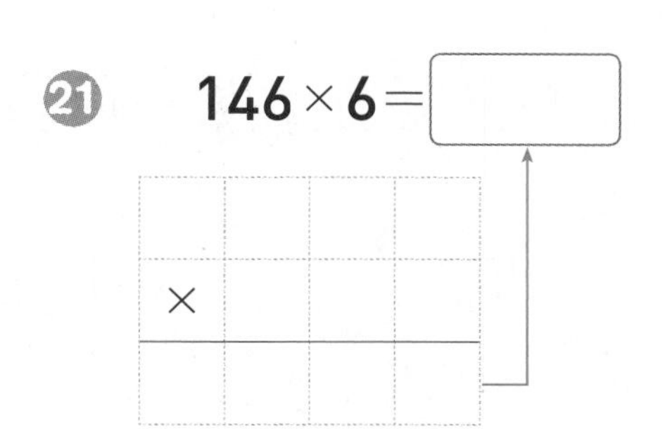

×			

5 일차 올림이 2번 있는 (세 자리 수) × (한 자리 수)(1)

 계산해 보세요.

1 $157 \times 6 = \square$

2 $169 \times 3 = \square$

3 $124 \times 8 = \square$

4 $119 \times 7 = \square$

5 $194 \times 3 = \square$

6 $235 \times 4 = \square$

7 $153 \times 6 = \square$

8 $177 \times 5 = \square$

9 $183 \times 4 = \square$

10 $289 \times 3 = \square$

같은 색 선을 따라가며 계산해 보세요.

11
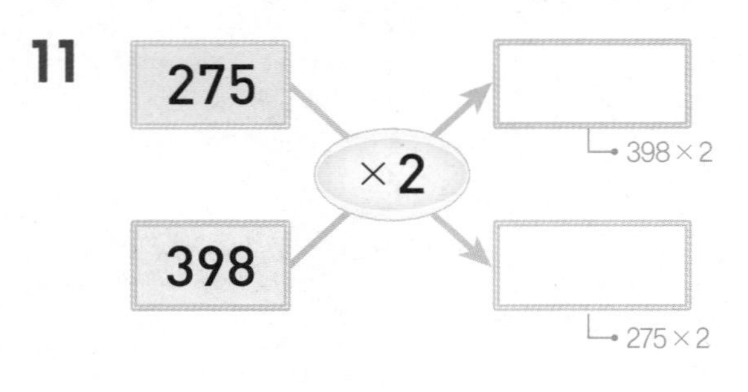

12
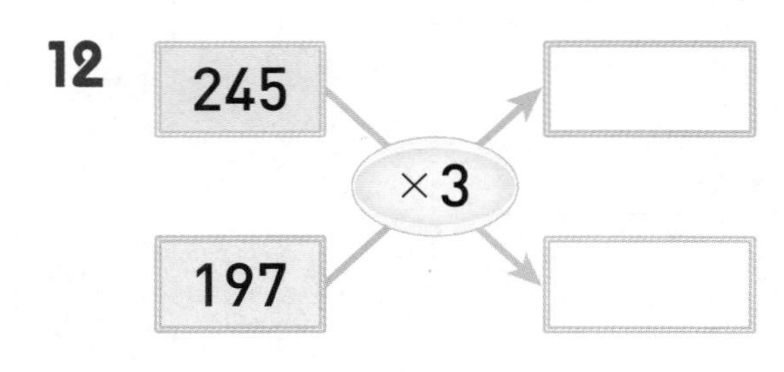

13

163, 182, ×5

14
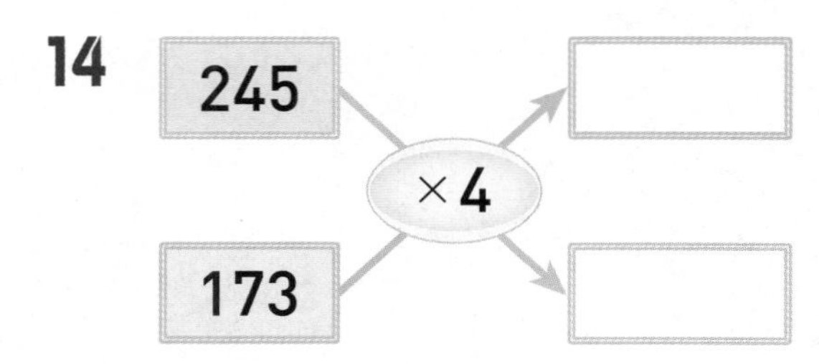

플러스 계산 연습

맞은 개수 / 22개

▶ 정답과 해설 3쪽

생활 속 계산

상자에 들어 있는 음식은 모두 몇 개인지 구하세요.

15

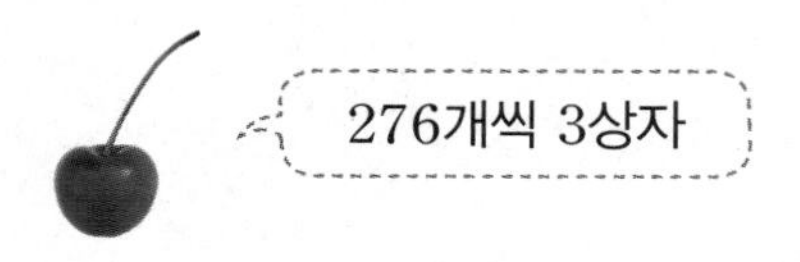

☐ × 3 = ☐ (개)

16

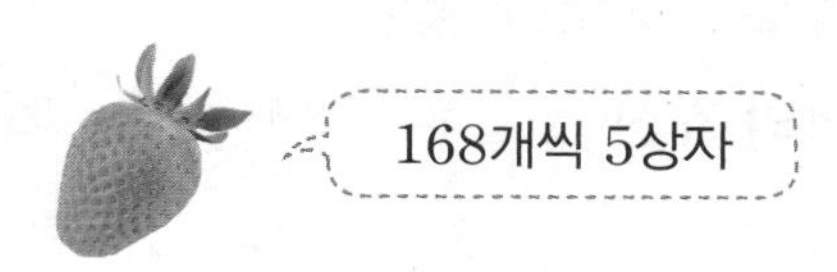

☐ × 5 = ☐ (개)

17

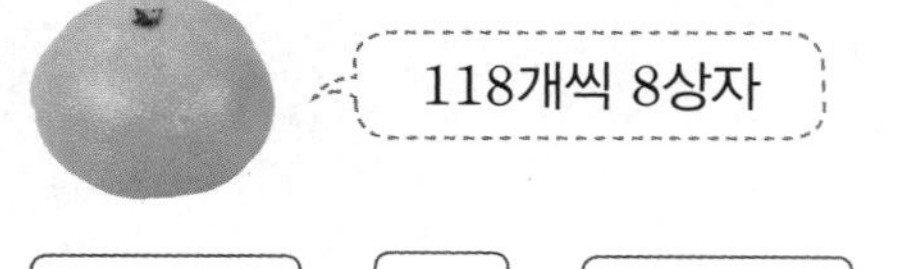

☐ × ☐ = ☐ (개)

18

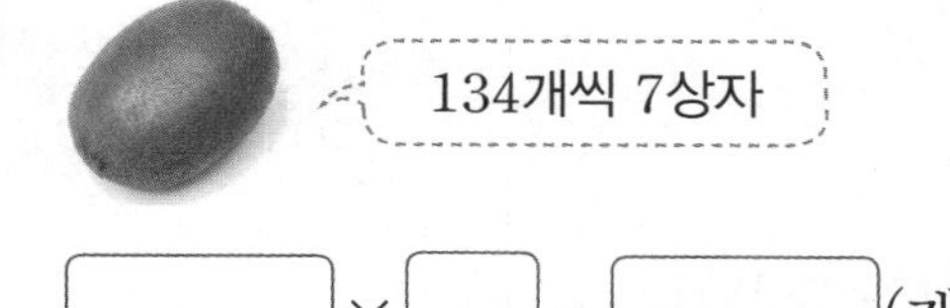

☐ × ☐ = ☐ (개)

문장 읽고 계산식 세우기

19

한 봉지에 378개씩 들어 있는 구슬이 2봉지 있다면?

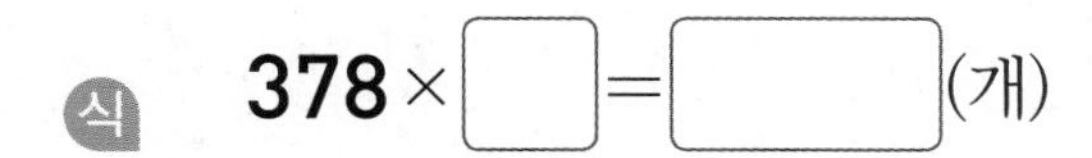

20

한 봉지에 229장씩 들어 있는 딱지가 4봉지 있다면?

식 229 × ☐ = ☐ (장)

21

한 상자에 136개씩 들어 있는 사탕이 5상자 있다면?

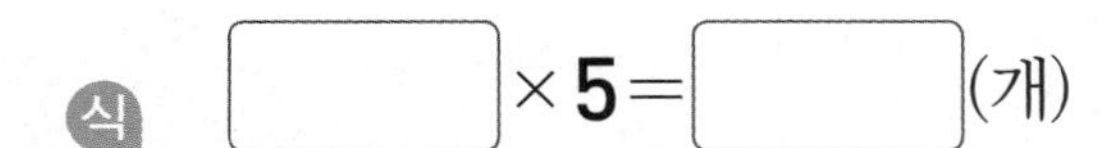

22

한 상자에 137개씩 들어 있는 초콜릿이 6상자 있다면?

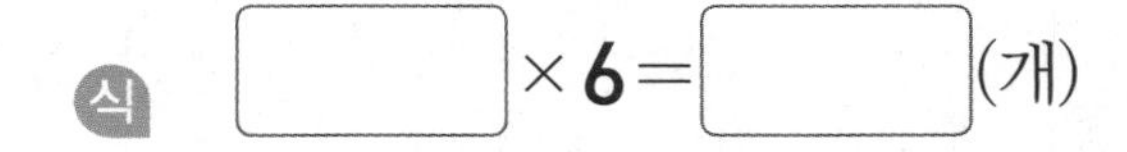

올림이 2번 있는 (세 자리 수)×(한 자리 수)(2)

이렇게 해결하자

• 342×4의 계산 — 십, 백의 자리에서 올림이 있는 (세 자리 수)×(한 자리 수)

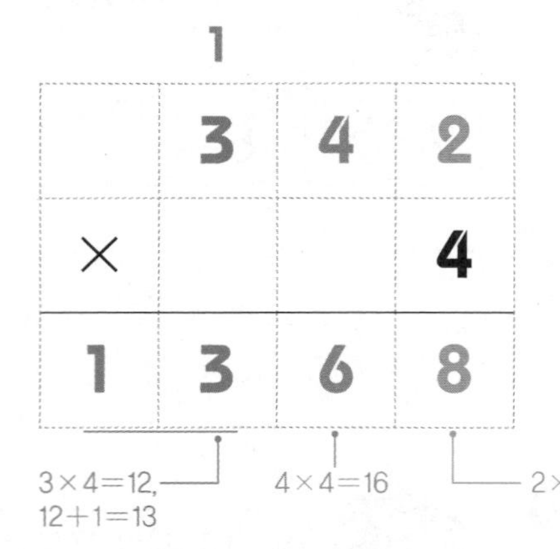

십의 자리 계산에서 올림한 수는 백의 자리 계산에 더해요.

계산해 보세요.

❶

	5	4	2
×			3

❷

	3	8	2
×			4

❸

	4	3	1
×			5

❹

	2	9	2
×			4

❺

	5	8	1
×			5

❻

	4	7	3
×			3

❼

	3	7	1
×			6

❽

	7	5	0
×			7

❾

	2	5	1
×			4

기초 계산 연습

맞은 개수 / 21개

▶ 정답과 해설 3쪽

⑩

	3	4	1
×			7

⑪

	9	6	2
×			3

⑫

	6	5	2
×			4

⑬

	4	8	1
×			3

⑭

	7	8	4
×			2

⑮

	8	5	1
×			5

⑯ $281 \times 6 =$ ☐

×			

⑰ $363 \times 3 =$ ☐

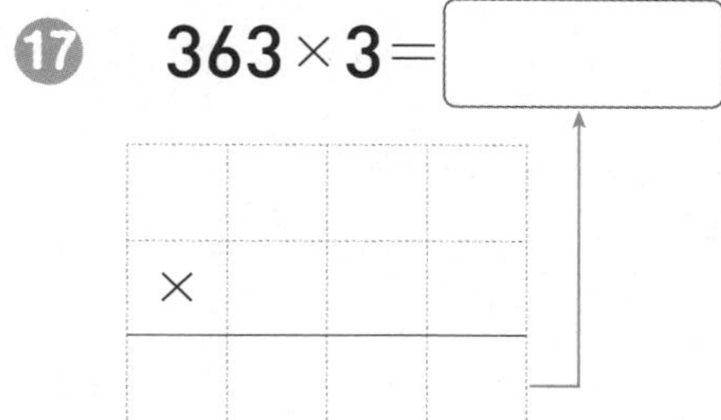

⑱ $471 \times 4 =$ ☐

×			

⑲ $581 \times 8 =$ ☐

×			

⑳ $771 \times 7 =$ ☐

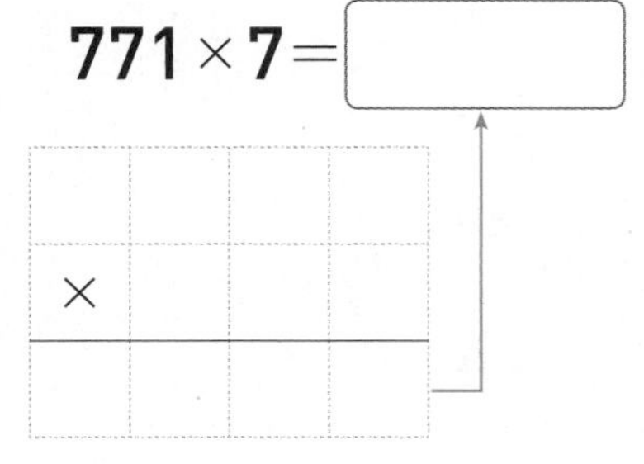

㉑ $982 \times 2 =$ ☐

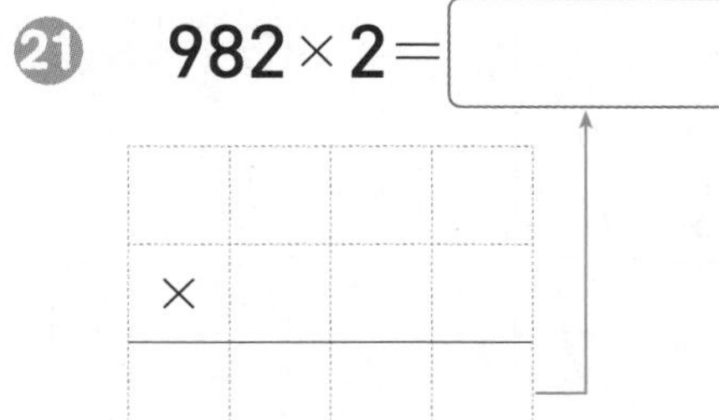

6 일차 올림이 2번 있는 (세 자리 수)×(한 자리 수)(2)

계산해 보세요.

1 $571\times6=$ □

2 $691\times3=$ □

3 $471\times8=$ □

4 $391\times7=$ □

5 $752\times3=$ □

6 $850\times4=$ □

7 $841\times6=$ □

8 $771\times5=$ □

9 $962\times4=$ □

10 $893\times3=$ □

빈칸에 알맞은 수를 써넣으세요.

11

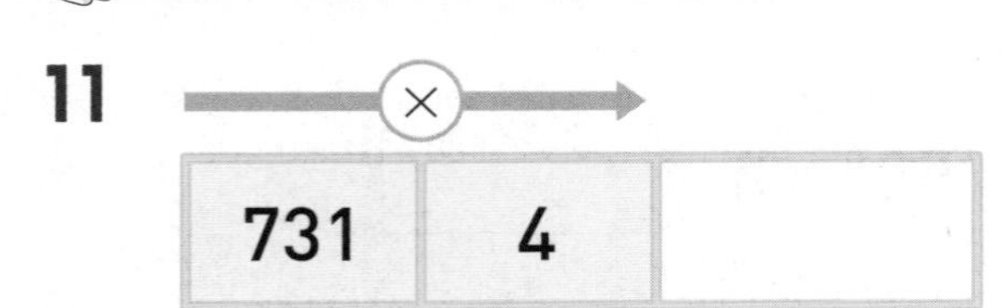

12

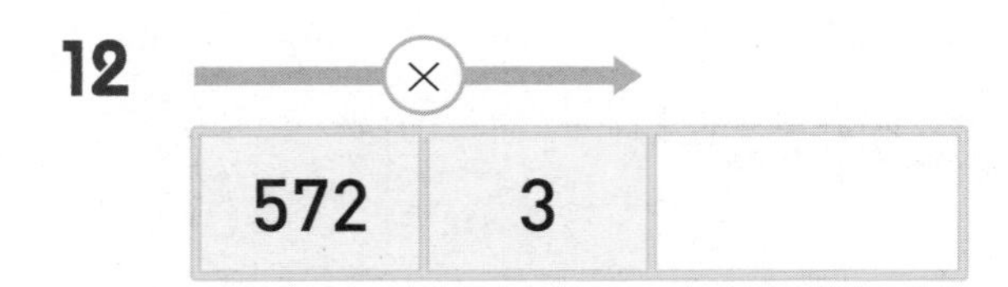

13 ×

561	6	

14

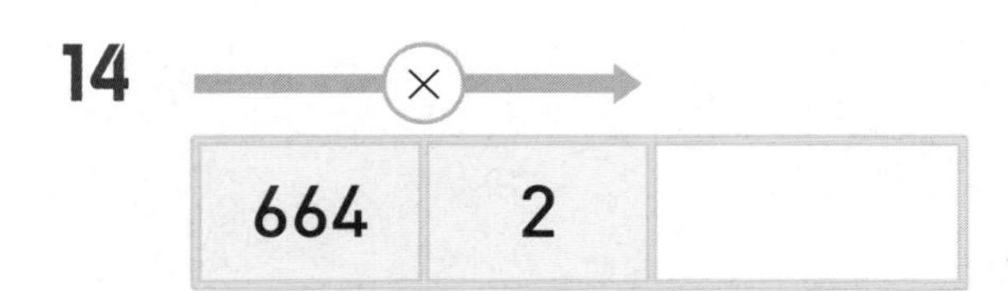

15 ×

721	7	

16

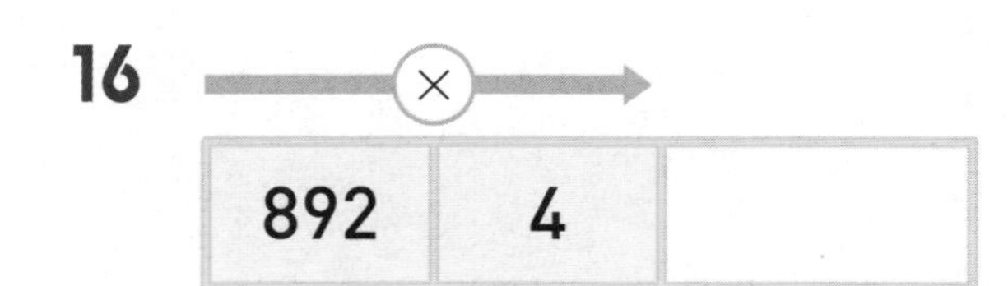

플러스 계산 연습

맞은 개수 / 24개

▶ 정답과 해설 3쪽

선을 따라가며 계산해 보세요.

17

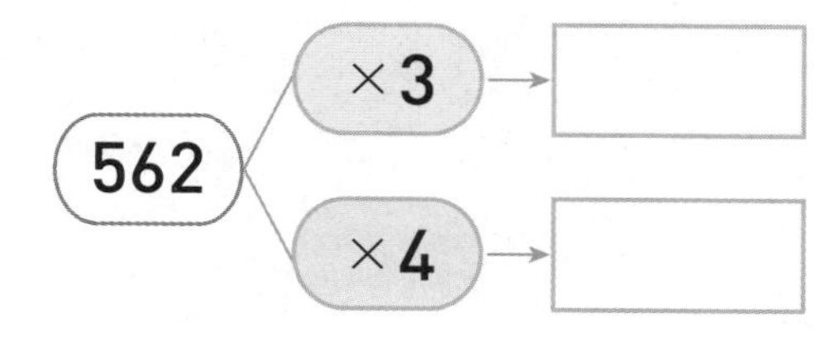

18

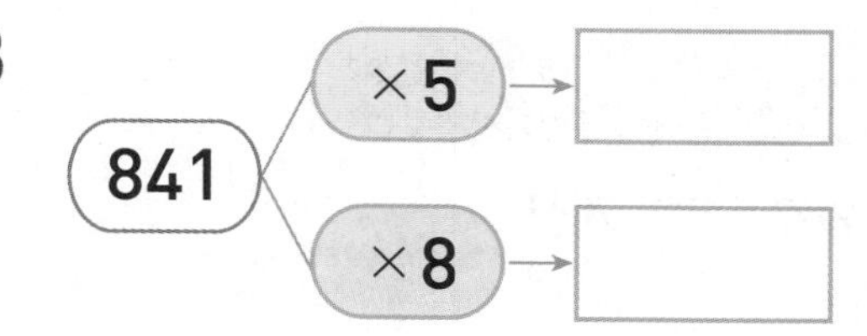

생활 속 계산

동물의 무게는 몇 kg인지 구하세요.

무게의 단위, 킬로그램이라고 읽습니다.

19

631 kg짜리 7마리

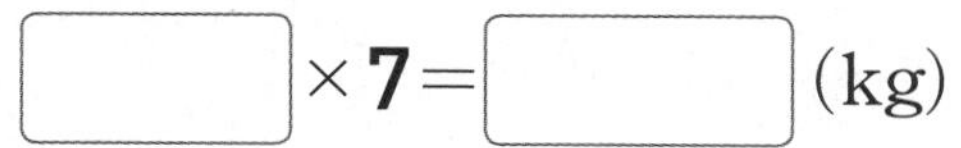

20

392 kg짜리 4마리

□×4=□(kg)

문장 읽고 계산식 세우기

21

한 상자에 881개씩 들어 있는 당근이 4상자 있다면?

식 881×□=□(개)

22

한 상자에 291개씩 들어 있는 감자가 6상자 있다면?

식 291×□=□(개)

23

한 상자에 490개씩 들어 있는 지우개가 8상자 있다면?

식 □×8=□(개)

24

한 상자에 653개씩 들어 있는 수수깡이 3상자 있다면?

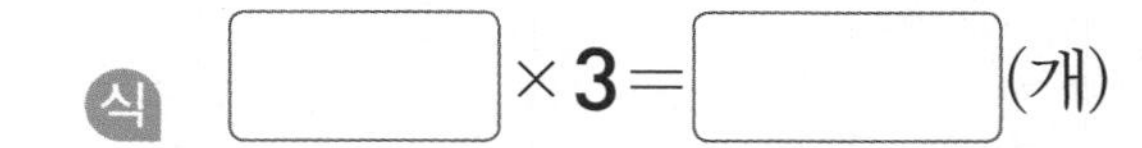

1 곱셈

7 일차 올림이 3번 있는 (세 자리 수)×(한 자리 수)

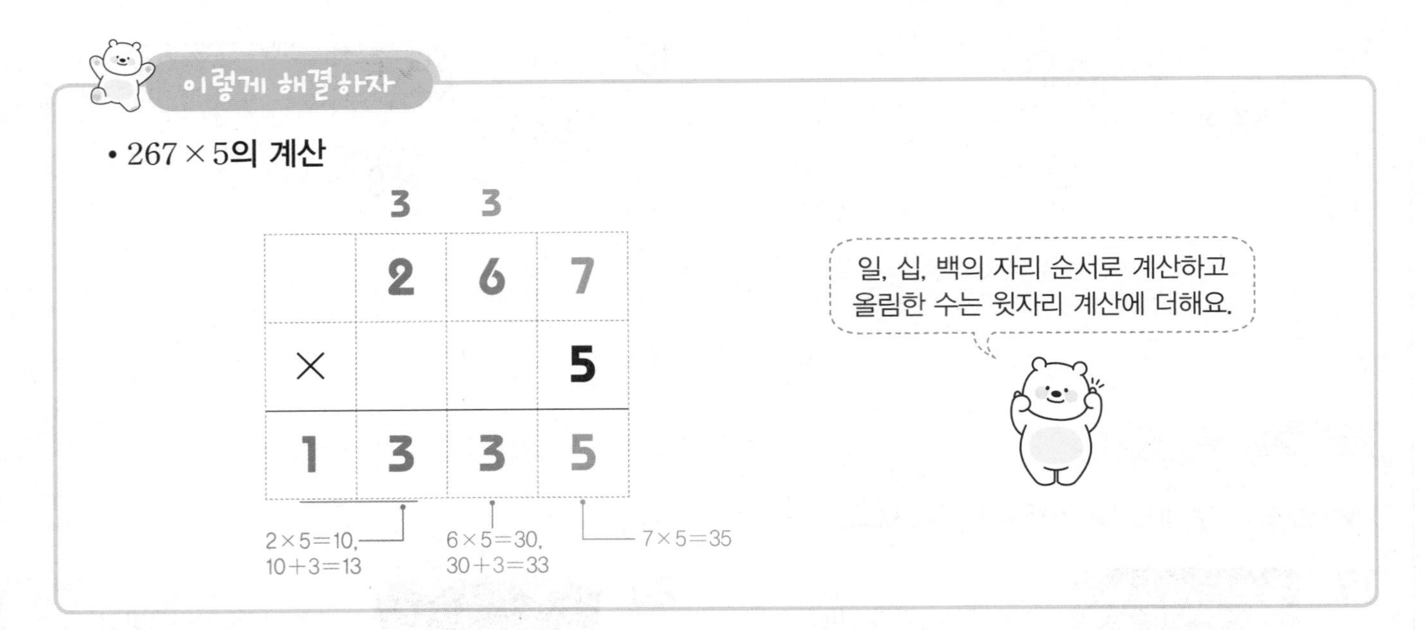

계산해 보세요.

❶

	4	8	5
×			3

❷

	6	8	4
×			4

❸

	4	7	7
×			4

❹

	6	7	3
×			5

❺

	4	7	3
×			8

❻

	3	6	2
×			9

❼

	9	5	4
×			7

❽

	5	4	6
×			9

❾

	6	7	8
×			6

기초 계산 연습

맞은 개수 / 21개

▶ 정답과 해설 4쪽

⑩

	1	4	8
×			9

⑪

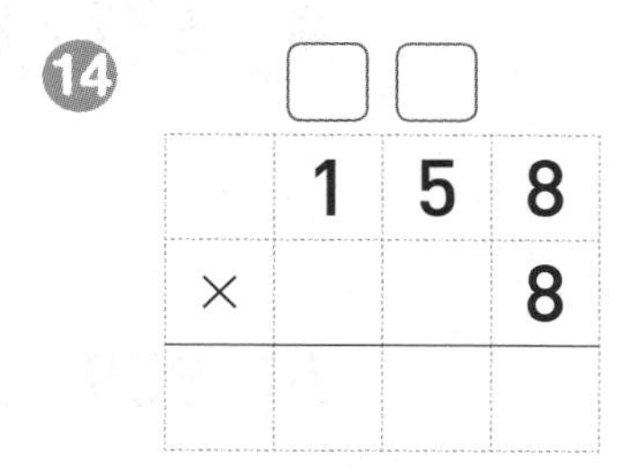

	2	6	4
×			6

⑫

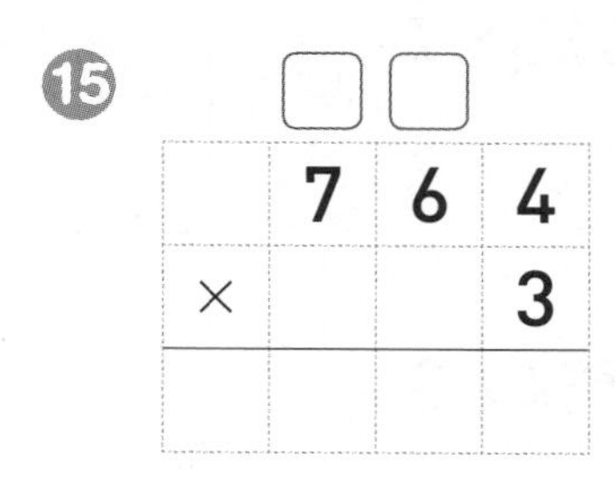

	3	5	8
×			4

⑬

	2	8	5
×			7

⑭

	1	5	8
×			8

⑮

	7	6	4
×			3

⑯ 985 × 2 = ☐

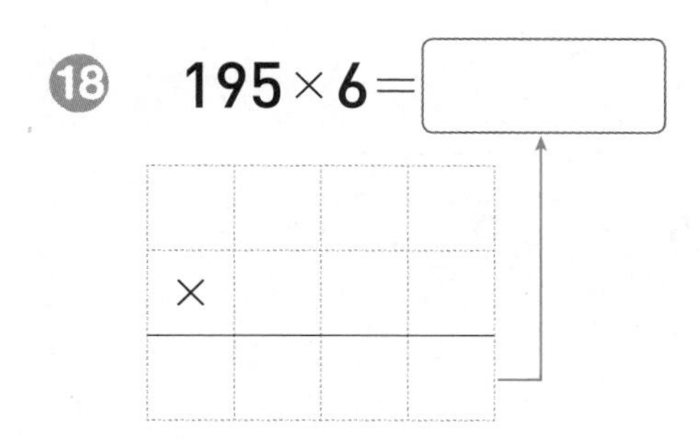

⑰ 593 × 4 = ☐

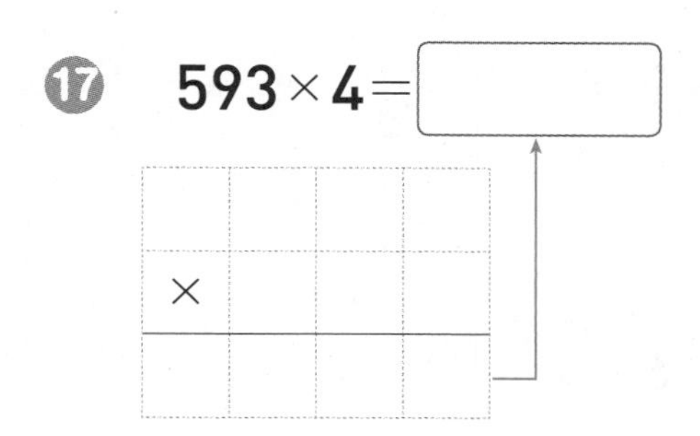

⑱ 195 × 6 = ☐

⑲ 834 × 3 = ☐

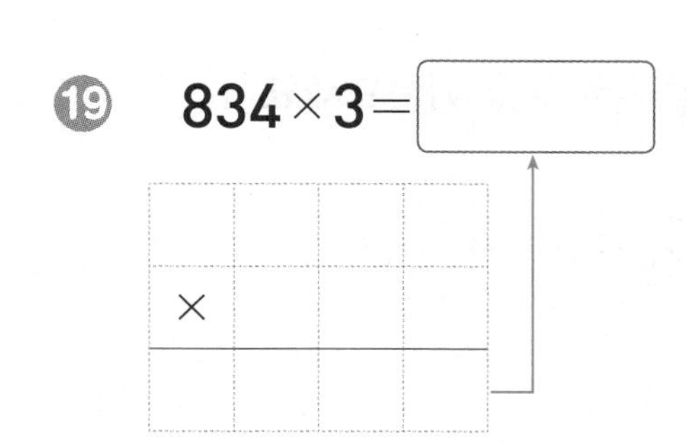

⑳ 518 × 7 = ☐

㉑ 426 × 9 = ☐

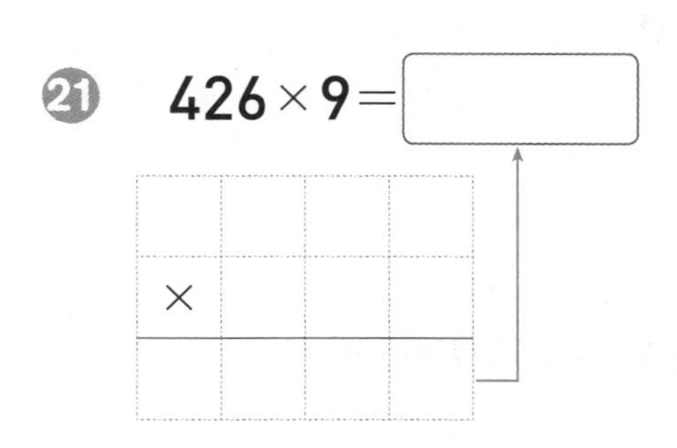

7 일차

올림이 3번 있는 (세 자리 수) × (한 자리 수)

 계산해 보세요.

1 $372 \times 5 =$ ☐

2 $426 \times 6 =$ ☐

3 $463 \times 7 =$ ☐

4 $672 \times 8 =$ ☐

5 $784 \times 3 =$ ☐

6 $859 \times 2 =$ ☐

7 $384 \times 9 =$ ☐

8 $495 \times 4 =$ ☐

9 $958 \times 6 =$ ☐

10 $547 \times 8 =$ ☐

빈칸에 알맞은 수를 써넣으세요.

11

387	×	4	=	

12

594	×	5	=	

13

625	×	6	=	

14

392	×	7	=	

15

464	×	8	=	

16

166	×	9	=	

제한 시간 5분

플러스 계산 연습

맞은 개수 / 24개

▶ 정답과 해설 4쪽

사다리를 타고 내려간 곳에 알맞은 수를 써넣으세요.

17

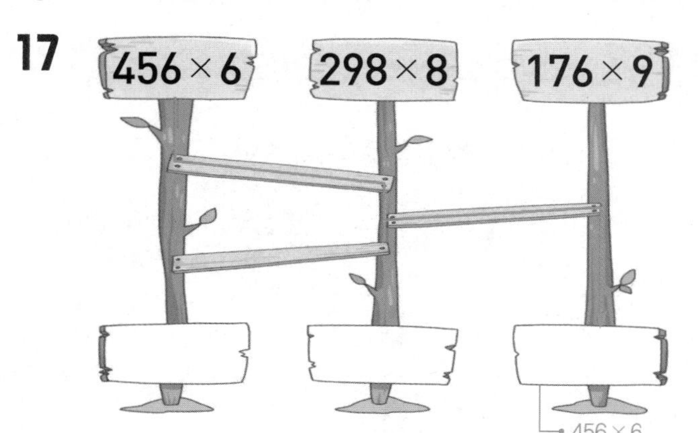

18

234×7 529×4 382×5

생활 속 계산

빵의 무게는 몇 g인지 구하세요.

19

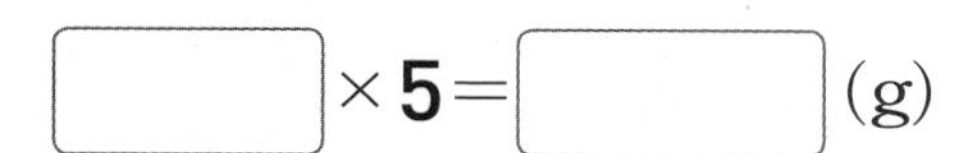

20

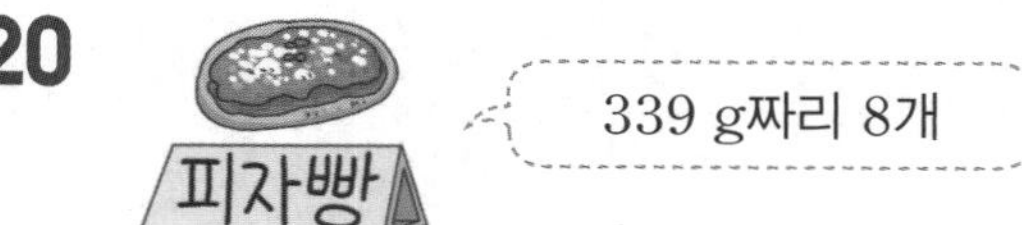

□×8=□(g)

문장 읽고 계산식 세우기

21

한 봉지에 376 g씩 들어 있는 소금이 4봉지 있다면?

식 376×□=□(g)

22

한 봉지에 544 g씩 들어 있는 밀가루가 7봉지 있다면?

식 544×□=□(g)

23

한 상자에 486개씩 들어 있는 체리가 5상자 있다면?

식 □×5=□(개)

24

한 상자에 637개씩 들어 있는 방울토마토가 8상자 있다면?

식 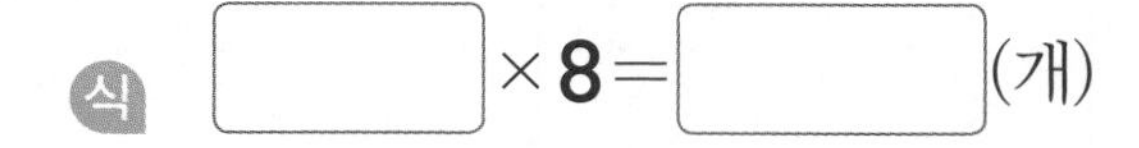

1 곱셈

8 일차

(몇십) × (몇십), (몇십몇) × (몇십)

이렇게 해결하자

• 20 × 30의 계산 — (몇십) × (몇십)

	2	0
×	3	0
6	0	0

(몇) × (몇)의 값에 0을 2개 붙여요.

• 12 × 40의 계산 — (몇십몇) × (몇십)

	1	2
×	4	0
4	8	0

(몇십몇) × (몇)의 값에 0을 1개 붙여요.

계산해 보세요.

❶ 10×70

❷ 20×40

❸ 30×60

❹ 40×50

❺ 80×30

❻ 70×90

❼ 14×20

❽ 23×30

❾ 17×50

❿ 27×40

⓫ 35×60

⓬ 43×80

제한 시간 3분

기초 계산 연습

맞은 개수 / 24개

▶ 정답과 해설 4쪽

⑬

		2	8
	×	5	0

⑭

		3	8
	×	3	0

⑮

		5	5
	×	6	0

⑯

		6	9
	×	3	0

⑰

		7	5
	×	9	0

⑱

		5	8
	×	8	0

⑲ $80 \times 50 =$ ☐

	×		

⑳ $60 \times 40 =$ ☐

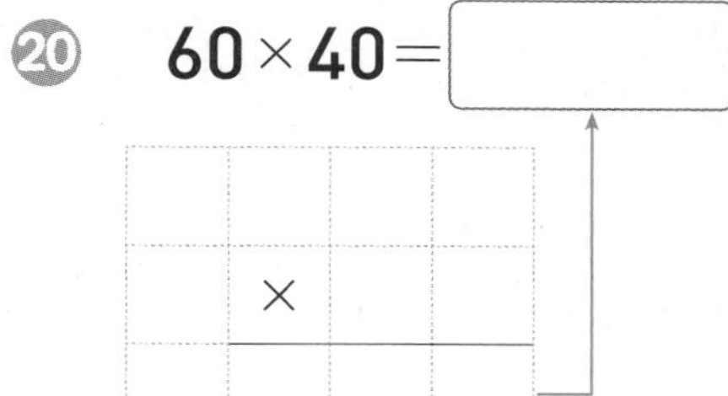

	×		

㉑ $51 \times 70 =$ ☐

	×		

㉒ $94 \times 80 =$ ☐

	×		

㉓ $74 \times 60 =$ ☐

	×		

㉔ $48 \times 50 =$ ☐

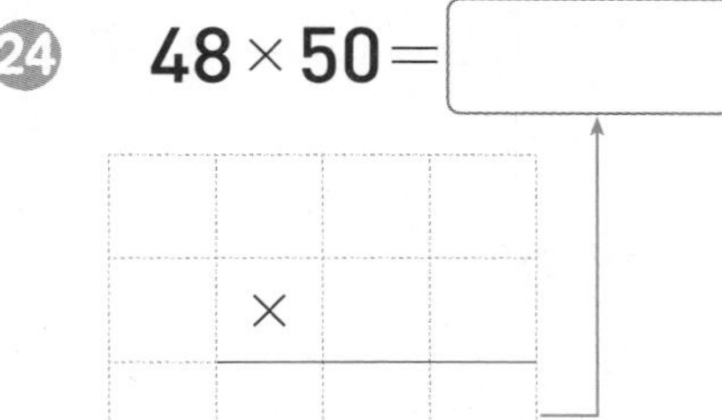

	×		

8 일차 (몇십)×(몇십), (몇십몇)×(몇십)

 계산해 보세요.

1 $70 \times 50 =$ ☐

2 $80 \times 60 =$ ☐

3 $20 \times 90 =$ ☐

4 $90 \times 90 =$ ☐

5 $37 \times 30 =$ ☐

6 $29 \times 60 =$ ☐

7 $53 \times 40 =$ ☐

8 $87 \times 40 =$ ☐

9 $66 \times 50 =$ ☐

10 $49 \times 80 =$ ☐

빈칸에 두 수의 곱을 써넣으세요.

11
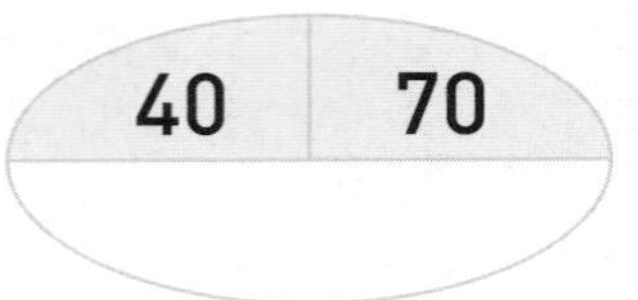

12

13

14
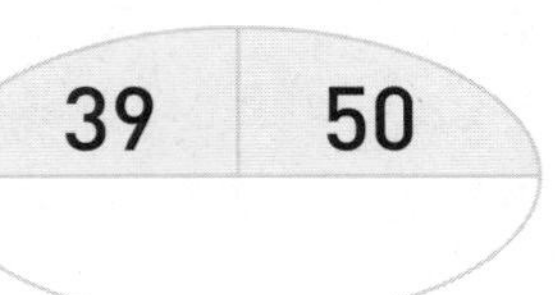

15

16

선을 따라가며 계산해 보세요.

17

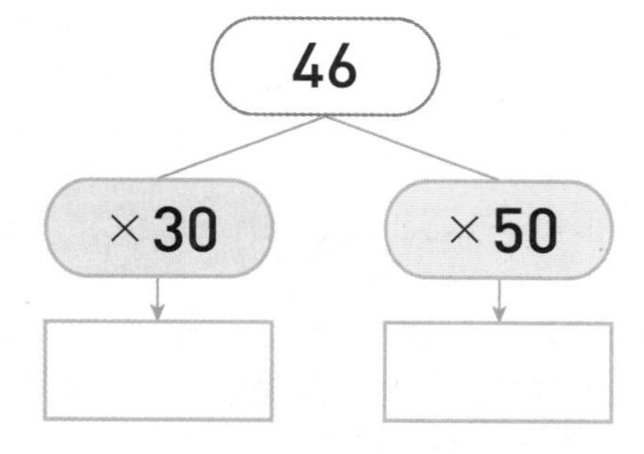

18

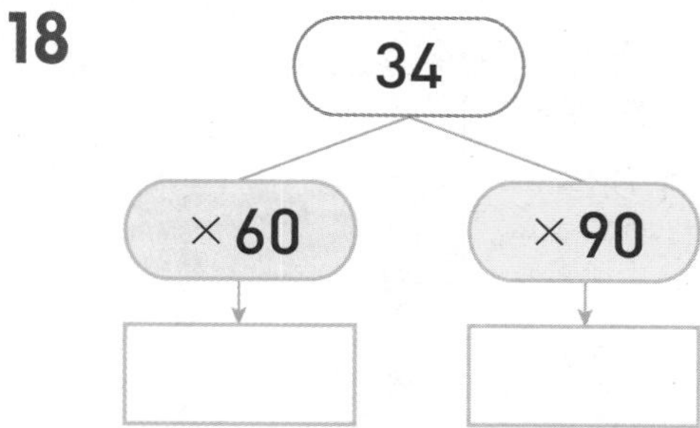

생활 속 계산

과자는 모두 몇 개인지 구하세요.

19

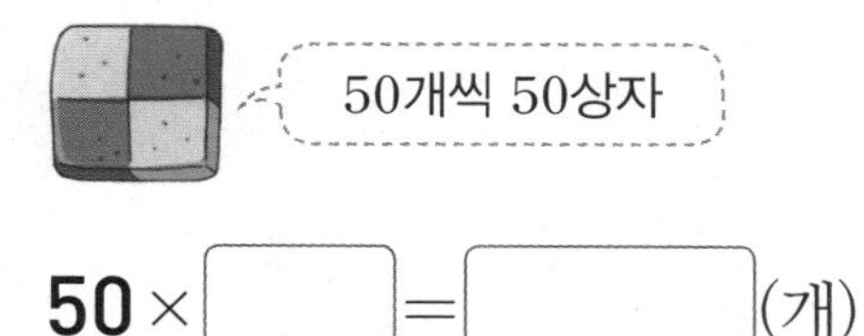

50 × □ = □(개)

20

□ × □ = □(개)

문장 읽고 계산식 세우기

21

한 개에 70원 하는 사탕 60개의 값은 얼마?

식 □ × 60 = □(원)

22

50원짜리 동전 90개의 금액은 얼마?

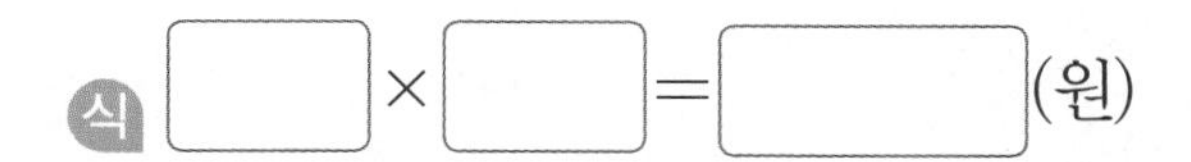

23

한 봉지에 45개씩 들어 있는 공깃돌이 40봉지 있다면?

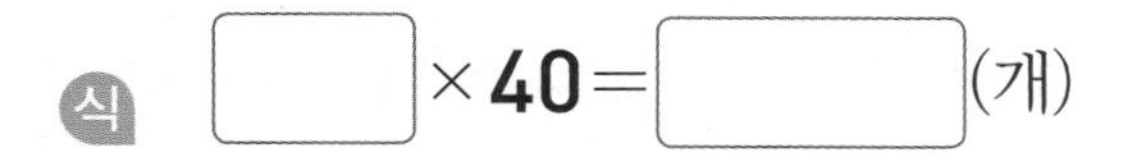

24

한 봉지에 78개씩 들어 있는 바둑돌이 60봉지 있다면?

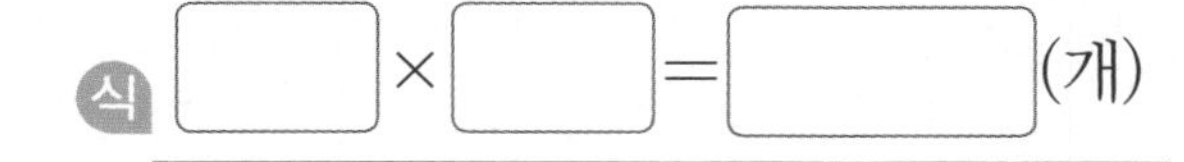

9 일차

(몇)×(몇십몇)

이렇게 해결하자

• 8×16의 계산

		8	
×	1	6	
	4	8	… 8×6
	8	0	… 8×10
1	2	8	

곱하는 수를
일의 자리와 십의 자리로 나누어
곱한 후 두 곱을 더해요.

계산해 보세요.

❶

		3	
×	4	7	
			…3×7
			…3×40

❷

		4
×	7	3

❸

		6
×	9	5

❹

		5
×	3	5

❺

		4
×	6	4

❻

		8
×	5	7

❼

		9
×	2	8

❽

		6
×	3	4

❾

		7
×	5	6

제한 시간 3분

기초 계산 연습

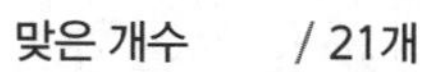

▶ 정답과 해설 5쪽

⑩

		5
×	5	6

⑪

		4
×	8	9

⑫

		8
×	7	3

⑬

		9
×	6	7

⑭

		6
×	5	4

⑮

		7
×	4	7

⑯ $5 \times 82 = \square$

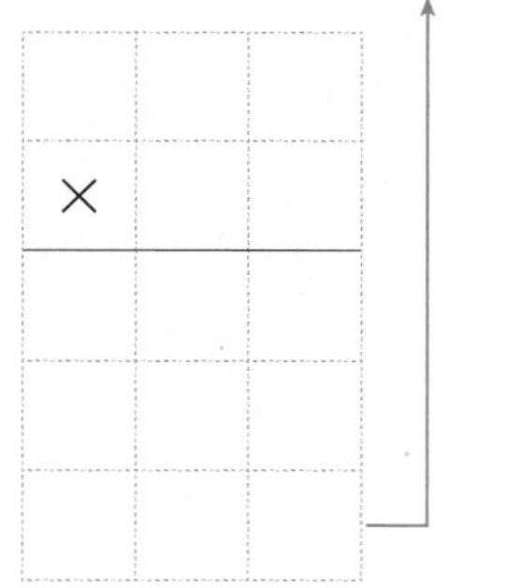

⑰ $3 \times 97 = \square$

⑱ $8 \times 35 = \square$

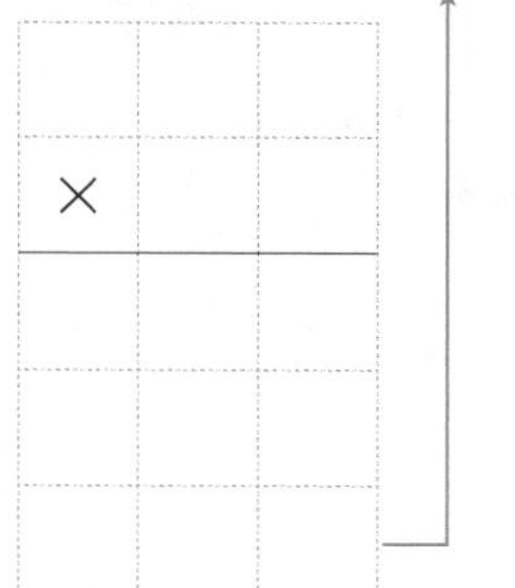

⑲ $4 \times 37 = \square$

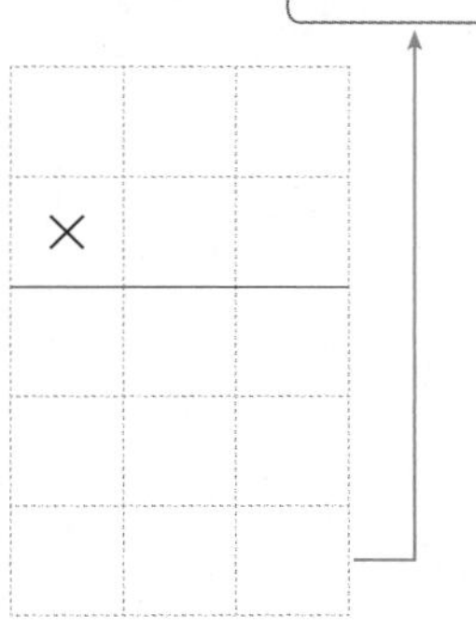

⑳ $6 \times 73 = \square$

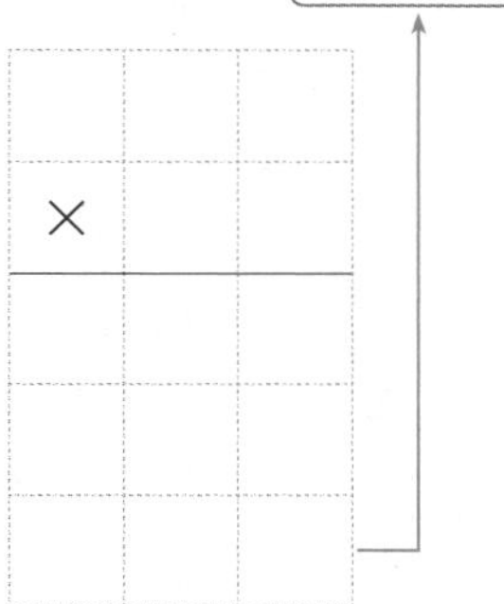

㉑ $9 \times 45 = \square$

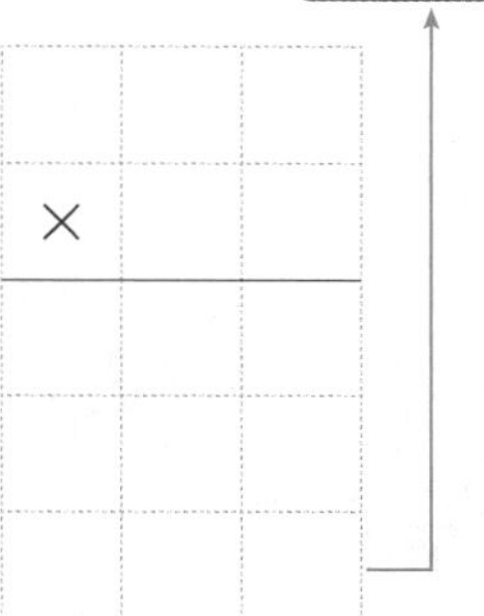

9 일차

(몇)×(몇십몇)

계산해 보세요.

1 $7\times17=$ □

2 $4\times26=$ □

3 $6\times66=$ □

4 $8\times95=$ □

5 $5\times74=$ □

6 $9\times59=$ □

7 $3\times96=$ □

8 $7\times43=$ □

9 $8\times67=$ □

빈칸에 알맞은 수를 써넣으세요.

10

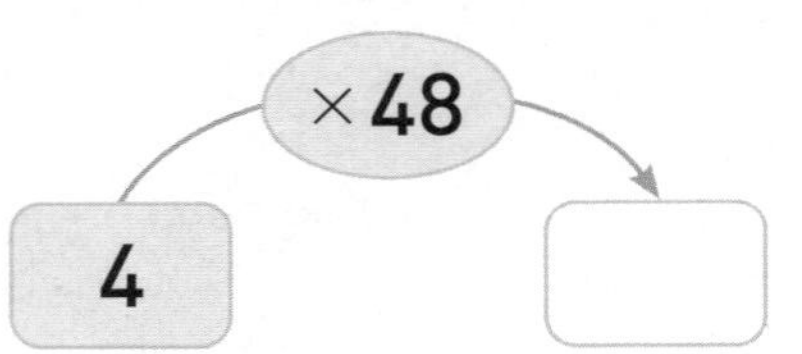

11

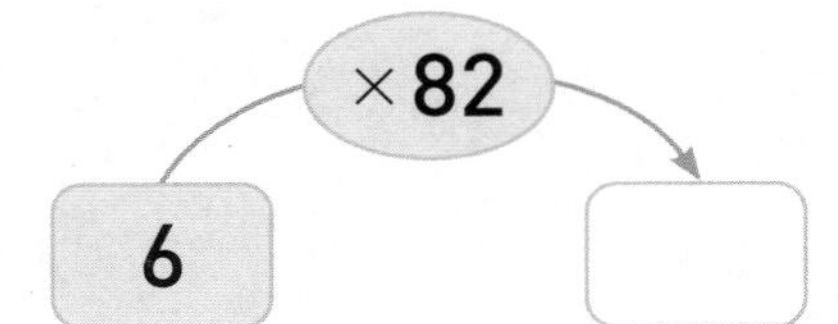

12

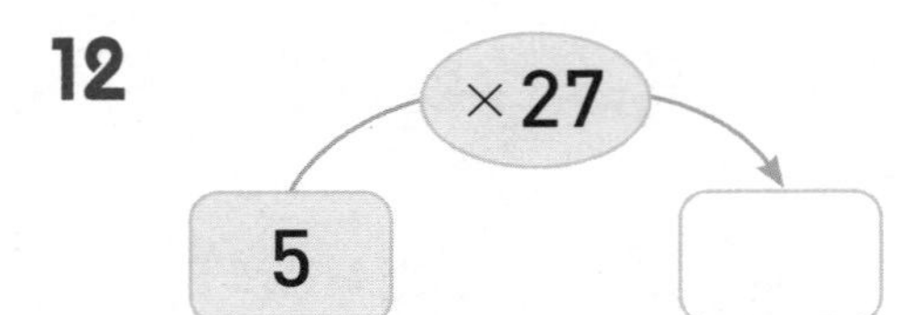

13

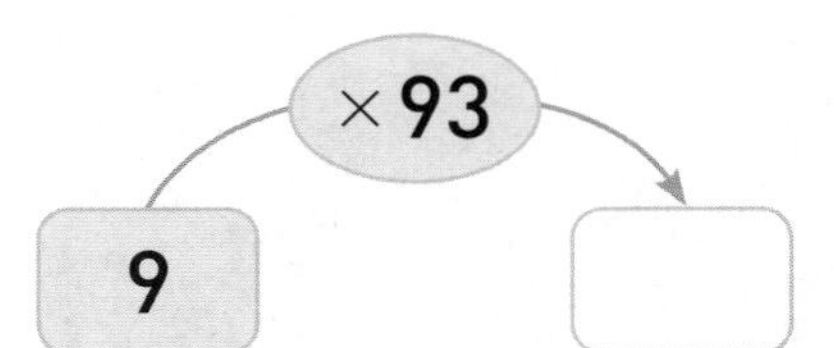

14

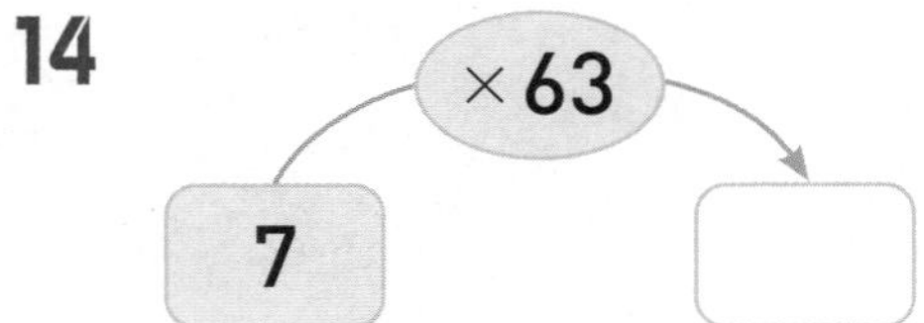

15

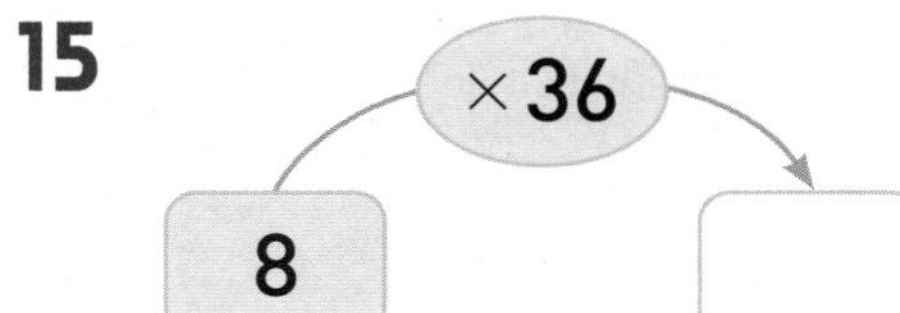

제한 시간 5분

플러스 계산 연습

맞은 개수 / 23개

▶ 정답과 해설 5쪽

생활 속 계산

동물의 다리는 모두 몇 개인지 구하세요.

16

2 × ☐ = ☐ (개)

17

4 × ☐ = ☐ (개)

18

☐ × ☐ = ☐ (개)

19

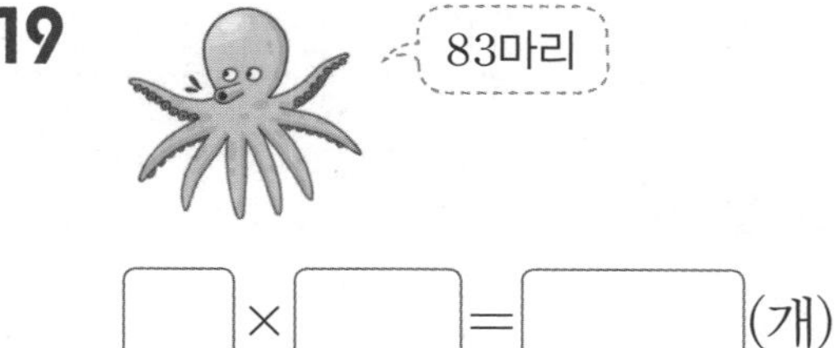

☐ × ☐ = ☐ (개)

문장 읽고 계산식 세우기

20

한 상자에 5개씩 들어 있는 축구공이 23상자 있다면?

식 5 × ☐ = ☐ (개)

21

한 상자에 9개씩 들어 있는 농구공이 36상자 있다면?

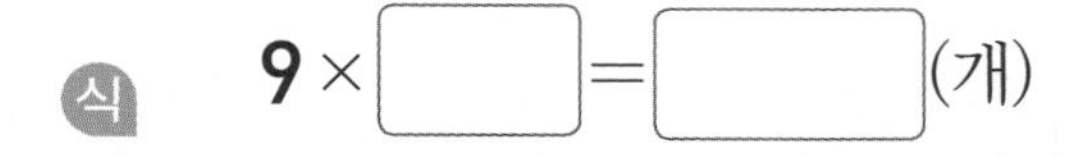

22

동화책이 책꽂이 한 칸에 6권씩 45칸에 꽂혀 있다면?

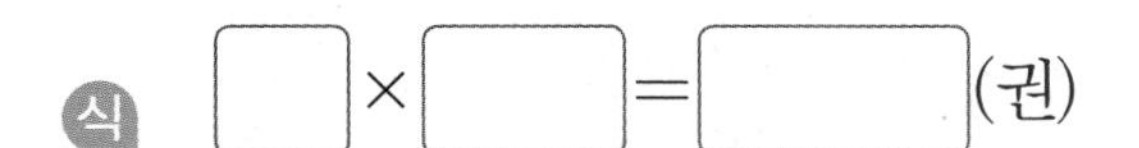

23

위인전을 하루에 7쪽씩 49일 동안 읽었다면?

식 ☐ × ☐ = ☐ (쪽)

10 일차

(몇십몇)×(몇십몇)(1)

이렇게 해결하자

• 24 × 13의 계산 — 올림이 1번 있는 (몇십몇)×(몇십몇)

	2	4	
×	1	3	
	7	2	··· 24 × 3
2	4	0	··· 24 × 10
3	1	2	

24와 일의 자리 수를 먼저 곱하고

24와 십의 자리 수를 곱한 값을 더해요.

계산해 보세요.

❶

	1	6	
×	1	5	
			··· 16 × 5
			··· 16 × 10

❷

	2	3
×	1	4

❸

	4	6
×	2	1

❹

	1	3
×	4	3

❺

	3	1
×	1	6

❻

	2	3
×	4	3

❼

	4	2
×	1	4

❽

	6	1
×	1	3

❾

	5	1
×	1	9

제한 시간 3분

기초 계산 연습

맞은 개수 / 21개

▶ 정답과 해설 5~6쪽

⑩

	1	2
×	7	4

⑪

	5	2
×	1	3

⑫

	1	3
×	1	7

⑬

	4	5
×	2	1

⑭

	3	1
×	2	4

⑮

	7	3
×	1	3

⑯ $41 \times 16 =$ □

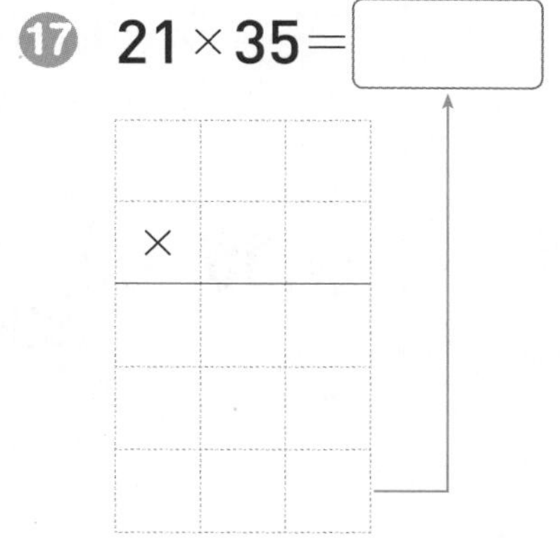

⑰ $21 \times 35 =$ □

⑱ $14 \times 16 =$ □

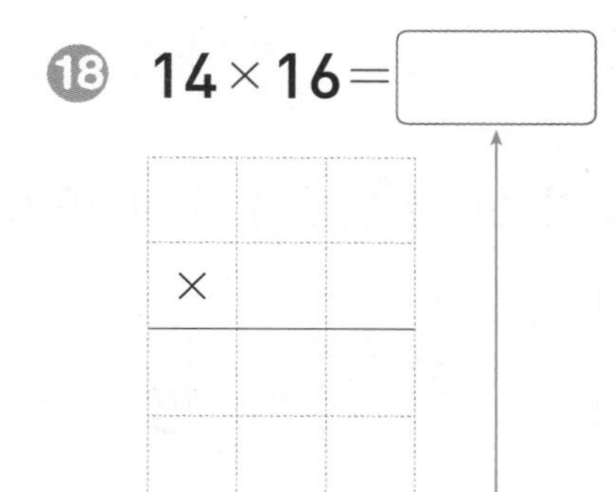

⑲ $39 \times 12 =$ □

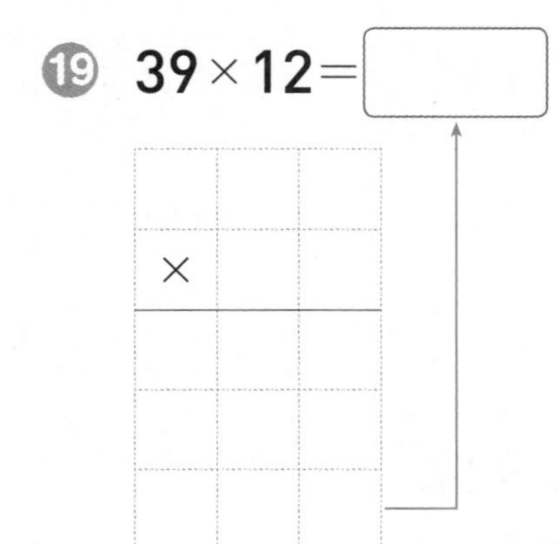

⑳ $13 \times 15 =$ □

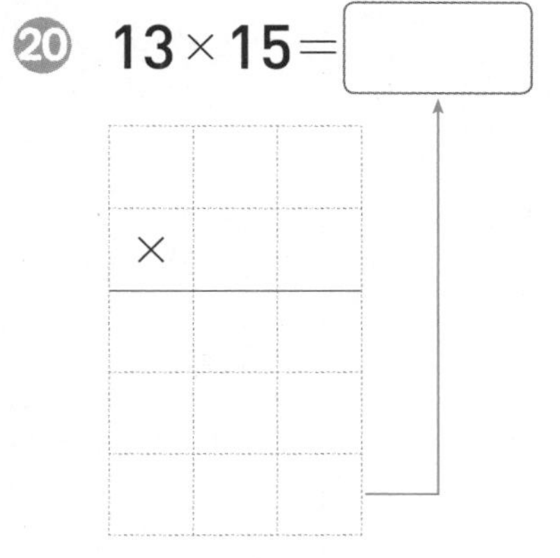

㉑ $16 \times 51 =$ □

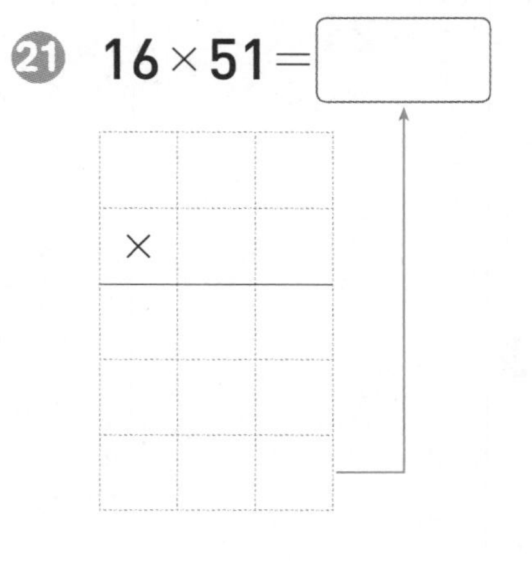

10 일차

(몇십몇)×(몇십몇)(1)

계산해 보세요.

1 $12 \times 47 =$ ☐

2 $26 \times 13 =$ ☐

3 $45 \times 12 =$ ☐

4 $19 \times 14 =$ ☐

5 $18 \times 31 =$ ☐

6 $29 \times 12 =$ ☐

7 $27 \times 31 =$ ☐

8 $32 \times 14 =$ ☐

빈칸에 알맞은 수를 써넣으세요.

9 | 31 | ×15 | |

10 | 83 | ×12 | |

11 | 24 | ×24 | |

12 | 41 | ×17 | |

13 | 62 | ×13 | |

14 

▶ 정답과 해설 6쪽

빈칸에 알맞은 수를 써넣으세요.

15 ×

17	31	
41	19	

16 ×

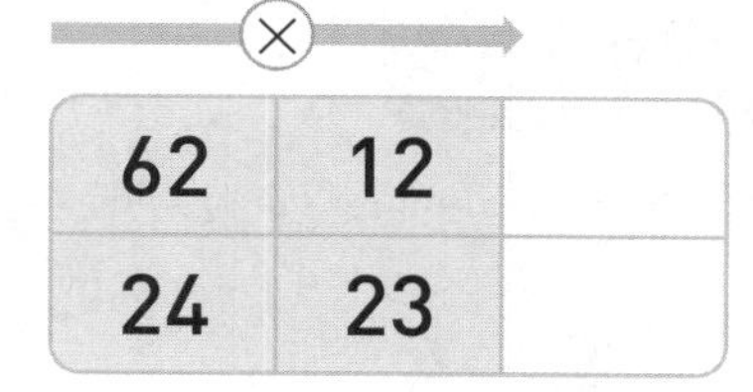

62	12	
24	23	

생활 속 계산

채소는 모두 몇 개인지 구하세요.

17

73×☐=☐(개)

18

☐×☐=☐(개)

문장 읽고 계산식 세우기

19 한 자루에 39 g인 연필 21자루의 무게는?

식 39×☐=☐(g)

20 한 개에 41 g인 사탕 13개의 무게는?

식 41×☐=☐(g)

21 빗자루가 한 묶음에 14개씩 25묶음 있다면?

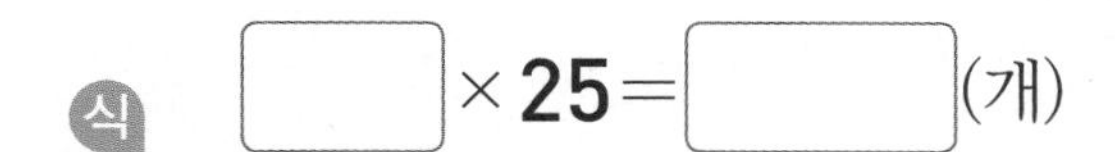

식 ☐×25=☐(개)

22 초콜릿이 한 봉지에 29개씩 21봉지 있다면?

식 ☐×21=☐(개)

11 일차 (몇십몇)×(몇십몇)(2)

이렇게 해결하자

• 24×16의 계산 — 올림이 여러 번 있는 (몇십몇)×(몇십몇)

	2	4	
×	1	6	
1	4	4	··· 24×6
2	4	0	··· 24×10
3	8	4	

곱하는 수를
일의 자리와 십의 자리로
나누어 곱한 후 두 곱을 더해요.

계산해 보세요.

❶

	2	6	
×	1	5	
			···26×5
			···26×10

❷

	1	7
×	2	8

❸

	4	6
×	1	3

❹

	2	3
×	3	5

❺

	3	2
×	2	9

❻

	2	4
×	2	5

❼

	3	3
×	1	9

❽

	6	2
×	1	6

❾

	3	9
×	2	4

기초 계산 연습

맞은 개수 / 21개

▶ 정답과 해설 6쪽

⑩

	1	4
×	3	5

⑪

	3	3
×	2	6

⑫

	3	6
×	1	8

⑬

	1	7
×	2	5

⑭

	3	4
×	2	5

⑮

	2	7
×	3	5

⑯ $36 \times 24 = \square$

⑰ $49 \times 19 = \square$

⑱ $27 \times 27 = \square$

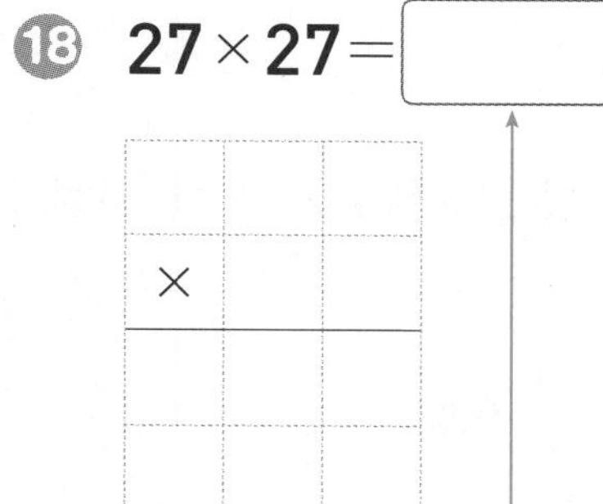

⑲ $37 \times 23 = \square$

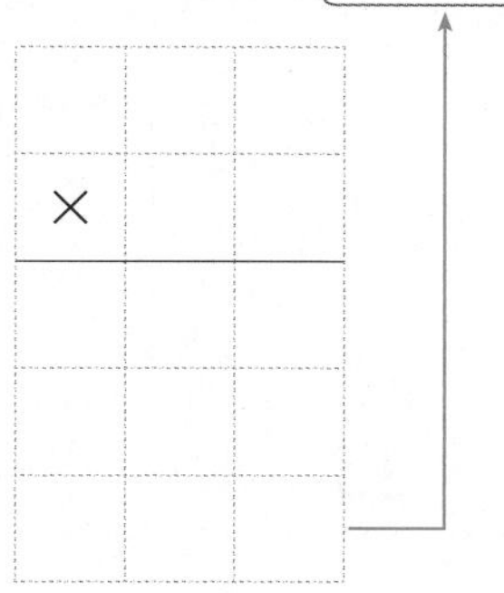

⑳ $13 \times 57 = \square$

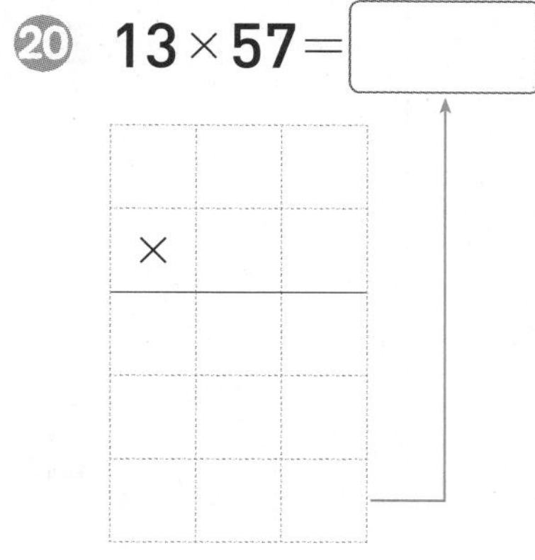

㉑ $19 \times 39 = \square$

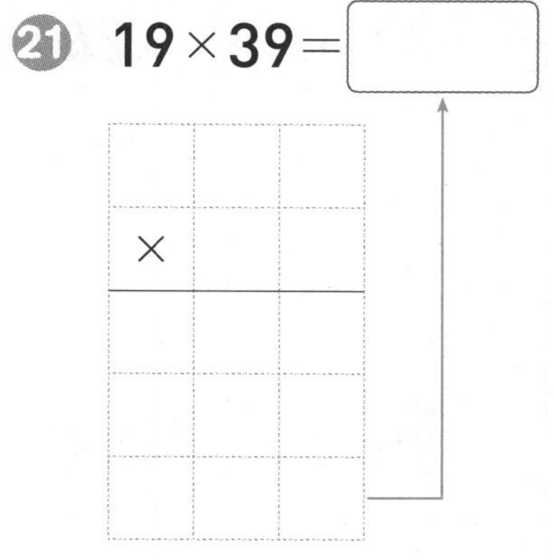

(몇십몇)×(몇십몇)(2)

계산해 보세요.

1 $56\times14=$ ☐

2 $17\times33=$ ☐

3 $37\times27=$ ☐

4 $24\times34=$ ☐

5 $19\times26=$ ☐

6 $66\times15=$ ☐

7 $34\times18=$ ☐

8 $28\times29=$ ☐

빈칸에 알맞은 수를 써넣으세요.

9 44 → ×17 → ☐

10 53 → ×15 → ☐

11 19 → ×24 → ☐

12 26 → ×28 → ☐

13 27 → ×18 → ☐

14 25 → ×35 → ☐

제한 시간 5분

플러스 계산 연습

맞은 개수 / 22개

▶ 정답과 해설 7쪽

생활 속 계산

과일별 100 g의 열량을 나타낸 것입니다. 각 열량은 몇 킬로칼로리인지 각각 구하세요.

음식의 에너지의 양인 열량의 단위를 'kcal'라 쓰고 '킬로칼로리'라고 읽어요.

15 39 kcal × 17

39 × ☐ = ☐ (kcal)

16 55 kcal × 16

55 × ☐ = ☐ (kcal)

17 45 kcal × 22

☐ × ☐ = ☐ (kcal)

18 67 kcal × 13

☐ × ☐ = ☐ (kcal)

문장 읽고 계산식 세우기

19 한 봉지에 35개씩 들어 있는 초콜릿이 24봉지 있다면?

식 35 × ☐ = ☐ (개)

20 한 봉지에 56개씩 들어 있는 사탕이 16봉지 있다면?

식 56 × ☐ = ☐ (개)

21 한 상자에 23권씩 들어 있는 공책이 27상자 있다면?

식 ☐ × 27 = ☐ (권)

22 한 상자에 48자루씩 들어 있는 연필이 18상자 있다면?

식 ☐ × 18 = ☐ (자루)

12 일차 (몇십몇)×(몇십몇)(3)

이렇게 해결하자

• 52×26의 계산

		5	2	
	×	2	6	
	3	1	2	⋯ 52×6
1	0	4	0	⋯ 52×20
1	3	5	2	

계산해 보세요.

❶

		4	2	
	×	5	5	
				⋯ 42×5
				⋯ 42×50

❷

		3	4
	×	8	7

❸

		5	3
	×	4	6

❹

		3	8
	×	4	6

❺

		6	7
	×	7	3

❻

		7	2
	×	2	8

❼

		4	9
	×	5	3

❽

		2	2
	×	8	5

❾

		6	8
	×	7	5

기초 계산 연습

맞은 개수 　　/ 21개

▶ 정답과 해설 7쪽

⑩
$$\begin{array}{r} 88 \\ \times\ 55 \\ \hline \end{array}$$

⑪
$$\begin{array}{r} 28 \\ \times\ 47 \\ \hline \end{array}$$

⑫
$$\begin{array}{r} 92 \\ \times\ 26 \\ \hline \end{array}$$

⑬
$$\begin{array}{r} 38 \\ \times\ 77 \\ \hline \end{array}$$

⑭
$$\begin{array}{r} 57 \\ \times\ 83 \\ \hline \end{array}$$

⑮
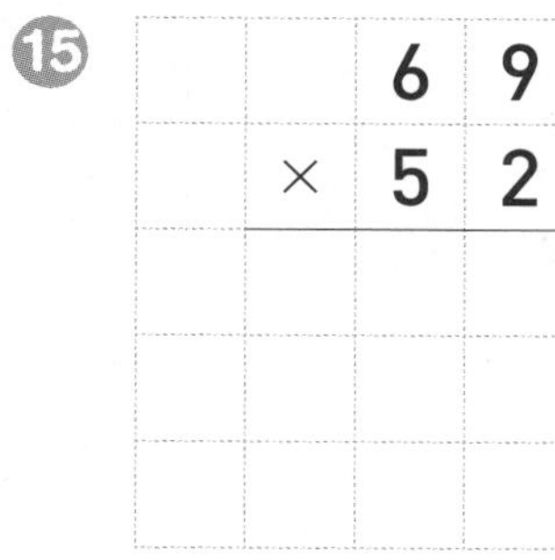
$$\begin{array}{r} 69 \\ \times\ 52 \\ \hline \end{array}$$

⑯ $29 \times 43 = \square$

⑰ $94 \times 75 = \square$

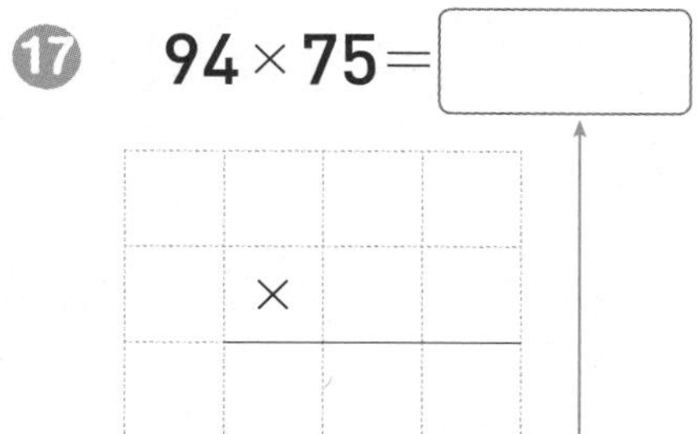

⑱ $63 \times 54 = \square$

⑲ $82 \times 39 = \square$

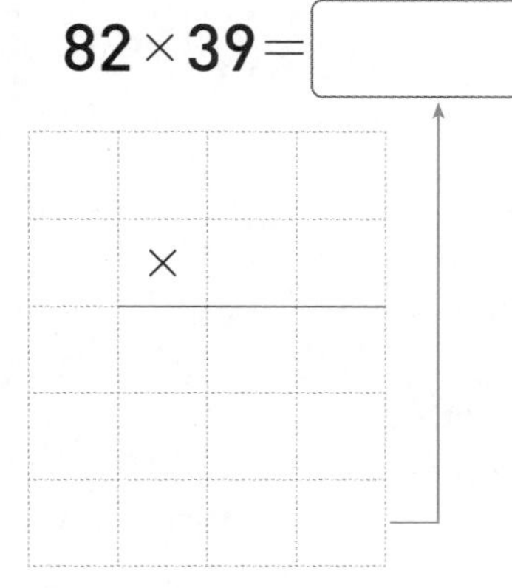

⑳ $39 \times 39 = \square$

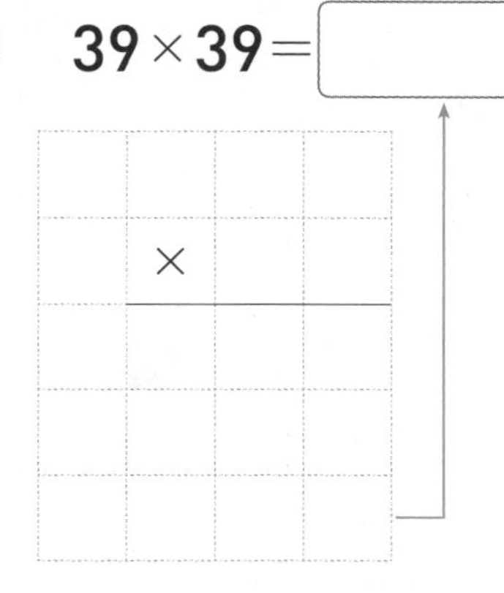

㉑ $64 \times 35 = \square$

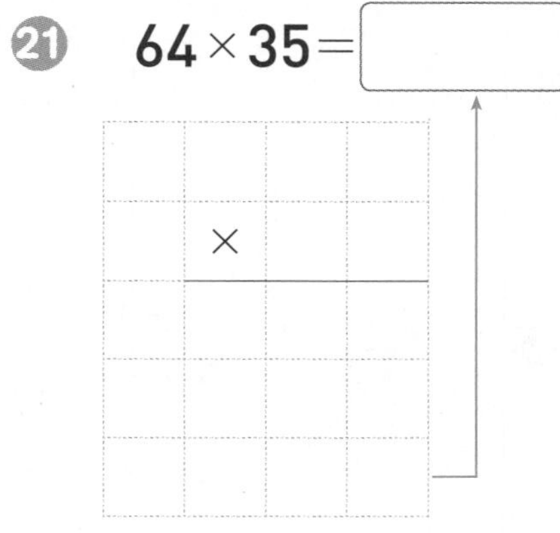

12 일차

(몇십몇)×(몇십몇)(3)

 계산해 보세요.

1 $94 \times 65 =$ ☐

2 $72 \times 39 =$ ☐

3 $53 \times 63 =$ ☐

4 $84 \times 47 =$ ☐

5 $49 \times 73 =$ ☐

6 $25 \times 98 =$ ☐

7 $82 \times 48 =$ ☐

8 $46 \times 59 =$ ☐

빈칸에 두 수의 곱을 써넣으세요.

9

24	76

10

83	46

11

69	37

12

58	92

13

17	85

14

78	49

제한 시간 5분

플러스 계산 연습

맞은 개수 / 22개

▶ 정답과 해설 8쪽

같은 색 선을 따라가며 계산해 보세요.

15

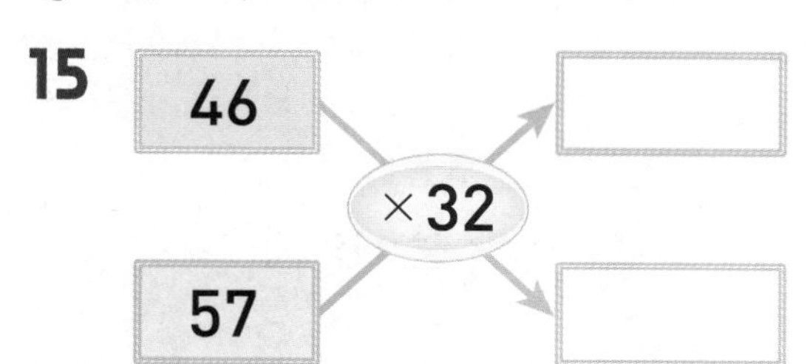

16

29

×54

68

생활 속 계산

빵 한 개를 만드는 데 필요한 밀가루의 양입니다. 빵을 주어진 개수만큼 만들 때 필요한 밀가루의 양을 구하세요.

17

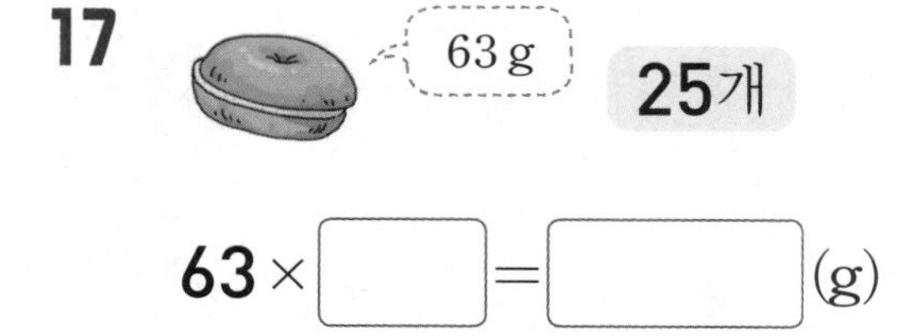

63 × ☐ = ☐ (g)

18

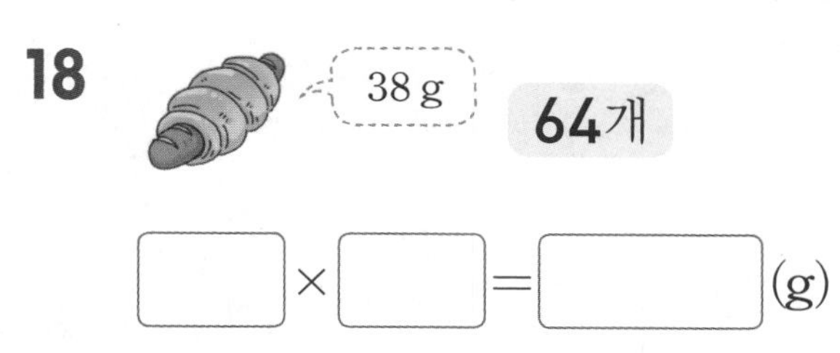

☐ × ☐ = ☐ (g)

문장 읽고 계산식 세우기

19 자전거를 하루에 85분씩 17일 동안 탔다면?

식 85 × ☐ = ☐ (분)

20 탁구를 하루에 54분씩 26일 동안 쳤다면?

식 54 × ☐ = ☐ (분)

21 윗몸일으키기를 매일 43번씩 24일 동안 했다면?

식 ☐ × 24 = ☐ (번)

22 훌라후프를 매일 76번씩 17일 동안 돌렸다면?

식 ☐ × 17 = ☐ (번)

평가 SPEED 연산력 TEST

계산해 보세요.

❶ $\begin{array}{r} 212 \\ \times \quad 3 \\ \hline \end{array}$

❷ $\begin{array}{r} 218 \\ \times \quad 4 \\ \hline \end{array}$

❸ $\begin{array}{r} 281 \\ \times \quad 3 \\ \hline \end{array}$

❹ $\begin{array}{r} 174 \\ \times \quad 5 \\ \hline \end{array}$

❺ $\begin{array}{r} 431 \\ \times \quad 6 \\ \hline \end{array}$

❻ $\begin{array}{r} 483 \\ \times \quad 8 \\ \hline \end{array}$

❼ $\begin{array}{r} 12 \\ \times 47 \\ \hline \end{array}$

❽ $\begin{array}{r} 24 \\ \times 27 \\ \hline \end{array}$

❾ $\begin{array}{r} 56 \\ \times 78 \\ \hline \end{array}$

❿ 192×4

⓫ 149×6

⓬ 607×8

⓭ 528×9

⓮ 40×70

⓯ 27×30

⓰ 7×58

⓱ 46×15

⓲ 74×82

▶ 정답과 해설 8쪽

빈칸에 알맞은 수를 써넣으세요.

⑲
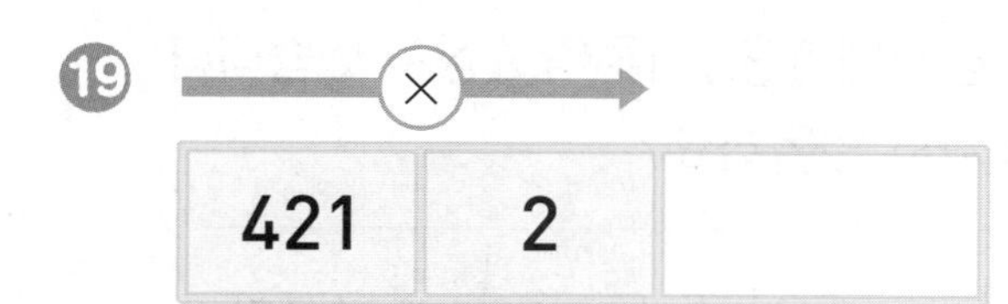

⑳
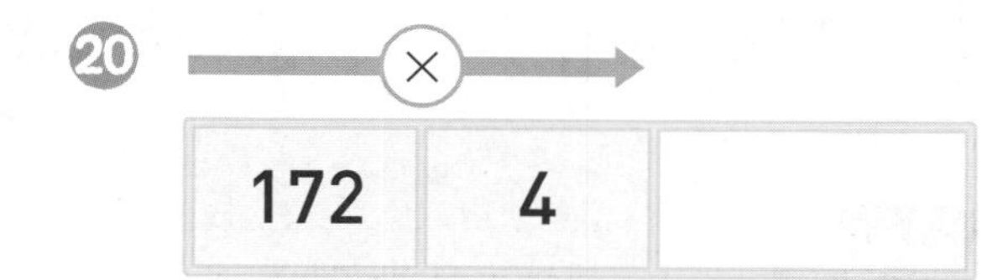

㉑
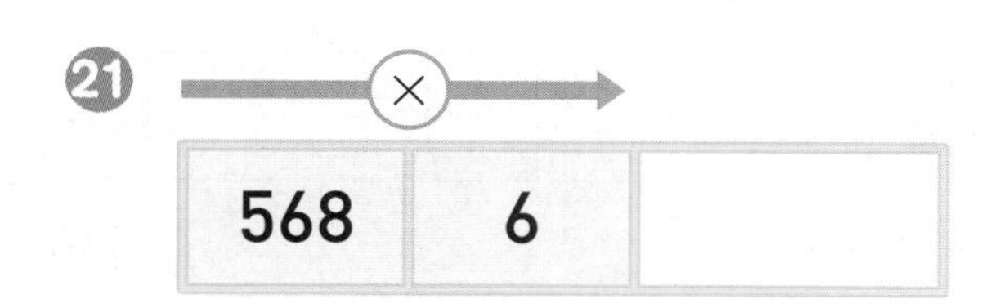

㉒
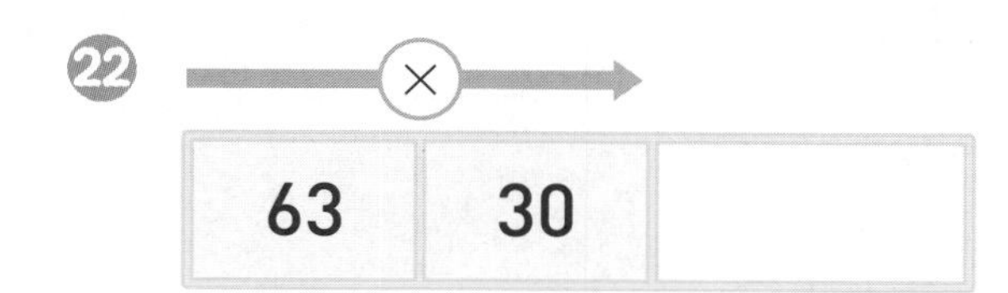

㉓
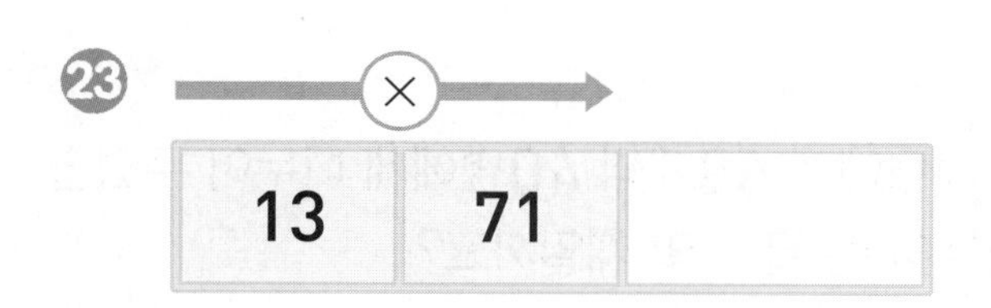

㉔
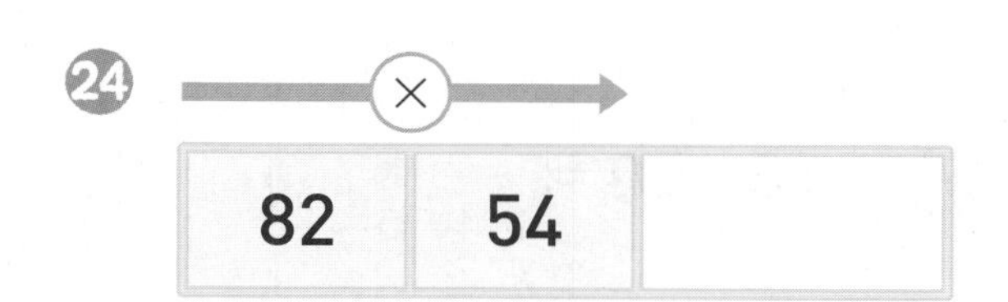

빈칸에 두 수의 곱을 써넣으세요.

㉕
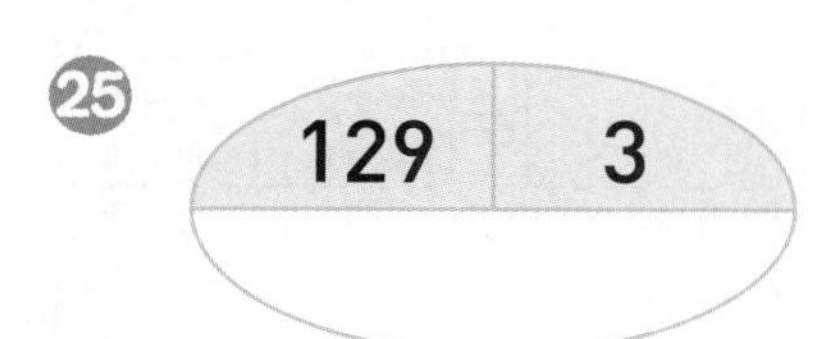

㉖

㉗

㉘
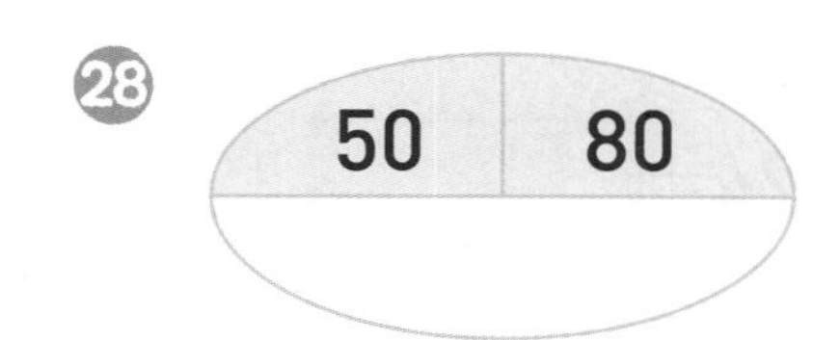

㉙

17	41

㉚
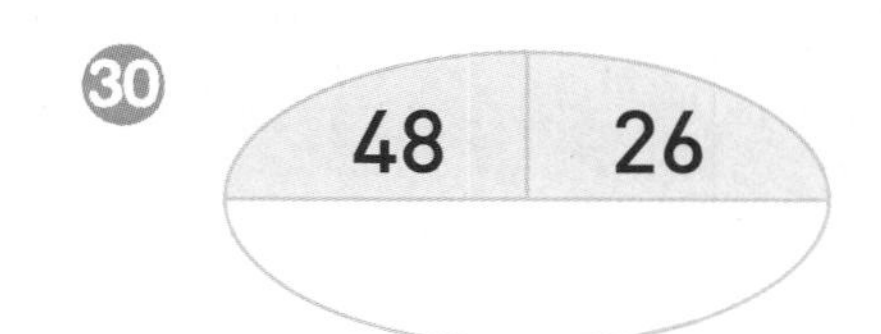

제한 시간 안에 정확하게
모두 풀었다면 여러분은 진정한 **계산왕!**

특강

문장제 문제 도전하기

1 134×4=☐

→ 연필이 한 상자에 134자루씩 4상자 있습니다. 연필은 몇 자루 있을까요?

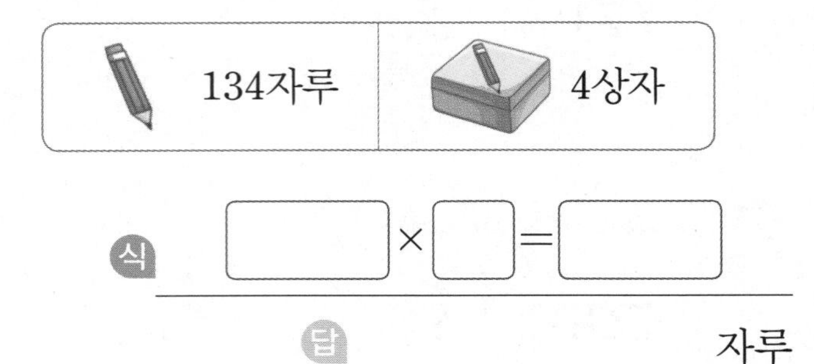

식 ☐×☐=☐

답 ________ 자루

2 48×40=☐

→ 귤을 한 사람에게 48개씩 40명에게 나누어 주었습니다. 나누어 준 귤은 몇 개일까요?

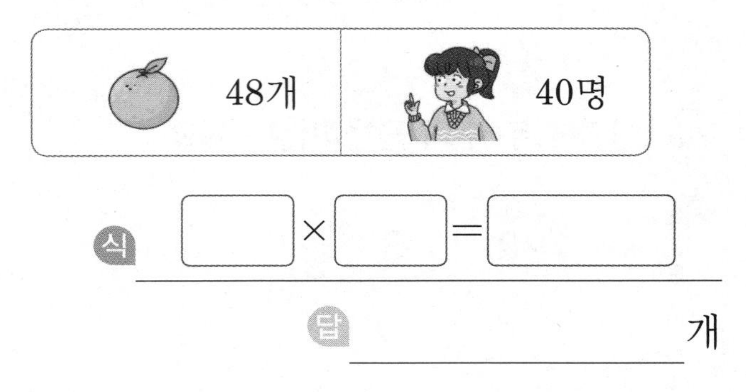

식 ☐×☐=☐

답 ________ 개

3 45×24=☐

→ 길이가 45 cm인 색 테이프 24개를 겹치지 않게 이어 붙였습니다. 이어 붙인 색 테이프의 전체 길이는 몇 cm일까요?

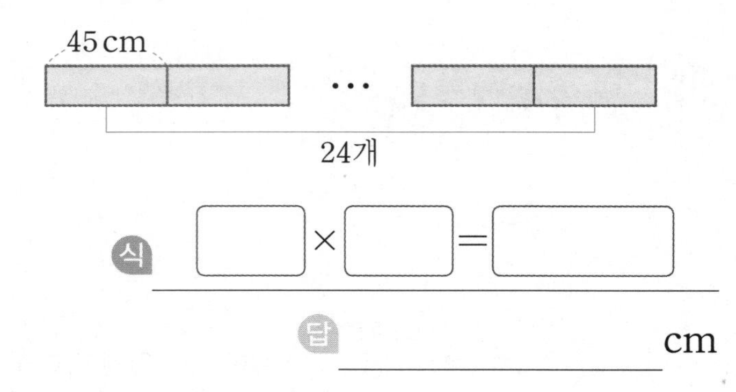

식 ☐×☐=☐

답 ________ cm

▶ 정답과 해설 8쪽

문장을 읽고 알맞은 곱셈식을 세워 답을 구해 보자!

4 지우개( )가 한 상자( )에 **156**개씩 **6**상자 있습니다.
지우개는 몇 개 있을까요?

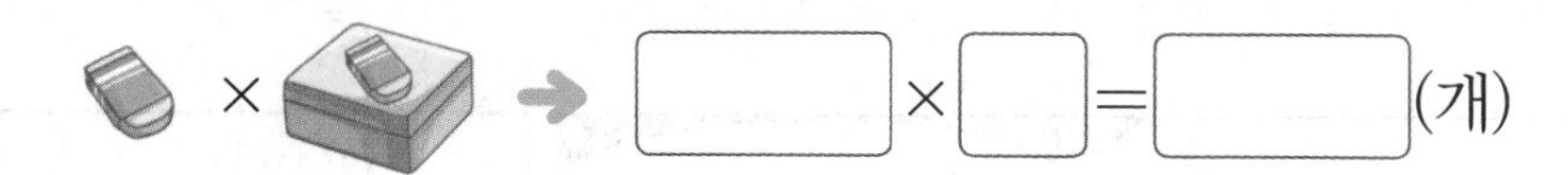

× → □ × □ = □(개)

5 사과( )를 한 사람에게 **32**개씩 **70**명에게 나누어 주었습니다.
나누어 준 사과는 몇 개일까요?

× **70** → □ × □ = □(개)

6 길이가 **72** cm인 색 테이프( ) **35**개를 겹치지 않게 이어 붙였습니다.
이어 붙인 색 테이프의 전체 길이는 몇 cm일까요?

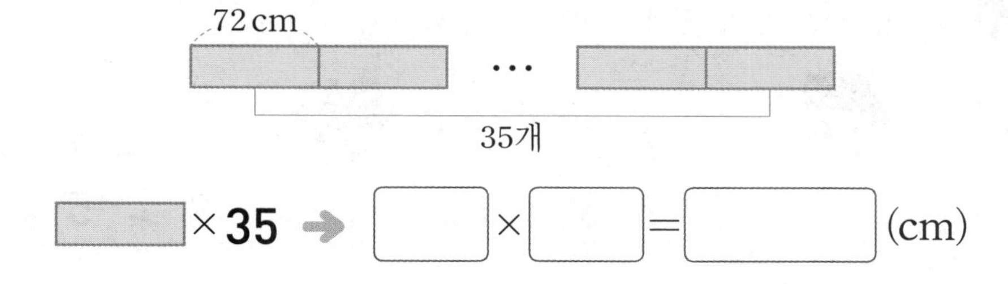

× **35** → □ × □ = □(cm)

창의·융합·코딩·도전하기

두 면의 쪽수의 곱은 얼마일까?

융합 1 친구들이 책을 펼쳤을 때 나온 두 면의 쪽수로 놀이를 하고 있습니다.

펼쳐서 나온 두 면의 쪽수의 곱을 구해 보자.

$$\begin{array}{r} 22 \\ \times\ 23 \\ \hline \end{array}$$

$$\begin{array}{r} 44 \\ \times\ 45 \\ \hline \end{array}$$

답  : ,  :

▶ 정답과 해설 9쪽

다음 순서도의 (시작)에 **123**을 넣었을 때 출력되는 값을 구하세요.

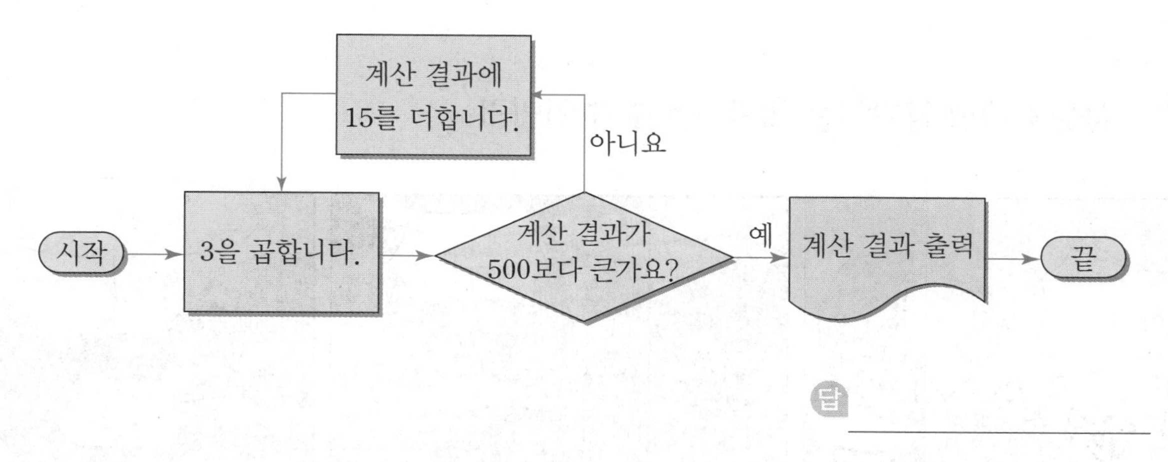

답 ________________

창의 3 바르게 계산한 곳을 따라가며 선을 그어 보세요.

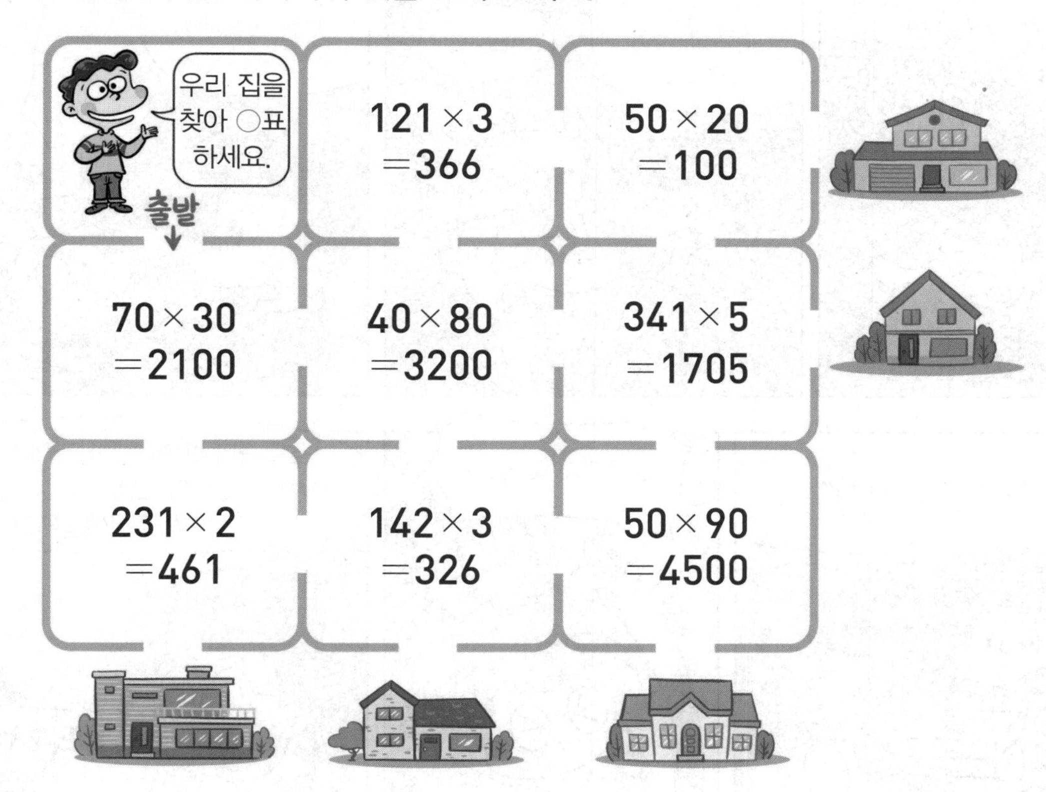

나눗셈

실생활에서 알아보는 재미있는 수학 이야기

이번에 배울 내용을 알아볼까요?

- 1일차 (몇십)÷(몇)
- 2일차 ~ 3일차 (몇십몇)÷(몇)
- 4일차 나머지가 있는 (몇십)÷(몇)
- 5일차 ~ 6일차 나머지가 있는 (몇십몇)÷(몇)
- 7일차 ~ 11일차 (세 자리 수)÷(한 자리 수)

(몇십)÷(몇)

이렇게 해결하자

• 60÷3의 계산 — 내림이 없는 (몇십)÷(몇)

$6 \div 3 = 2$

$60 \div 3 = 20$

6÷3=2를 이용해요.

• 30÷2의 계산 — 내림이 있는 (몇십)÷(몇)

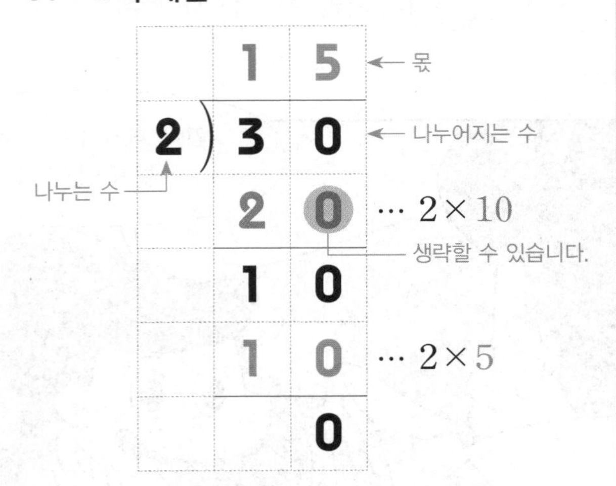

계산해 보세요.

❶ $4 \div 2 = \square$ → $40 \div 2 = \square$

❷ $5 \div 5 = \square$ → $50 \div 5 = \square$

❸ $9 \div 3 = \square$ → $90 \div 3 = \square$

❹ $8 \div 4 = \square$ → $80 \div 4 = \square$

❺ $6 \div 2 = \square$ → $60 \div 2 = \square$

❻ $7 \div 7 = \square$ → $70 \div 7 = \square$

❼

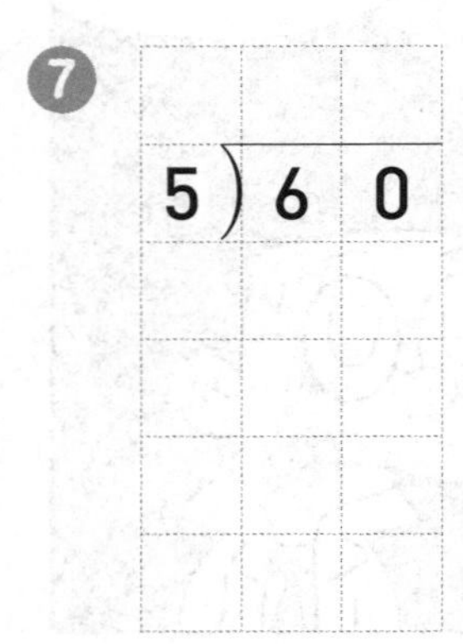

❽ 2) 7 0

❾

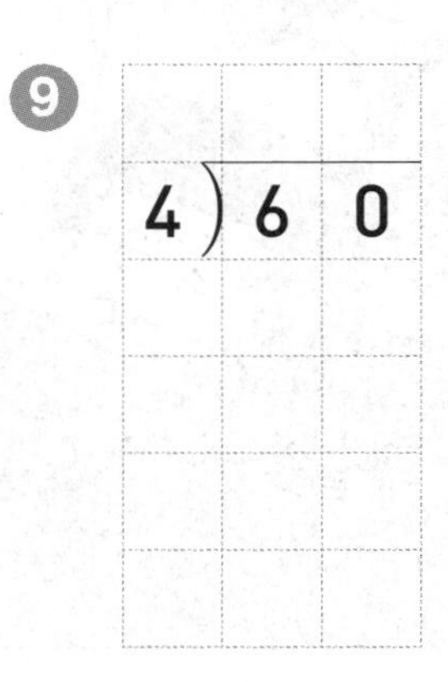

제한 시간 3분

맞은 개수 /21개

▶ 정답과 해설 9쪽

⑩ 5)80

⑪ 2)50

⑫ 5)60

⑬

⑭

⑮

⑯

⑰
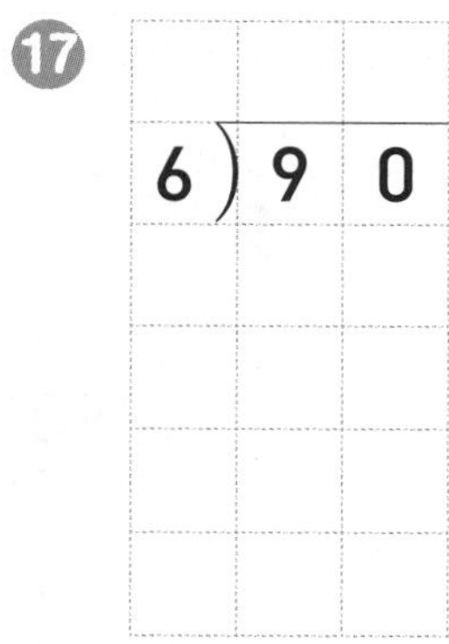

⑱

⑲

⑳

㉑

(몇십)÷(몇)

계산해 보세요.

1 $60 \div 3 = \square$

2 $80 \div 2 = \square$

3 $60 \div 6 = \square$

4 $80 \div 4 = \square$

5 $40 \div 2 = \square$

6 $90 \div 9 = \square$

7 $70 \div 2 = \square$

8 $50 \div 2 = \square$

9 $80 \div 5 = \square$

10 $60 \div 5 = \square$

빈칸에 알맞은 수를 써넣으세요.

11
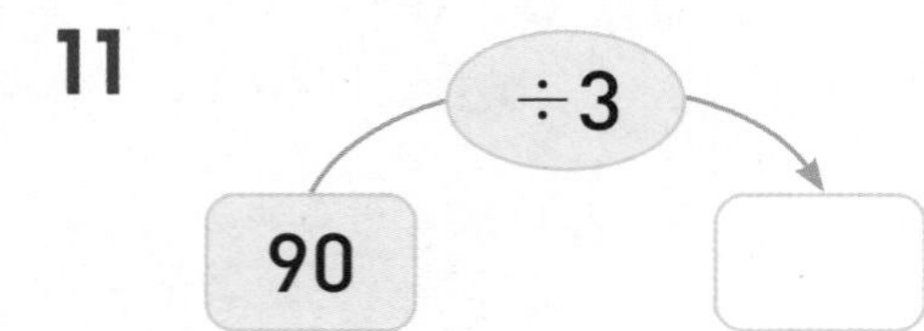

12
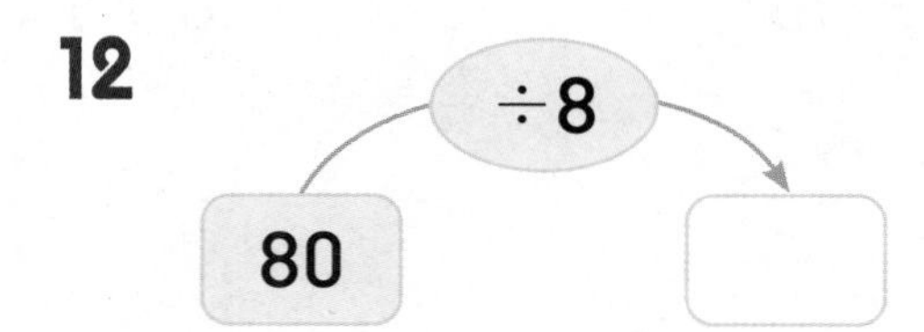

13

÷2

30 → $\square$

14
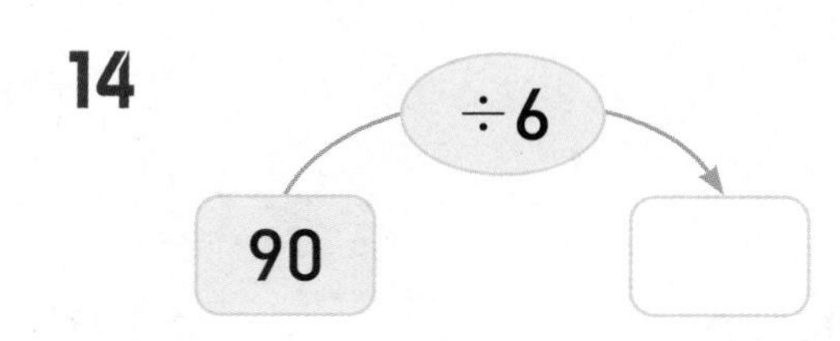

15
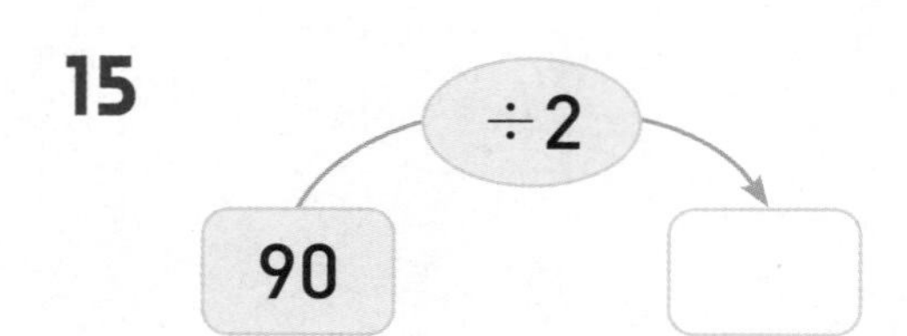

16
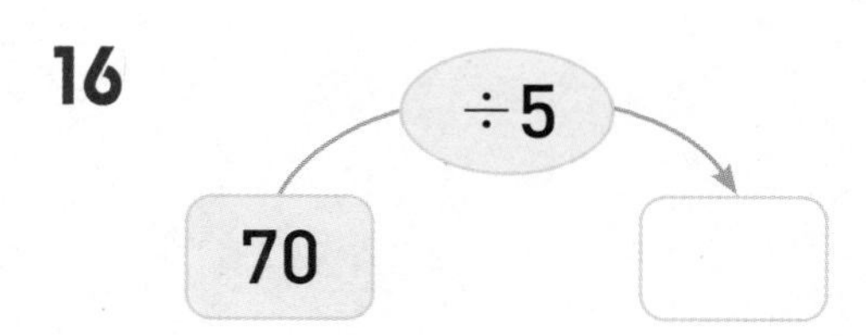

제한 시간 5분

플러스 계산 연습

맞은 개수 /24개

▶ 정답과 해설 10쪽

선을 따라가며 계산해 보세요.

17

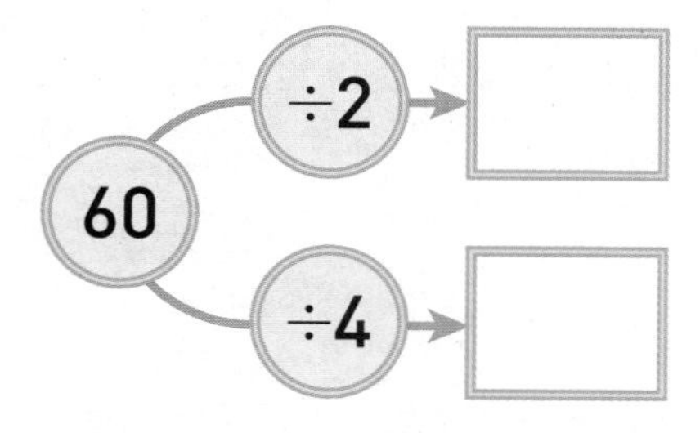

18

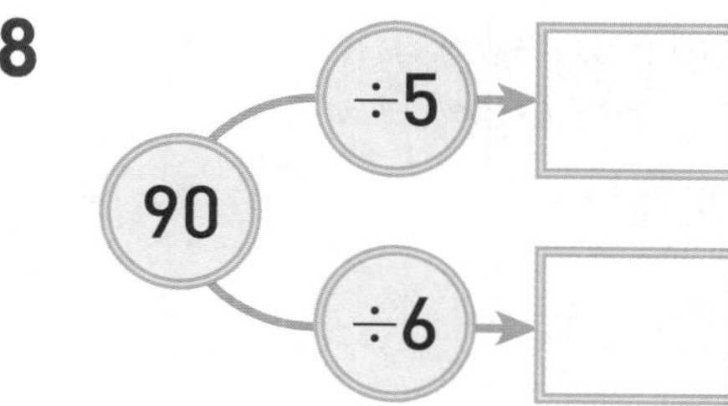

생활 속 계산

길이가 60 cm인 철사를 남김없이 이용하여 다음과 같이 모든 변의 길이가 같은 도형을 만들었을 때 한 변의 길이는 몇 cm인지 구하세요.

19

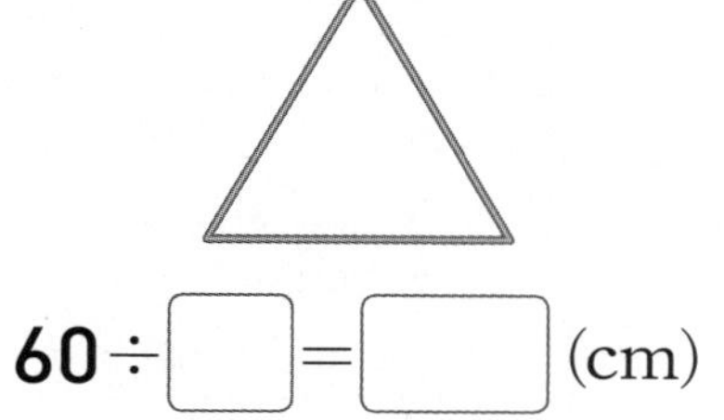

60÷□=□(cm)

20

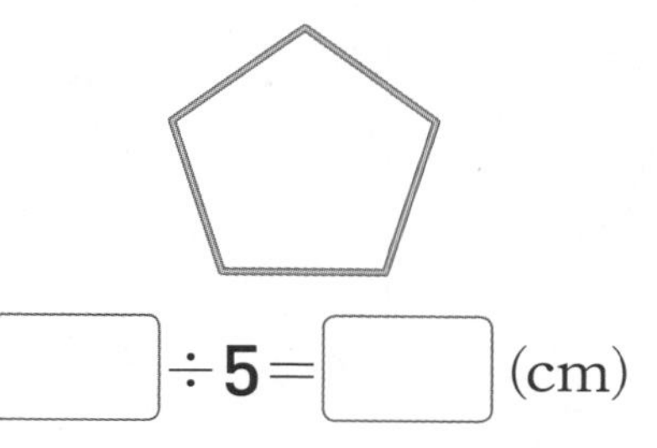

□÷5=□(cm)

문장 읽고 계산식 세우기

21

장미 80송이를 꽃병 한 개에 4송이씩 꽂는다면 필요한 꽃병은 몇 개?

식 80÷□=□(개)

22

백합 90송이를 꽃병 한 개에 3송이씩 꽂는다면 필요한 꽃병은 몇 개?

식 90÷□=□(개)

23

오렌지 50개를 한 접시에 2개씩 담는다면 필요한 접시는 몇 개?

식 □÷2=□(개)

24

딸기 80개를 한 접시에 5개씩 담는다면 필요한 접시는 몇 개?

식 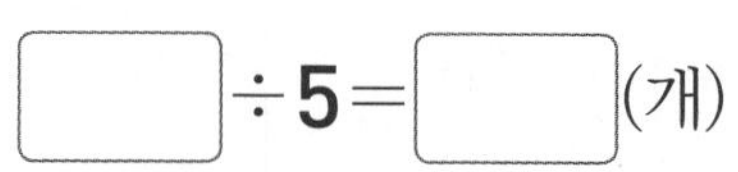

□÷5=□(개)

2 일차

(몇십몇)÷(몇)(1)

이렇게 해결하자

• 46÷2의 계산 — 내림이 없고 나머지가 없는 (몇십몇)÷(몇)

	2	3	
2)	4	6	
	4	0	··· 2×20
		6	
		6	··· 2×3
		0	

➜

	2	3
2)	4	6
	4	
		6
		6
		0

● 부분 0은 계산상 편리함을 위해 생략할 수 있어요.

계산해 보세요.

❶ 3) 3 6

❷ 4) 8 4

❸ 5) 5 5

❹ 2) 4 2

❺ 9) 9 9

❻ 3) 6 9

기초 계산 연습

맞은 개수 　　/18개

▶ 정답과 해설 10쪽

⑦

⑧ 3)9 9

⑨ 2)8 4

⑩

⑪
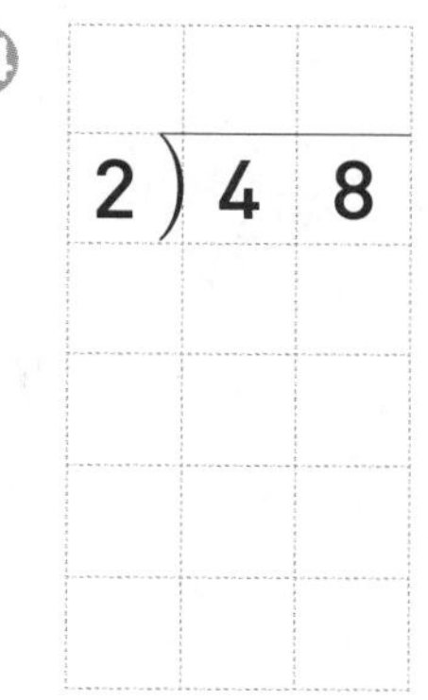

⑫ 3)6 3

⑬ 7)7 7

⑭ 2)4 8

⑮ 3)9 6

⑯

⑰ 8)8 8

⑱
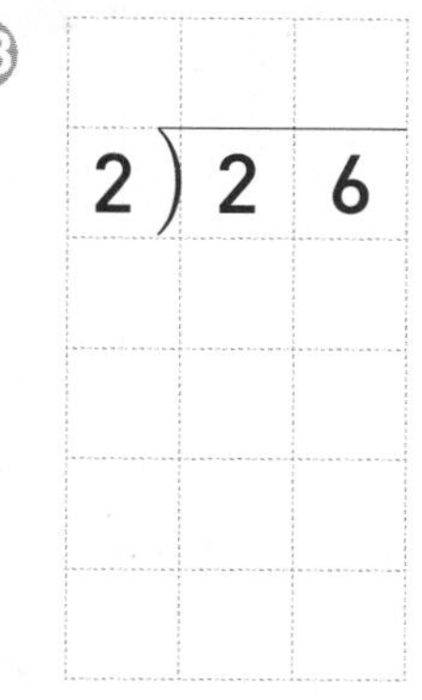

2 일차

(몇십몇)÷(몇)(1)

계산해 보세요.

1 $64 \div 2 = \square$

2 $39 \div 3 = \square$

3 $88 \div 4 = \square$

4 $84 \div 2 = \square$

5 $24 \div 2 = \square$

6 $66 \div 3 = \square$

7 $55 \div 5 = \square$

8 $44 \div 2 = \square$

9 $48 \div 4 = \square$

10 $68 \div 2 = \square$

빈칸에 알맞은 수를 써넣으세요.

11 46 → ÷2 → □

12 93 → ÷3 → □

13 44 → ÷4 → □

14 66 → ÷2 → □

15 82 → ÷2 → □

16 84 → ÷4 → □

플러스 계산 연습

맞은 개수 /24개

▶ 정답과 해설 10쪽

같은 색 선을 따라가며 계산해 보세요.

17

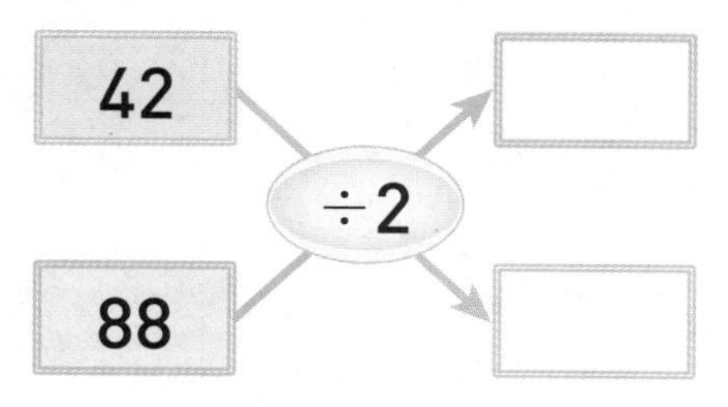

18

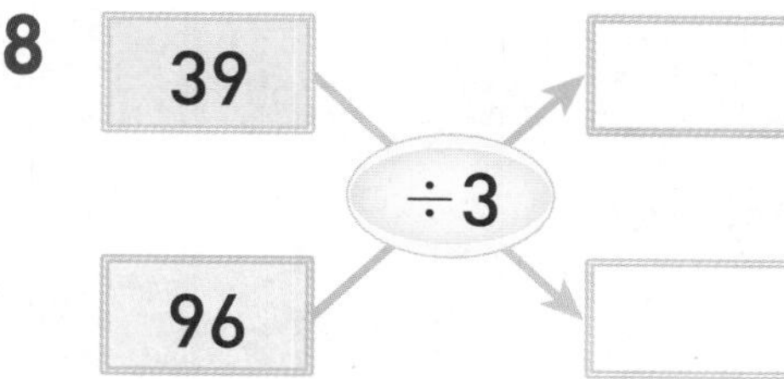

생활 속 계산

주어진 바퀴의 수가 다음과 같을 때 각각 몇 대씩 만들 수 있는지 구하세요.

19

바퀴가 2개 필요해요.

바퀴: 28개

28÷□=□(대)

20

바퀴가 4개 필요해요.

바퀴: 48개

□÷4=□(대)

문장 읽고 계산식 세우기

21

튤립 26송이를 2송이씩 묶어 꽃다발을 만들었을 때 만든 꽃다발은 몇 개?

식 26÷□=□(개)

22

장미 63송이를 3송이씩 묶어 꽃다발을 만들었을 때 만든 꽃다발은 몇 개?

식 63÷□=□(개)

23

복숭아 77개를 한 봉지에 7개씩 담는다면 필요한 봉지는 몇 개?

식 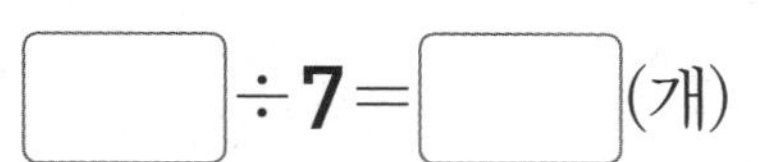

24

사과 64개를 한 봉지에 2개씩 담는다면 필요한 봉지는 몇 개?

식 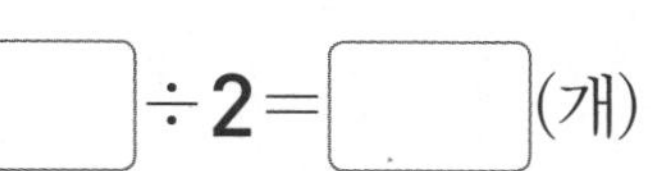

3 일차

(몇십몇)÷(몇)(2)

이렇게 해결하자

• $42 \div 3$의 계산 — 내림이 있고 나머지가 없는 (몇십몇)÷(몇)

	1	4
3)	4	2
	3	
	1	2
	1	2
		0

십의 자리, 일의 자리 순서대로 계산해요.

계산해 보세요.

❶ $2 \overline{)34}$

❷ $5 \overline{)85}$

❸ $4 \overline{)76}$

❹ $6 \overline{)84}$

❺ $8 \overline{)96}$

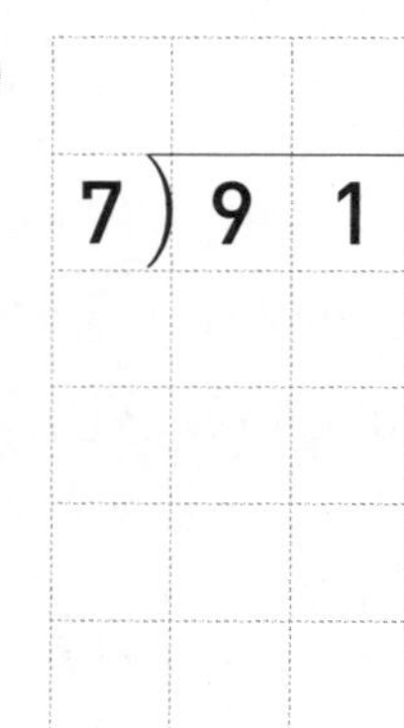

❻ $7 \overline{)91}$

기초 계산 연습

맞은 개수 /18개

▶ 정답과 해설 10~11쪽

❼ $2\overline{)72}$

❽ $6\overline{)72}$

❾

❿

⓫

⓬
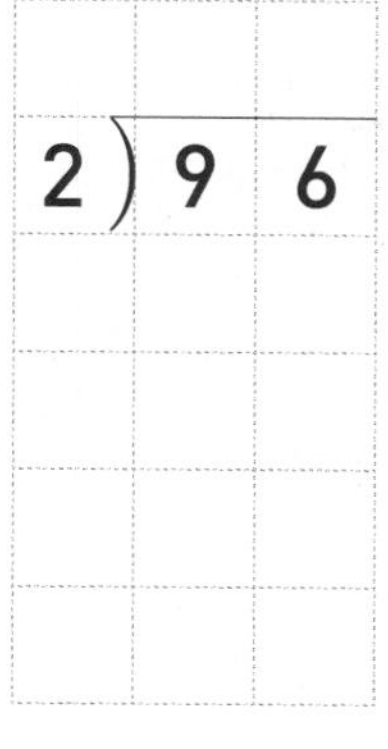

⓭

⓮ $3\overline{)48}$

⓯
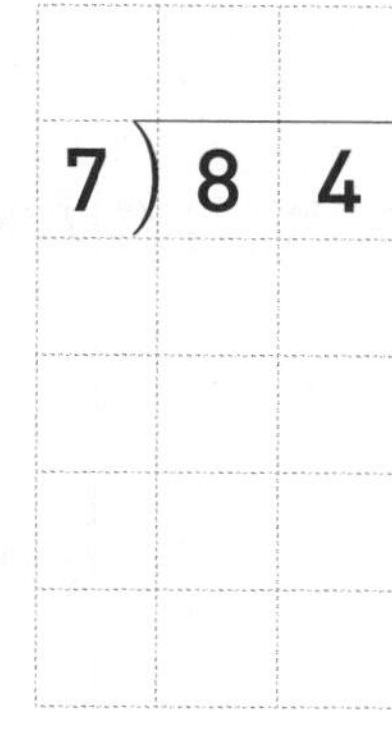

⓰

⓱

⓲

3 일차

(몇십몇)÷(몇)(2)

 계산해 보세요.

1 $54 \div 2 =$ □

2 $78 \div 3 =$ □

3 $68 \div 4 =$ □

4 $75 \div 5 =$ □

5 $76 \div 2 =$ □

6 $51 \div 3 =$ □

7 $98 \div 7 =$ □

8 $96 \div 4 =$ □

9 $92 \div 2 =$ □

10 $78 \div 6 =$ □

빈칸에 알맞은 수를 써넣으세요.

11

56	÷2	

12

87	÷3	

13

64	÷4	

14

74	÷2	

15

54	÷3	

16

72	÷6	

제한 시간 5분

플러스 계산 연습

맞은 개수 /24개

▶ 정답과 해설 11쪽

빈칸에 알맞은 수를 써넣으세요.

17

	52		
92	÷	4	
	2		

18

	98		
78	÷	3	
	2		

생활 속 계산

버스 한 대에 몇 명씩 타야 하는지 구하세요.

19

78명이 버스 2대에 똑같이 나누어 타려고 해요.

78÷□=□(명)

20

95명이 버스 5대에 똑같이 나누어 타려고 해요.

95÷□=□(명)

문장 읽고 계산식 세우기

21 연필 56자루를 한 명에게 4자루씩 나누어 주면 몇 명에게 줄 수 있는지?

식 56÷□=□(명)

22 색종이 84장을 한 명에게 3장씩 나누어 주면 몇 명에게 줄 수 있는지?

식 84÷□=□(명)

23 지우개 84개를 한 명에게 6개씩 나누어 주면 몇 명에게 줄 수 있는지?

식 □÷6=□(명)

24 공책 65권을 한 명에게 5권씩 나누어 주면 몇 명에게 줄 수 있는지?

식 □÷5=□(명)

4 일차 나머지가 있는 (몇십)÷(몇)

이렇게 해결하자

• 30÷4의 계산 — 나머지가 있는 (몇십)÷(몇)

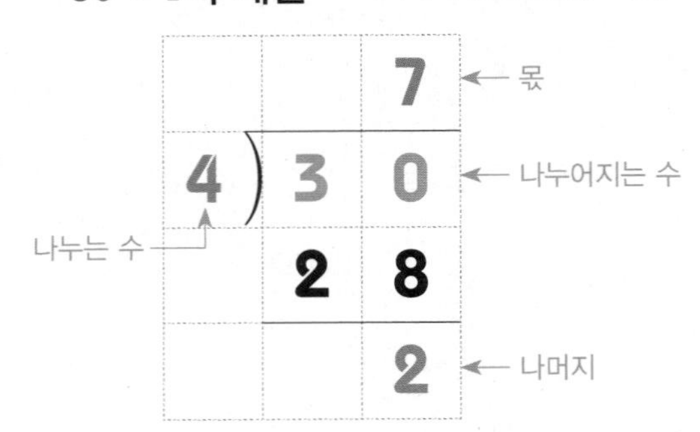

몫 7 나머지 2

$30 \div 4 = 7 \cdots 2$

확인 $4 \times 7 = 28$, $28 + 2 = 30$

계산해 보세요.

❶ $6\overline{)20}$

❷ $8\overline{)60}$

❸ $7\overline{)30}$

❹ $4\overline{)10}$

❺ $9\overline{)70}$

❻ $6\overline{)40}$

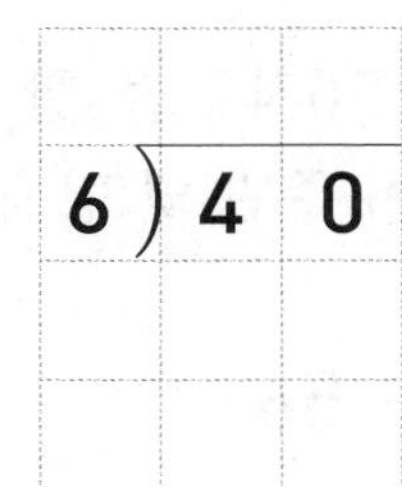

❼ $7\overline{)60}$

❽ $8\overline{)50}$

❾ $9\overline{)20}$

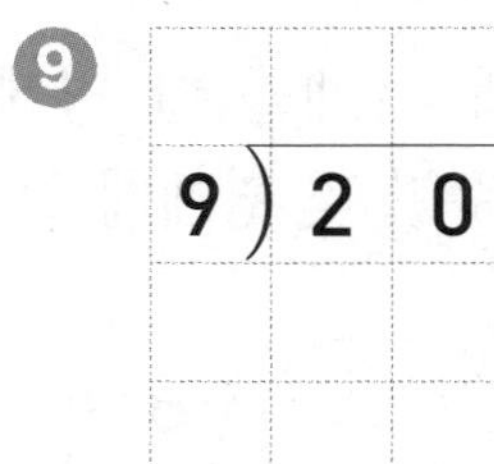

제한 시간 3분

기초 계산 연습

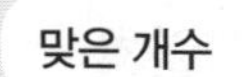
맞은 개수 /21개

▶ 정답과 해설 11쪽

⑩ $3\overline{)40}$

⑪ $6\overline{)80}$

⑫ $8\overline{)90}$

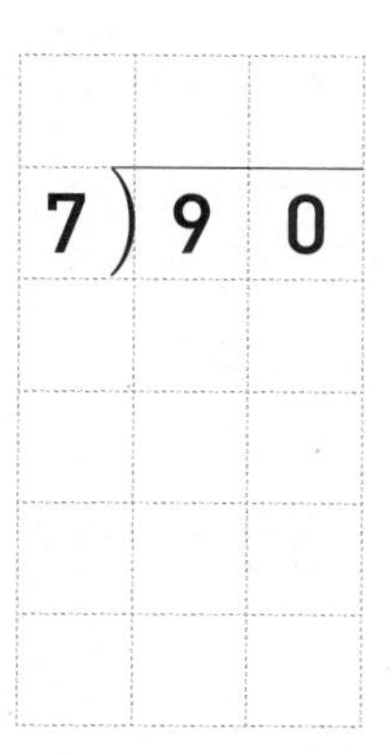
⑬ $7\overline{)90}$

⑭ $3\overline{)70}$

⑮ $4\overline{)90}$

⑯ $6\overline{)70}$

⑰ $3\overline{)80}$

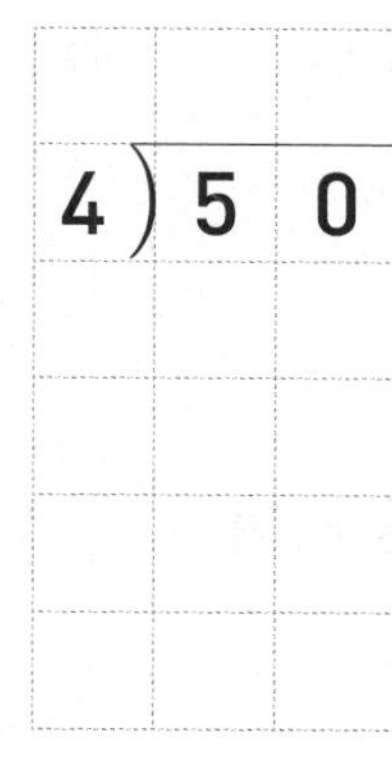
⑱ $4\overline{)50}$

⑲ $3\overline{)50}$

⑳ $4\overline{)70}$

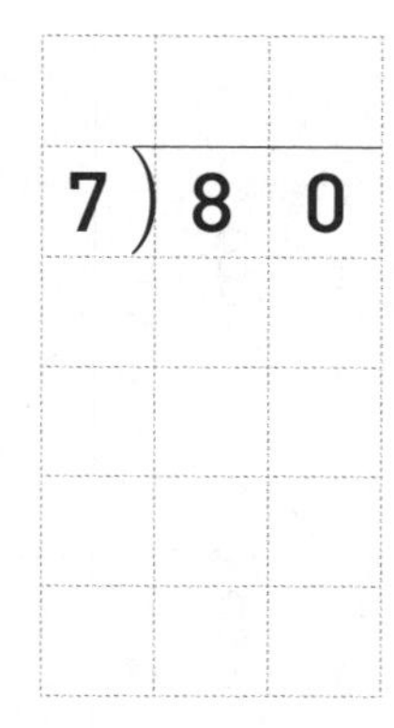
㉑ $7\overline{)80}$

4 일차

나머지가 있는 (몇십)÷(몇)

계산해 보고, 계산이 맞는지 확인해 보세요.

1 $20 \div 6 = \square \cdots \square$

확인 $6 \times \square = \square$

$18 + \square = 20$

2 $70 \div 8 = \square \cdots \square$

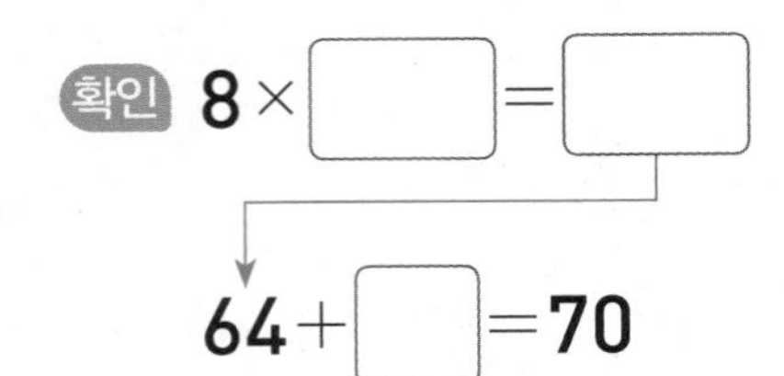

$64 + \square = 70$

3 $40 \div 9 = \square \cdots \square$

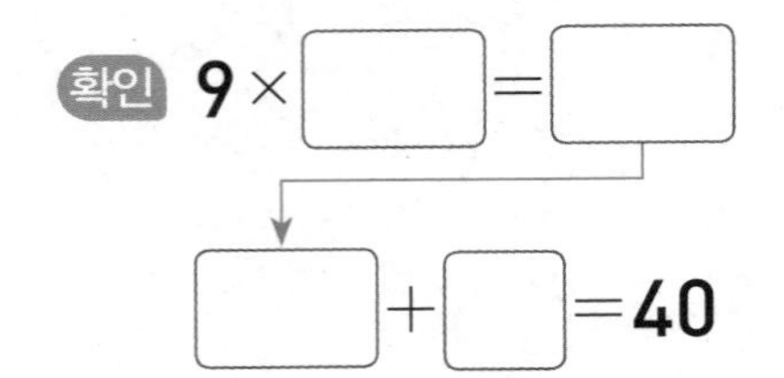

4 $50 \div 9 = \square \cdots \square$

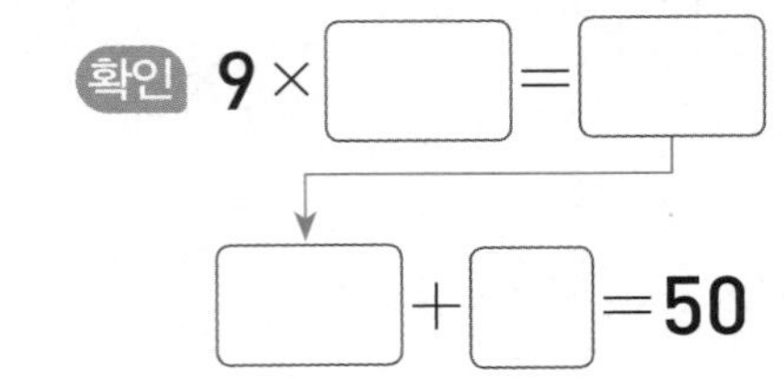

5 $70 \div 6 = \square \cdots \square$

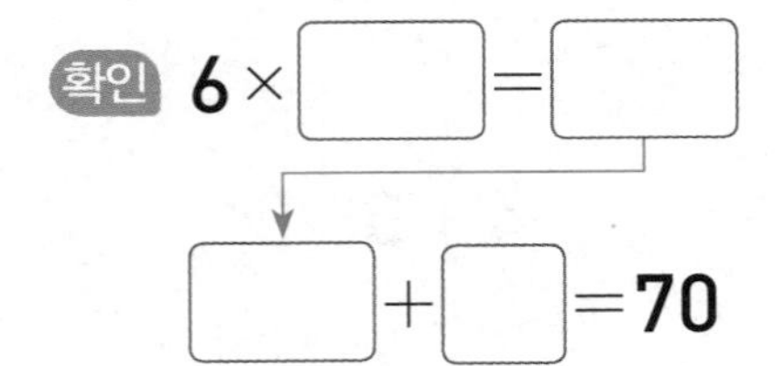

6 $90 \div 4 = \square \cdots \square$

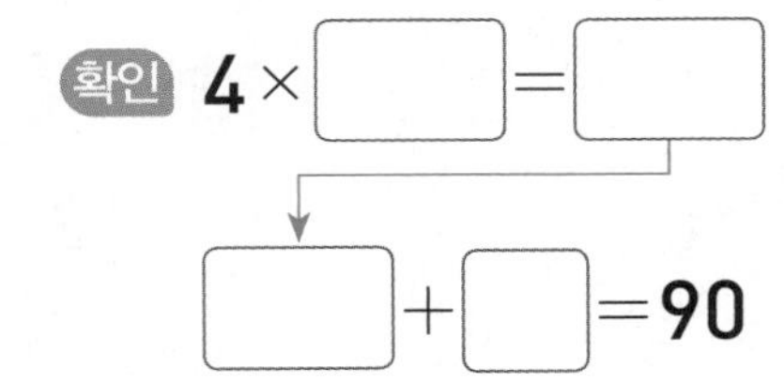

나눗셈을 하여 □ 안에는 몫을, ○ 안에는 나머지를 써넣으세요.

7

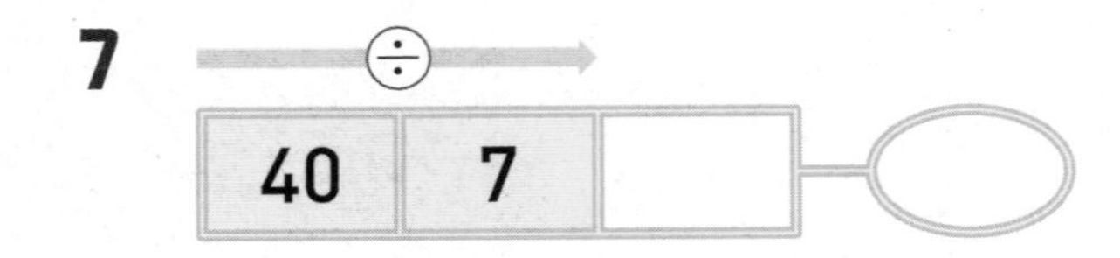

8

9

| 50 | 3 | |

10

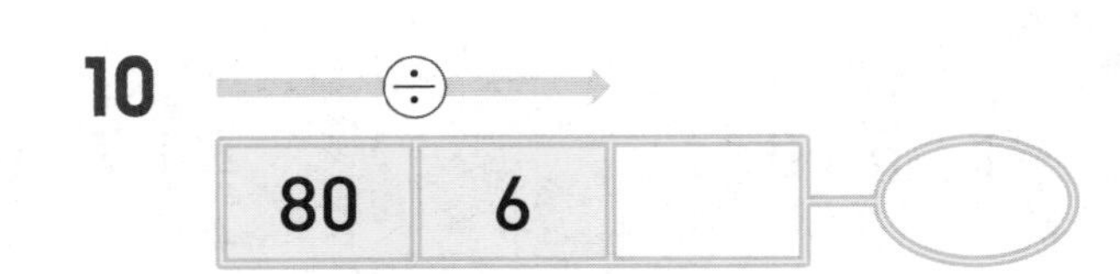

11

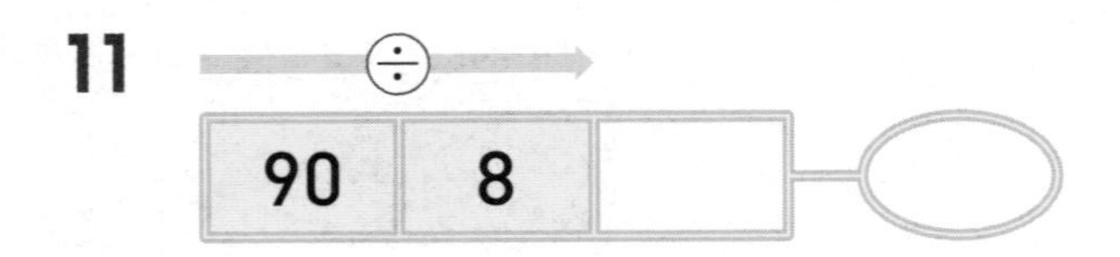

12

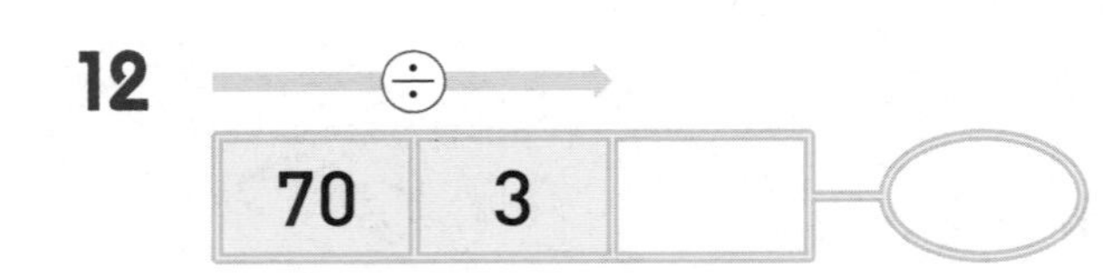

2 나눗셈

플러스 계산 연습

맞은 개수 /20개

▶ 정답과 해설 12쪽

생활 속 계산

주어진 간식을 똑같이 나누어 먹을 때 한 명이 몇 개씩 먹고, 몇 개가 남는지 차례대로 구하세요.

13

50개를 7명이 똑같이 나누어 먹어요.

$50 \div \square = \square \cdots \square$

→ □개, □개

14

40개를 6명이 똑같이 나누어 먹어요.

$40 \div \square = \square \cdots \square$

→ □개, □개

15

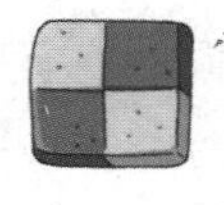

70개를 4명이 똑같이 나누어 먹어요.

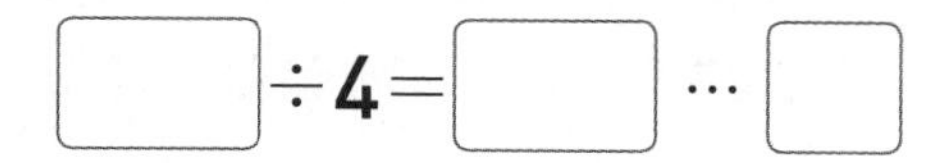

$\square \div 4 = \square \cdots \square$

→ □개, □개

16

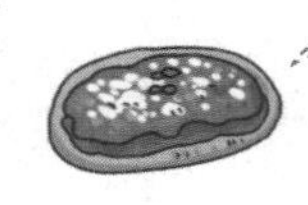

90개를 7명이 똑같이 나누어 먹어요.

$\square \div 7 = \square \cdots \square$

→ □개, □개

문장 읽고 계산식 세우기

17

오이 50개를 한 봉지에 6개씩 담으면 몇 봉지가 되고 몇 개가 남는지?

식 $50 \div \square = \square \cdots \square$

답 ______봉지, ______개

18

당근 60개를 한 봉지에 9개씩 담으면 몇 봉지가 되고 몇 개가 남는지?

식 $60 \div \square = \square \cdots \square$

답 ______봉지, ______개

19

호박 80개를 한 봉지에 3개씩 담으면 몇 봉지가 되고 몇 개가 남는지?

식 $\square \div 3 = \square \cdots \square$

답 ______봉지, ______개

20

양파 50개를 한 봉지에 4개씩 담으면 몇 봉지가 되고 몇 개가 남는지?

식 $\square \div 4 = \square \cdots \square$

답 ______봉지, ______개

5 일차

나머지가 있는 (몇십몇)÷(몇)(1)

이렇게 해결하자

• 38÷3의 계산 — 내림이 없고 나머지가 있는 (몇십몇)÷(몇)

	1	2	← 몫
3)	3	8	
	3		
		8	
		6	
		2	← 나머지

$38 \div 3 = 12 \cdots 2$

확인 $3 \times 12 = 36$, $36 + 2 = 38$

계산이 맞는지 확인해요.

계산해 보세요.

❶ 2) 4 5

❷ 3) 6 7

❸

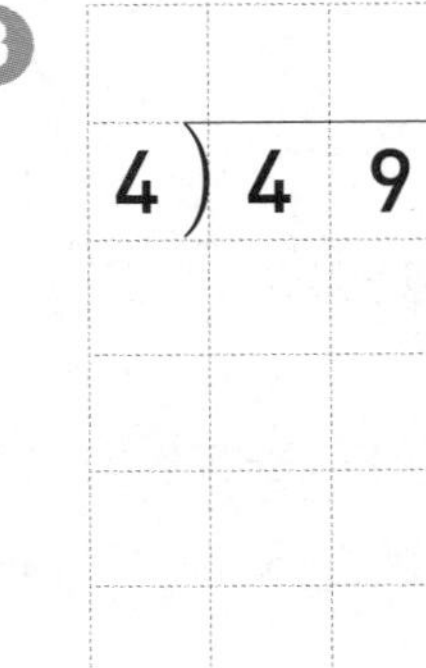

❹ 5) 5 8

❺ 8) 8 9

❻

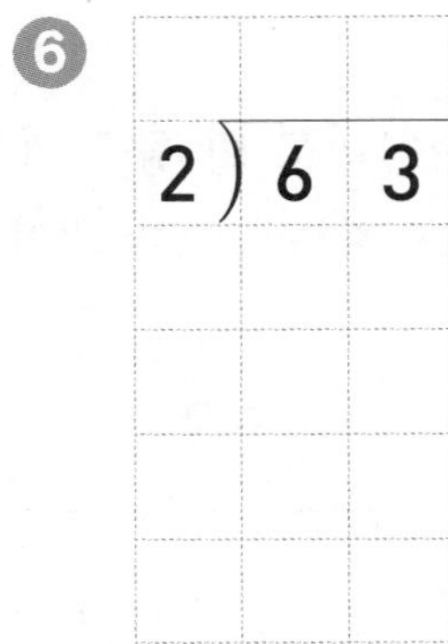

2 나눗셈

기초 계산 연습

맞은 개수 /18개

▶ 정답과 해설 12쪽

❼ 7)79

❽ 2)83

❾ 3)35

❿

⓫

⓬

⓭

⓮ 3)68

⓯

⓰

⓱

⓲

5 일차

나머지가 있는 (몇십몇)÷(몇)(1)

계산해 보고, 계산이 맞는지 확인해 보세요.

1 $27 \div 2 = \square \cdots \square$

확인 $2 \times \square = \square$

$26 + \square = 27$

2 $65 \div 3 = \square \cdots \square$

확인 $3 \times \square = \square$

$63 + \square = 65$

3 $45 \div 4 = \square \cdots \square$

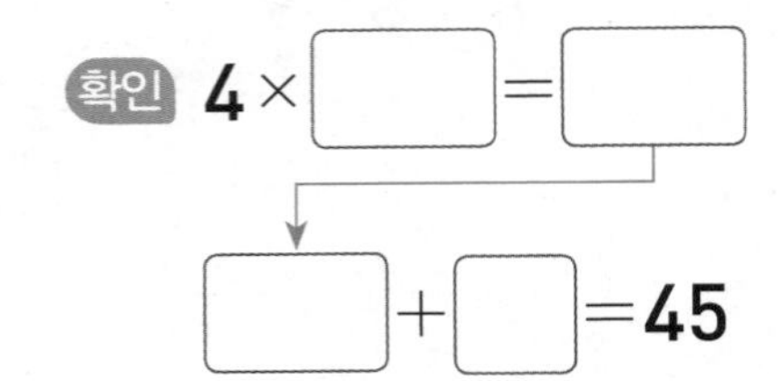

확인 $4 \times \square = \square$

$\square + \square = 45$

4 $68 \div 6 = \square \cdots \square$

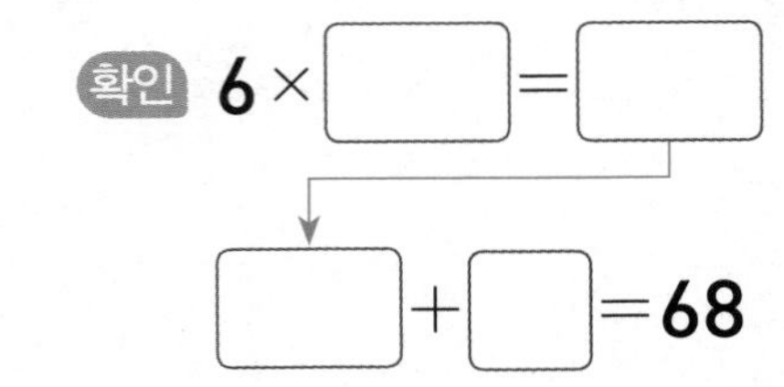

확인 $6 \times \square = \square$

$\square + \square = 68$

5 $98 \div 3 = \square \cdots \square$

확인 $3 \times \square = \square$

$\square + \square = 98$

6 $87 \div 2 = \square \cdots \square$

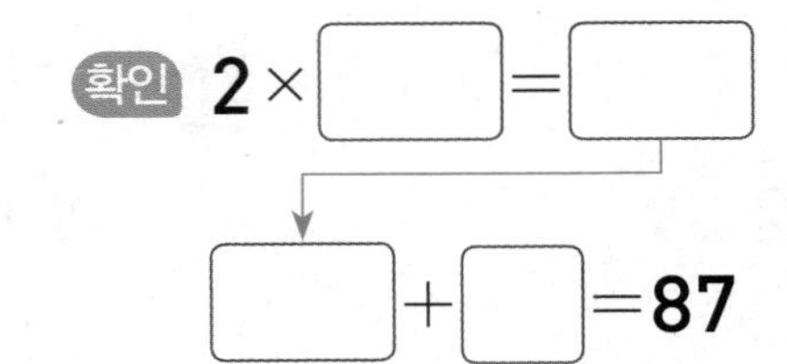

확인 $2 \times \square = \square$

$\square + \square = 87$

나눗셈을 하여 □ 안에는 몫을, ○ 안에는 나머지를 써넣으세요.

7 | 89 | ÷4 | □ | — ○

8 | 56 | ÷5 | □ | — ○

9 | 65 | ÷2 | □ | — ○

10 | 38 | ÷3 | □ | — ○

11 | 47 | ÷4 | □ | — ○

12 | 49 | ÷2 | □ | — ○

플러스 계산 연습

맞은 개수 /20개

▶ 정답과 해설 12쪽

생활 속 계산

주어진 아이스크림을 봉지에 나누어 담으면 몇 봉지가 되고, 남는 아이스크림은 몇 개인지 구하세요.

13

59개를 한 봉지에 5개씩 담아요.

59÷☐=☐ ··· ☐

➜ ☐봉지, ☐개

14

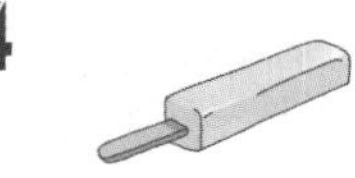

94개를 한 봉지에 3개씩 담아요.

94÷☐=☐ ··· ☐

➜ ☐봉지, ☐개

15

79개를 한 봉지에 7개씩 담아요.

☐÷7=☐ ··· ☐

➜ ☐봉지, ☐개

16

85개를 한 봉지에 4개씩 담아요.

☐÷4=☐ ··· ☐

➜ ☐봉지, ☐개

문장 읽고 계산식 세우기

17 마스크 49개를 한 명에게 2개씩 나누어 주면 몇 명에게 주고 몇 개가 남는지?

식 49÷☐=☐ ··· ☐

답 ______명, ______개

18 풀 97개를 한 명에게 3개씩 나누어 주면 몇 명에게 주고 몇 개가 남는지?

식 97÷☐=☐ ··· ☐

답 ______명, ______개

19 귤 87개를 한 봉지에 4개씩 담으면 몇 봉지가 되고 몇 개가 남는지?

식 ☐÷4=☐ ··· ☐

답 ______봉지, ______개

20 감 69개를 한 봉지에 6개씩 담으면 몇 봉지가 되고 몇 개가 남는지?

식 ☐÷6=☐ ··· ☐

답 ______봉지, ______개

나머지가 있는 (몇십몇)÷(몇)(2)

이렇게 해결하자

• 54÷4의 계산 — 내림이 있고 나머지가 있는 (몇십몇)÷(몇)

	1	3	← 몫
4)	5	4	
	4		
	1	4	
	1	2	
		2	← 나머지

$54 \div 4 = 13 \cdots 2$

확인 $4 \times 13 = 52,\ 52 + 2 = 54$

나머지는 항상 나누는 수보다 작아야 해요.

 계산해 보세요.

❶ $2\overline{)53}$

❷ $3\overline{)76}$

❸ $5\overline{)68}$

❹ $7\overline{)85}$

❺ $4\overline{)95}$

❻ $8\overline{)91}$

제한 시간 3분

기초 계산 연습

맞은 개수 /18개

▶ 정답과 해설 13쪽

7. $4\overline{)79}$

8. $5\overline{)94}$

9. $6\overline{)82}$

10. $7\overline{)94}$

11. $2\overline{)75}$

12. $3\overline{)83}$

13. $5\overline{)76}$

14. $6\overline{)93}$

15. $4\overline{)67}$

16. $2\overline{)91}$

17. $3\overline{)59}$

18. $7\overline{)97}$

6 일차 나머지가 있는 (몇십몇)÷(몇)(2)

계산해 보고, 계산이 맞는지 확인해 보세요.

1 $37 \div 2 = \square \cdots \square$

확인 $2 \times \square = \square$

$36 + \square = 37$

2 $47 \div 3 = \square \cdots \square$

확인 $3 \times \square = \square$

$45 + \square = 47$

3 $63 \div 4 = \square \cdots \square$

확인 $4 \times \square = \square$

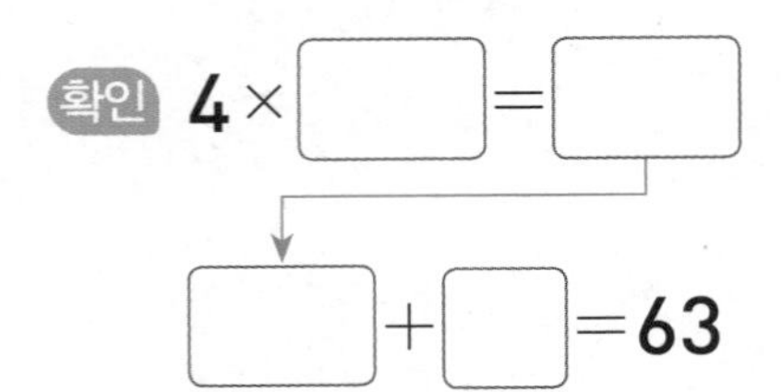

$\square + \square = 63$

4 $74 \div 5 = \square \cdots \square$

확인 $5 \times \square = \square$

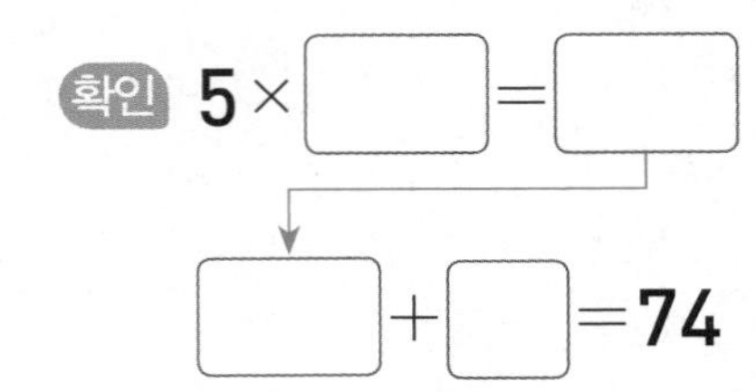

$\square + \square = 74$

5 $85 \div 6 = \square \cdots \square$

확인 $6 \times \square = \square$

$\square + \square = 85$

6 $96 \div 7 = \square \cdots \square$

확인 $7 \times \square = \square$

$\square + \square = 96$

나눗셈을 하여 □ 안에는 몫을, ○ 안에는 나머지를 써넣으세요.

7 93 → ÷2 → □ ⋯ ○

8 79 → ÷3 → □ ⋯ ○

9 87 → ÷5 → □ ⋯ ○

10 97 → ÷6 → □ ⋯ ○

11 95 → ÷7 → □ ⋯ ○

12 99 → ÷8 → □ ⋯ ○

플러스 계산 연습

맞은 개수 /20개

▶ 정답과 해설 13쪽

생활 속 계산

주어진 학용품을 똑같이 나누어 가질 때 한 명이 몇 개씩 가지고, 몇 개가 남는지 차례대로 구하세요.

13

83개를 5명이 똑같이 나누어 가져요.

83 ÷ ☐ = ☐ ⋯ ☐

➔ ☐개, ☐개

14

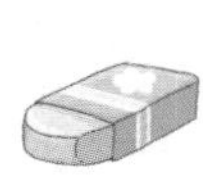

88개를 7명이 똑같이 나누어 가져요.

88 ÷ ☐ = ☐ ⋯ ☐

➔ ☐개, ☐개

15

77개를 4명이 똑같이 나누어 가져요.

☐ ÷ 4 = ☐ ⋯ ☐

➔ ☐개, ☐개

16

75개를 6명이 똑같이 나누어 가져요.

☐ ÷ 6 = ☐ ⋯ ☐

➔ ☐개, ☐개

문장 읽고 계산식 세우기

17 의자 74개를 한 줄에 3개씩 놓으면 의자는 몇 줄이 되고 몇 개가 남는지?

식 74 ÷ ☐ = ☐ ⋯ ☐

답 ______ 줄, ______ 개

18 집게 63개를 한 묶음에 5개씩 묶으면 몇 묶음이 되고 몇 개가 남는지?

식 63 ÷ ☐ = ☐ ⋯ ☐

답 ______ 묶음, ______ 개

19 가방 88개를 한 상자에 6개씩 담으면 몇 상자에 담고 몇 개가 남는지?

식 ☐ ÷ 6 = ☐ ⋯ ☐

답 ______ 상자, ______ 개

20 공책 99권을 4권씩 묶으면 몇 묶음이 되고 몇 권이 남는지?

식 ☐ ÷ 4 = ☐ ⋯ ☐

답 ______ 묶음, ______ 권

7 일차

(세 자리 수)÷(한 자리 수)(1)

이렇게 해결하자

• $524 \div 4$의 계산 — 몫이 세 자리 수이고 나머지가 없는 (세 자리 수)÷(한 자리 수)

```
     1 3 1              1 3 1
  4)5 2 4            4)5 2 4
    4 0 0 …4×100       4
    1 2 4              1 2
    1 2 0 …4×30    →   1 2
        4                  4
        4 …4×1             4
        0                  0
```

백, 십, 일의 자리
순서대로 나누어요.

계산해 보세요.

❶ $2\overline{)284}$

❷ $3\overline{)369}$

❸ $4\overline{)844}$

❹ $2\overline{)744}$

❺ $3\overline{)819}$

❻ $4\overline{)872}$

제한 시간 3분

기초 계산 연습

맞은 개수 /15개

▶ 정답과 해설 13~14쪽

❼ $3\overline{)675}$

❽ $4\overline{)496}$

❾ $5\overline{)625}$

❿ $4\overline{)928}$

⓫ $5\overline{)755}$

⓬ $6\overline{)678}$

⓭ $6\overline{)864}$

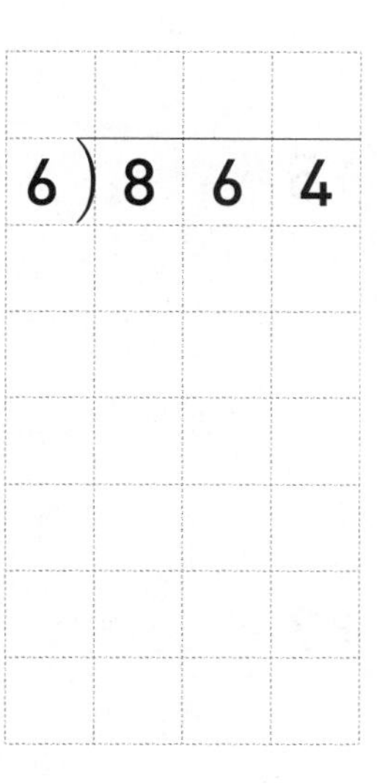

⓮ $7\overline{)896}$

⓯ $8\overline{)896}$

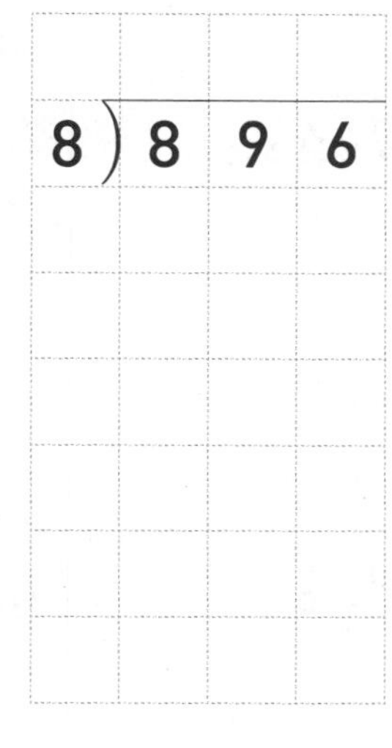

7 일차

(세 자리 수)÷(한 자리 수)(1)

계산해 보세요.

1 $224 \div 2 =$ ☐

2 $936 \div 3 =$ ☐

3 $624 \div 2 =$ ☐

4 $495 \div 3 =$ ☐

5 $588 \div 4 =$ ☐

6 $762 \div 6 =$ ☐

7 $955 \div 5 =$ ☐

8 $847 \div 7 =$ ☐

빈칸에 알맞은 수를 써넣으세요.

9 496 → ÷2 → ☐

10 993 → ÷3 → ☐

11 764 → ÷4 → ☐

12 645 → ÷5 → ☐

13 852 → ÷6 → ☐

14 987 → ÷7 → ☐

플러스 계산 연습

맞은 개수 /22개

▶ 정답과 해설 14쪽

같은 색 선을 따라가며 계산해 보세요.

15

348	÷2	□
756		□

16

468	÷3	□
837		□

생활 속 계산

주어진 교통수단으로 이동한 시간과 거리입니다. 일정한 빠르기로 갈 때 1분 동안 이동한 거리는 몇 m인지 구하세요.

17

468÷□=□(m)

18

□÷6=□(m)

문장 읽고 계산식 세우기

19 사탕 849개를 한 봉지에 3개씩 담는다면 필요한 봉지는 몇 개?

식 849÷□=□(개)

20 초콜릿 645개를 한 봉지에 5개씩 담는다면 필요한 봉지는 몇 개?

식 645÷□=□(개)

21 자두 889개를 한 바구니에 7개씩 담는다면 필요한 바구니는 몇 개?

식 □÷7=□(개)

22 살구 984개를 한 바구니에 8개씩 담는다면 필요한 바구니는 몇 개?

식 □÷8=□(개)

8 일차

(세 자리 수)÷(한 자리 수)(2)

이렇게 해결하자

• 695÷3의 계산 — 몫이 세 자리 수이고 나머지가 있는 (세 자리 수)÷(한 자리 수)

```
      2 3 1   ← 몫
  3 ) 6 9 5
      6
      -----
        9
        9
      -----
          5
          3
      -----
          2   ← 나머지
```

$695 \div 3 = 231 \cdots 2$

확인 $3 \times 231 = 693$

$693 + 2 = 695$

695÷3에서 백의 자리 수 6이 3보다 크므로 몫은 세 자리 수예요.

계산해 보세요.

❶ 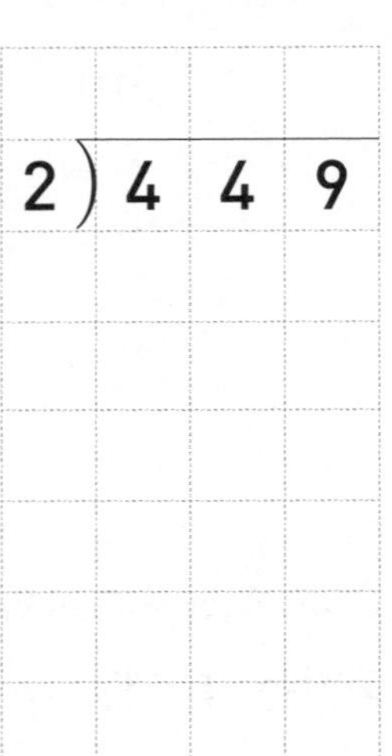
$2\overline{)449}$

❷ 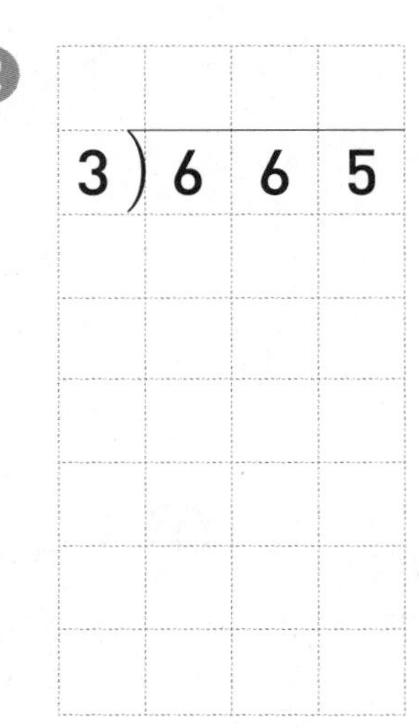
$3\overline{)665}$

❸ 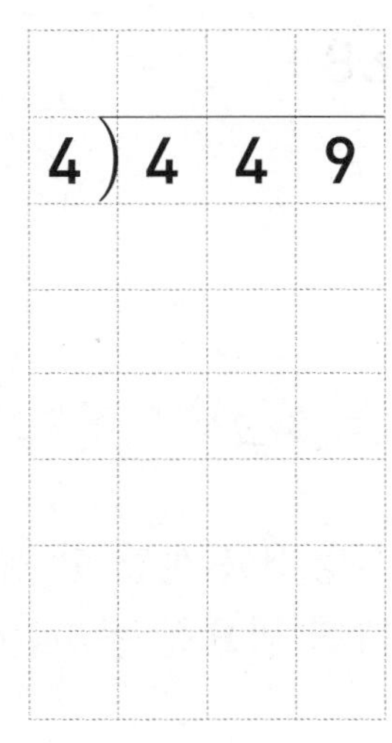
$4\overline{)449}$

❹ 
$4\overline{)477}$

❺ $2\overline{)875}$

❻ 
$3\overline{)497}$

제한 시간 3분

기초 계산 연습

맞은 개수 /15개

▶ 정답과 해설 14쪽

⑦ 2) 4 9 7

⑧ 7) 7 8 9

⑨ 5) 5 6 9

⑩ 6) 8 9 5

⑪ 3) 3 7 7

⑫ 4) 9 4 7

⑬ 7) 9 2 9

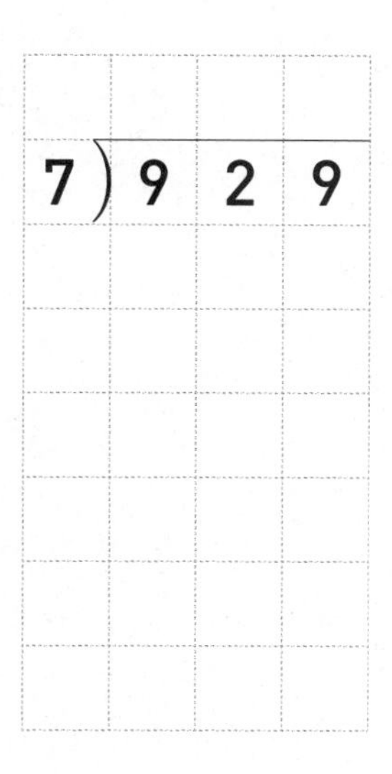

⑭ 8) 8 9 9

⑮ 5) 9 3 2

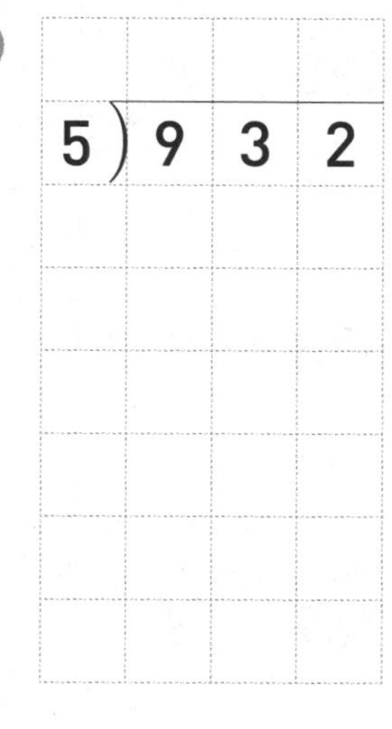

8 일차 (세 자리 수)÷(한 자리 수)(2)

계산해 보고, 계산이 맞는지 확인해 보세요.

1 557÷5=□ … □

확인 5×□=□

555+□=557

2

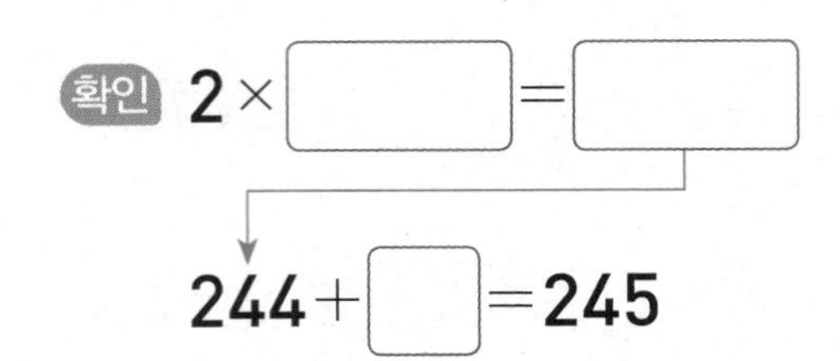

3

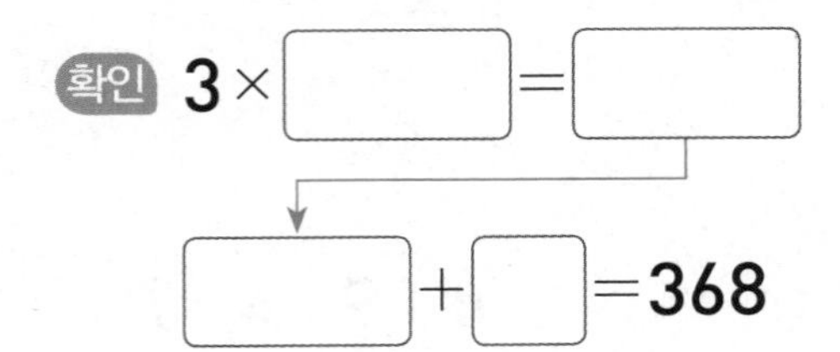

4

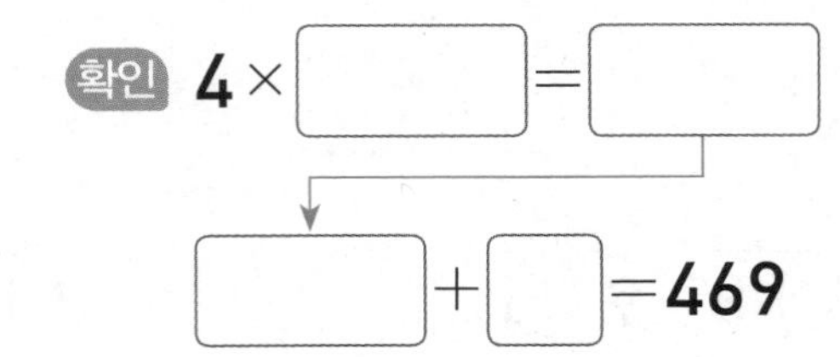

5

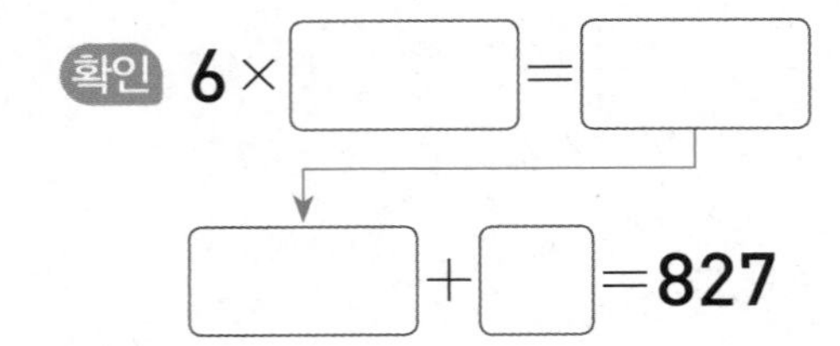

6

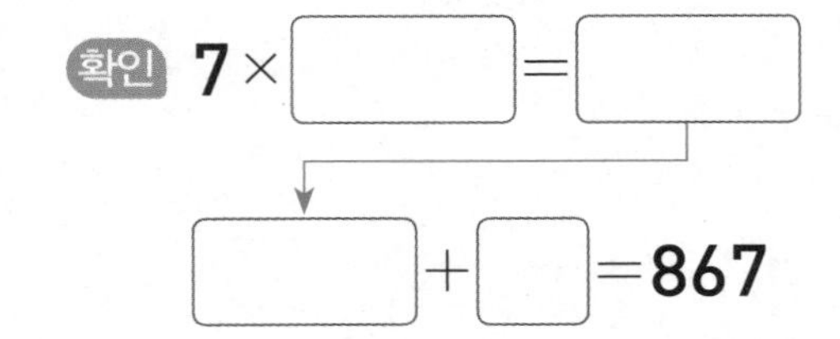

나눗셈을 하여 □ 안에는 몫을, ◯ 안에는 나머지를 써넣으세요.

7

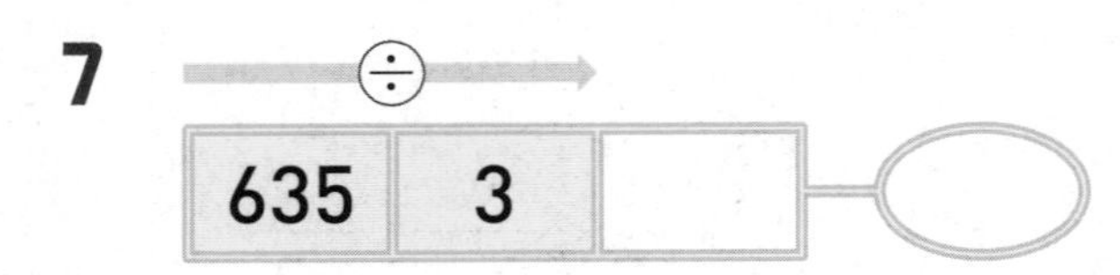

8

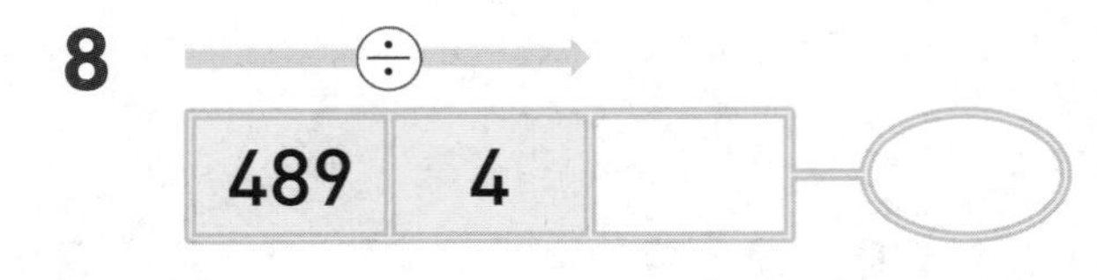

9

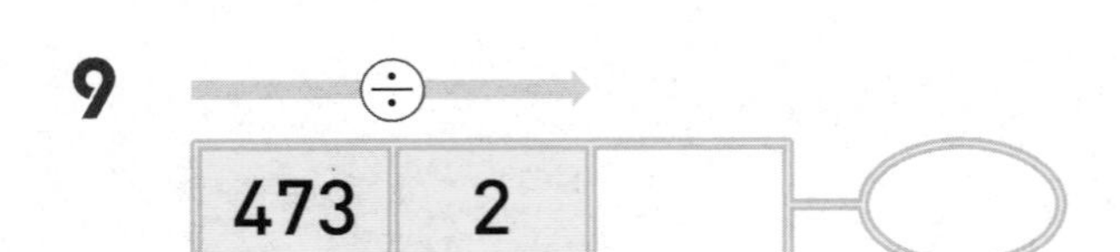

10

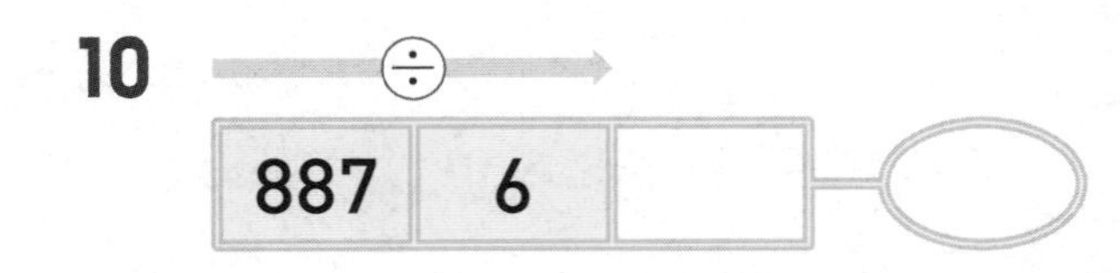

11

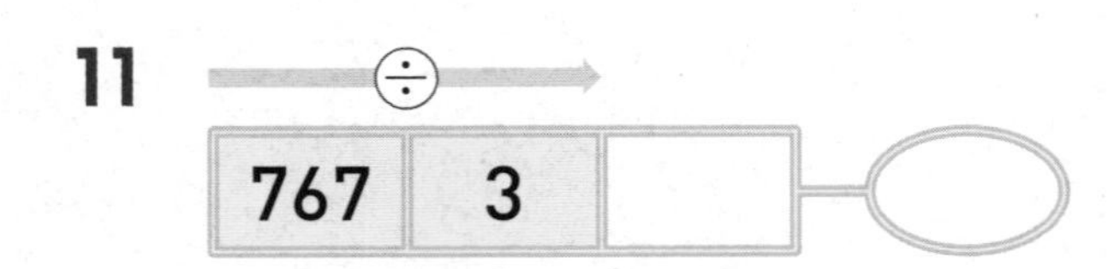

12

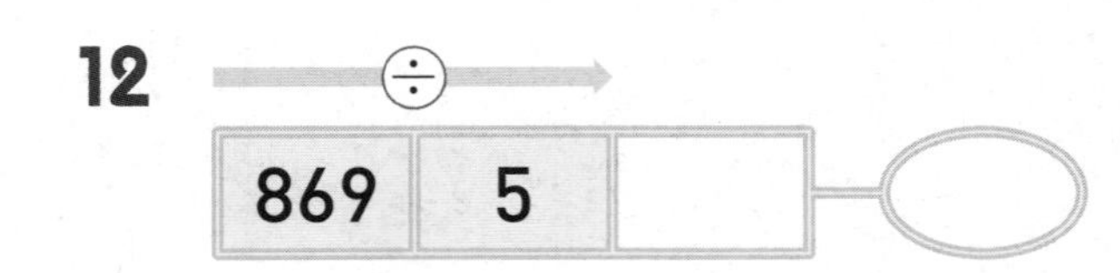

2 나눗셈

플러스 계산 연습

맞은 개수 /20개

▶ 정답과 해설 15쪽

나눗셈을 하여 □ 안에는 몫을, ○ 안에는 나머지를 써넣으세요.

13

	637			
587	÷	4	□	… ○
	2			
	□			
	⋮			
	○			

14

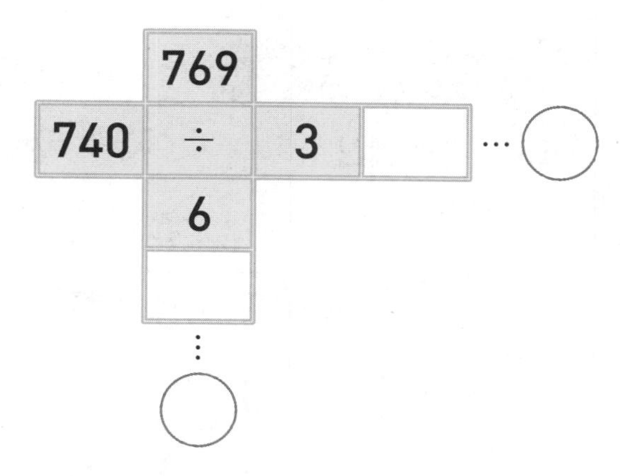

15

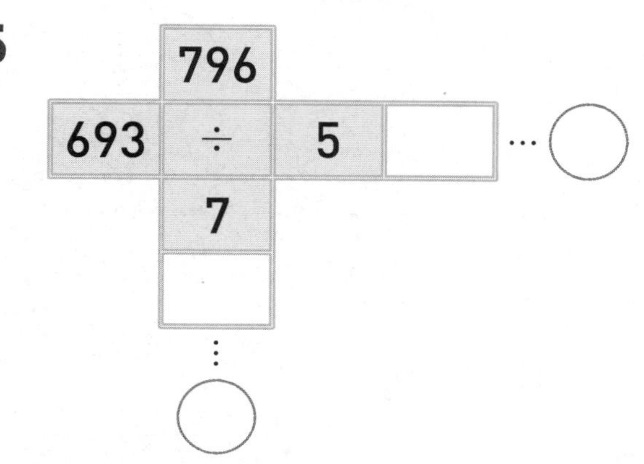

16

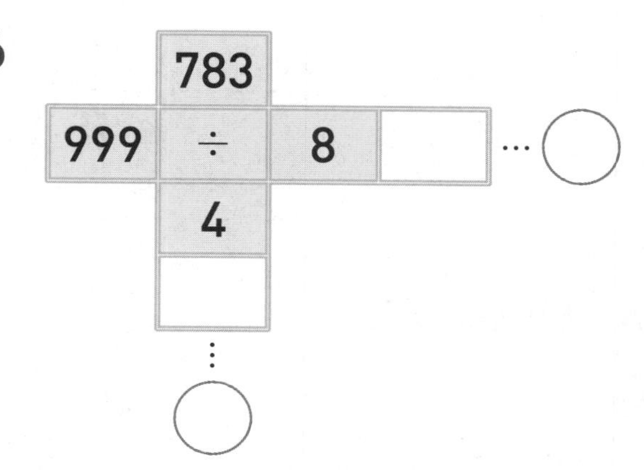

문장 읽고 계산식 세우기

17 밤 846개를 한 봉지에 4개씩 담으면 몇 봉지가 되고 몇 개가 남는지?

식 846 ÷ □ = □ … □

답 ______ 봉지, ______ 개

18 대추 777개를 한 봉지에 5개씩 담으면 몇 봉지가 되고 몇 개가 남는지?

식 777 ÷ □ = □ … □

답 ______ 봉지, ______ 개

19 귤 505개를 한 상자에 3개씩 담으면 몇 상자가 되고 몇 개가 남는지?

식 □ ÷ 3 = □ … □

답 ______ 상자, ______ 개

20 자두 950개를 한 접시에 7개씩 담으면 몇 접시가 되고 몇 개가 남는지?

식 □ ÷ 7 = □ … □

답 ______ 접시, ______ 개

9 일차

(세 자리 수)÷(한 자리 수)(3)

이렇게 해결하자

• 135÷3의 계산 — 몫이 두 자리 수이고 나머지가 없는 (세 자리 수)÷(한 자리 수)

		4	5
3)	1	3	5
	1	2	
		1	5
		1	5
			0

135÷3에서 백의 자리 수 1이 3보다 작으므로 나누지 못해요.

계산해 보세요.

❶ 2) 1 4 8

❷ 3) 2 1 9

❸ 4) 2 4 8

❹ 5) 2 6 0

❺ 6) 3 7 8

❻ 7) 4 5 5

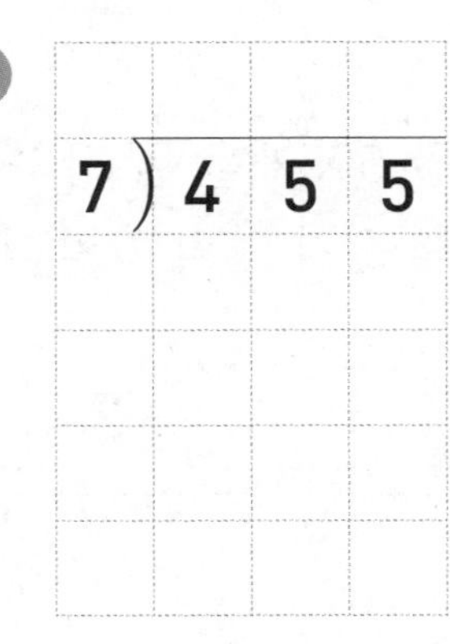

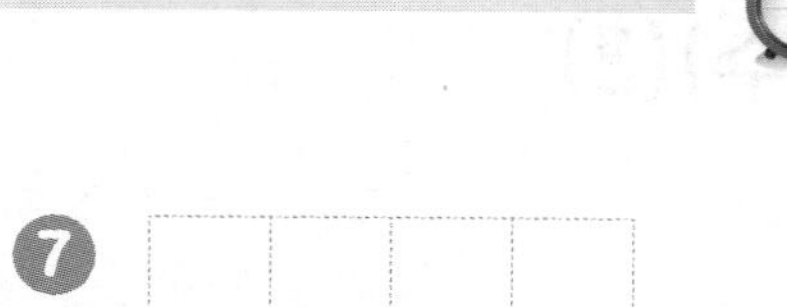

제한 시간 3분

기초 계산 연습

맞은 개수 /18개

▶ 정답과 해설 15쪽

⑦

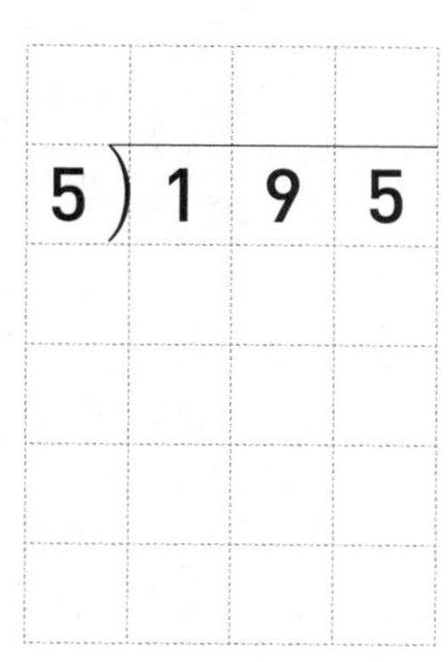

⑧

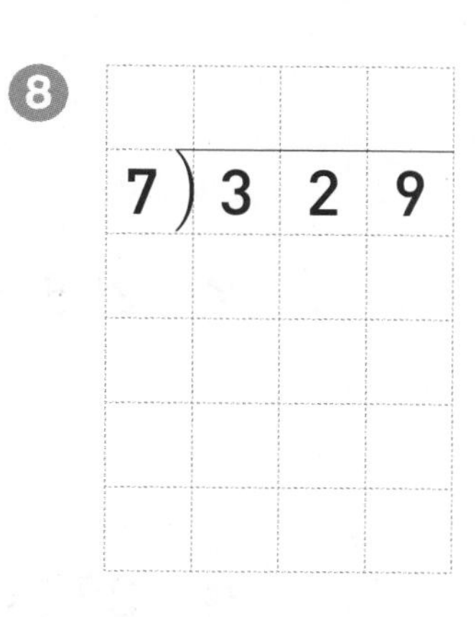

⑨ 9)5 0 4

⑩

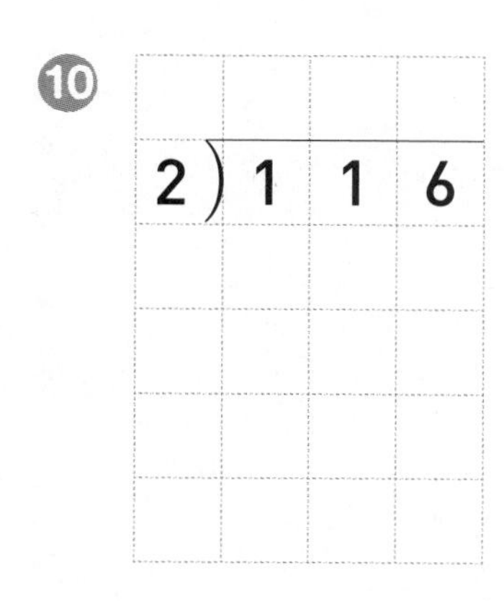

⑪ 4)3 0 0

⑫

⑬ 8)3 7 6

⑭

⑮

⑯ 2)1 7 0

⑰

⑱

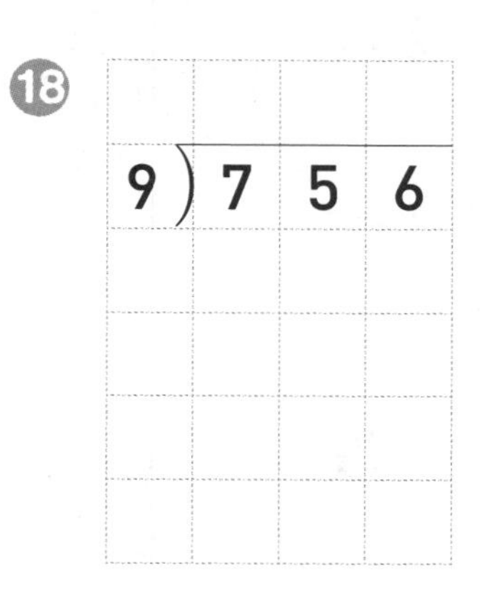

9 일차

(세 자리 수)÷(한 자리 수)(3)

계산해 보세요.

1 $184 \div 2 = \square$

2 $208 \div 4 = \square$

3 $426 \div 6 = \square$

4 $392 \div 8 = \square$

5 $198 \div 3 = \square$

6 $460 \div 5 = \square$

7 $259 \div 7 = \square$

8 $675 \div 9 = \square$

빈칸에 알맞은 수를 써넣으세요.

9

255	÷5	

10

182	÷7	

11

264	÷4	

12

372	÷6	

13

258	÷3	

14

584	÷8	

제한 시간 5분

플러스 계산 연습

맞은 개수 /22개

▶ 정답과 해설 15쪽

선을 따라가며 계산해 보세요.

15

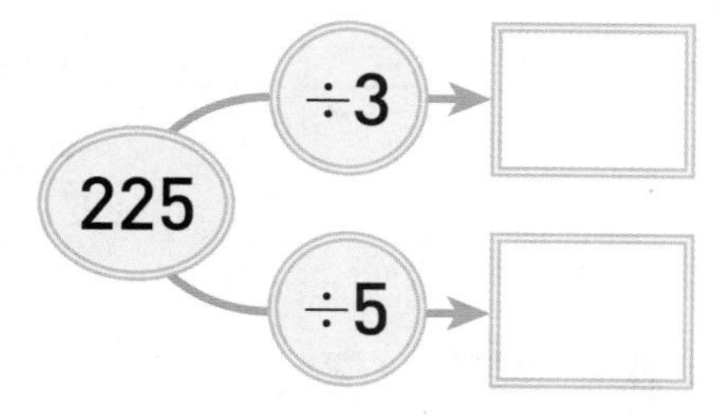

16

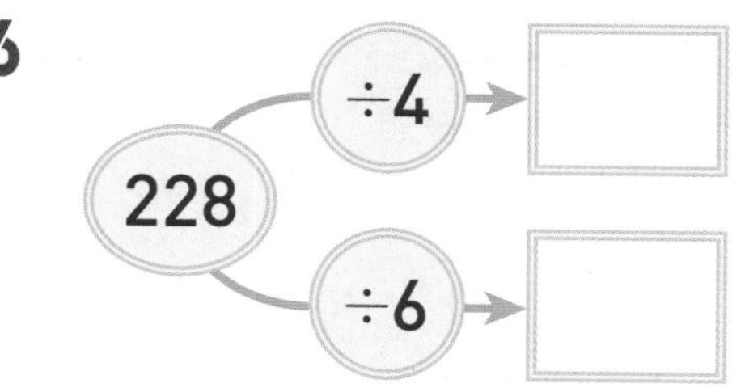

생활 속 계산

채소의 무게가 다음과 같을 때 채소 1개의 무게는 몇 g인지 구하세요. (g: 무게의 단위, 그램이라고 읽습니다.)

(단, 채소의 무게는 각각 일정합니다.)

17

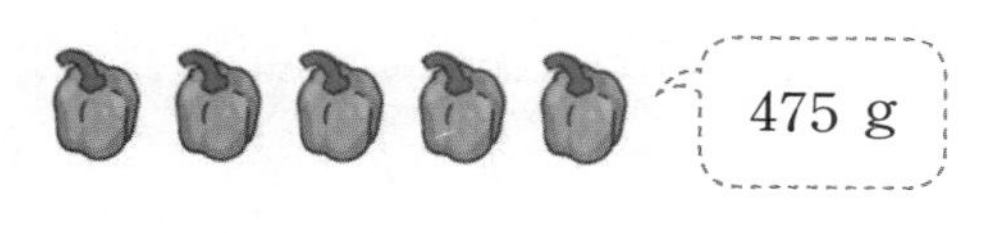

475÷☐=☐(g)

18

☐÷7=☐(g)

문장 읽고 계산식 세우기

19 구슬 158개를 한 봉지에 2개씩 담으면 필요한 봉지는 몇 개?

식 158÷☐=☐(개)

20 딱지 603개를 한 봉지에 9개씩 담으면 필요한 봉지는 몇 개?

식 603÷☐=☐(개)

21 연필 371자루를 필통 한 개에 7자루씩 담으면 필요한 필통은 몇 개?

식 ☐÷7=☐(개)

22 색연필 296자루를 필통 한 개에 4자루씩 담으면 필요한 필통은 몇 개?

식 ☐÷4=☐(개)

10 일차

(세 자리 수)÷(한 자리 수)(4)

이렇게 해결하자

• 215÷4의 계산 — 몫이 두 자리 수이고 나머지가 있는 (세 자리 수)÷(한 자리 수)

		5	3	← 몫
4)	2	1	5	
	2	0		
		1	5	
		1	2	
			3	← 나머지

$215 \div 4 = 53 \cdots 3$

확인 $4 \times 53 = 212$

$212 + 3 = 215$

215÷4에서 백의 자리 수 2는 4보다 작으므로 몫은 두 자리 수예요.

계산해 보세요.

❶ 3)179

❷ 2)131

❸ 5)238

❹ 4)259

❺ 7)318

❻ 9)392

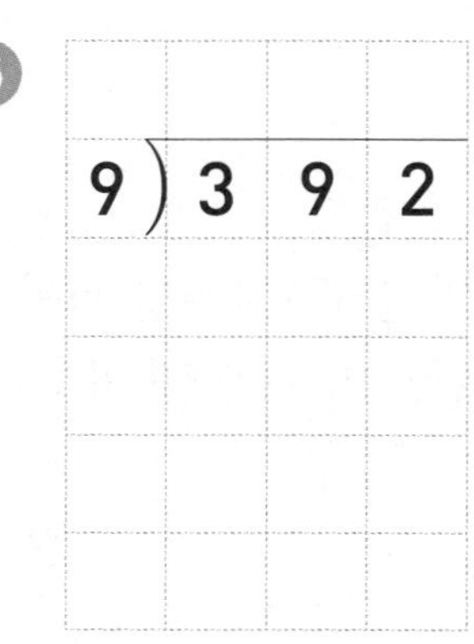

기초 계산 연습

맞은 개수 /18개

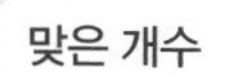

▶ 정답과 해설 16쪽

⑦ 6)287

⑧ 3)200

⑨ 7)600

⑩ 4)277

⑪ 2)109

⑫ 9)584

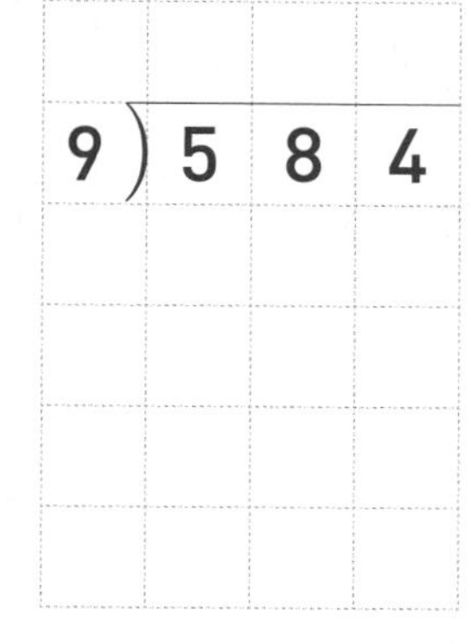

⑬ 8)500

⑭ 6)455

⑮ 4)305

⑯ 5)238

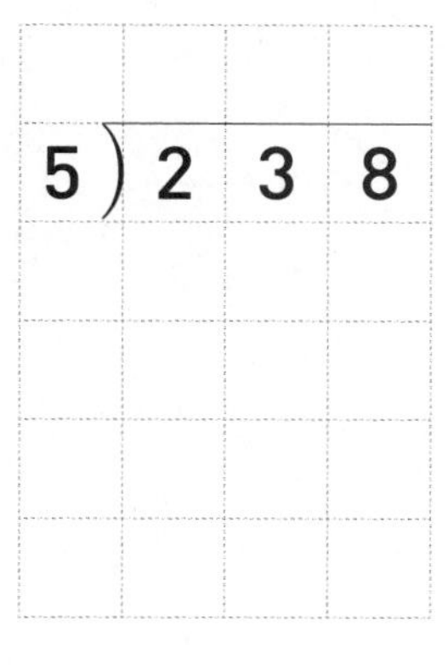

⑰ 7)678

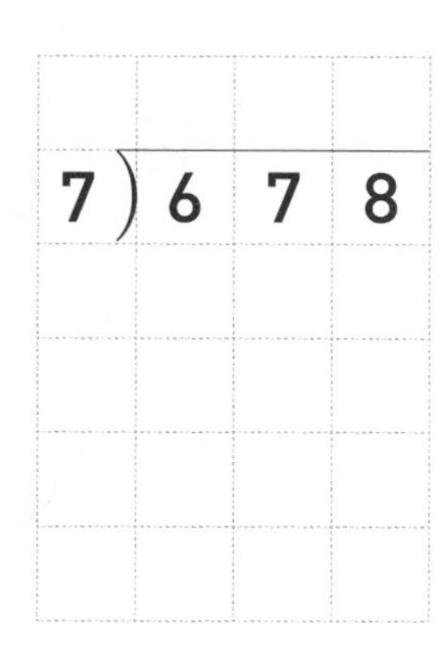

⑱ 9)680

10 일차 (세 자리 수)÷(한 자리 수)(4)

계산해 보고, 계산이 맞는지 확인해 보세요.

1 $257 \div 5 = \square \cdots \square$

확인 $5 \times \square = \square$

$255 + \square = 257$

2 $307 \div 4 = \square \cdots \square$

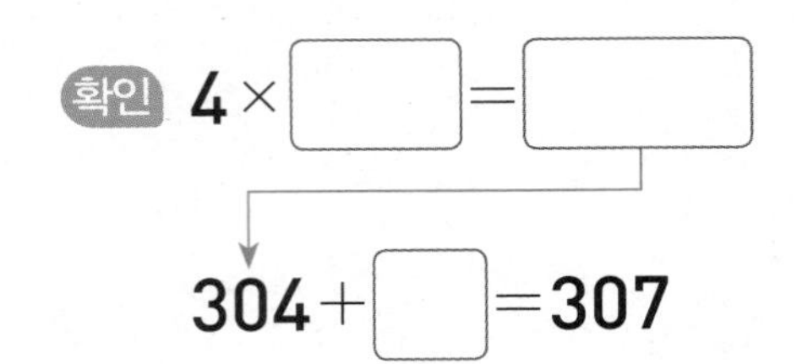

확인 $4 \times \square = \square$

$304 + \square = 307$

3 $173 \div 2 = \square \cdots \square$

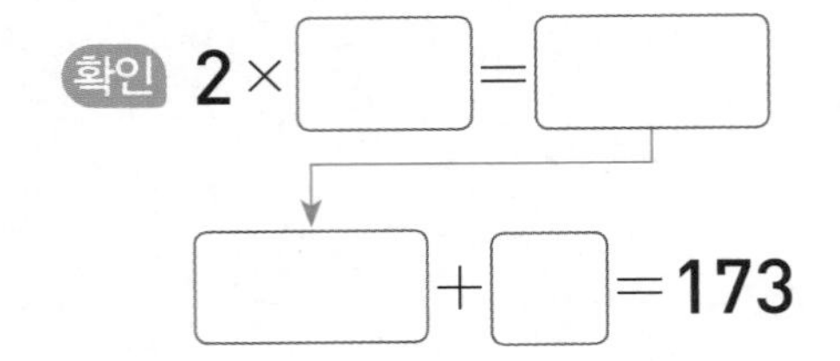

확인 $2 \times \square = \square$

$\square + \square = 173$

4 $523 \div 7 = \square \cdots \square$

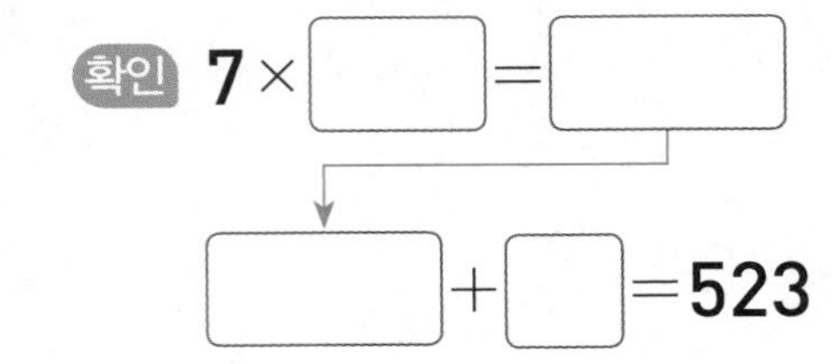

확인 $7 \times \square = \square$

$\square + \square = 523$

5 $236 \div 3 = \square \cdots \square$

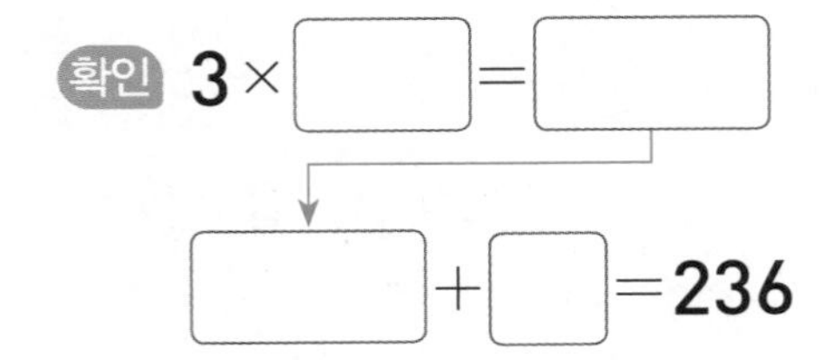

확인 $3 \times \square = \square$

$\square + \square = 236$

6 $700 \div 8 = \square \cdots \square$

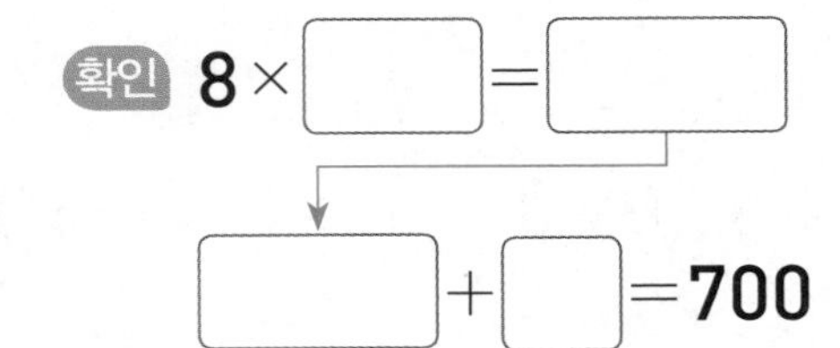

확인 $8 \times \square = \square$

$\square + \square = 700$

나눗셈을 하여 □ 안에는 몫을, ○ 안에는 나머지를 써넣으세요.

7 189 | ÷4 | □ — ○

8 273 | ÷6 | □ — ○

9 293 | ÷5 | □ — ○

10 383 | ÷9 | □ — ○

11 197 | ÷3 | □ — ○

12 429 | ÷8 | □ — ○

▶ 정답과 해설 16쪽

생활 속 계산

주어진 빵을 상자에 담으려고 합니다. 필요한 상자는 몇 개이고 남은 빵은 몇 개인지 차례대로 구하세요.

13

486개를 한 상자에 7개씩 담아요.

486÷□=□ ··· □

→ □개, □개

14

765개를 한 상자에 8개씩 담아요.

765÷□=□ ··· □

→ □개, □개

15

387개를 한 상자에 4개씩 담아요.

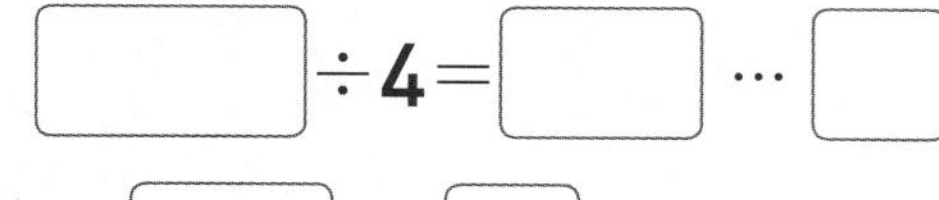

□÷4=□ ··· □

→ □개, □개

16

377개를 한 상자에 5개씩 담아요.

□÷5=□ ··· □

→ □개, □개

문장 읽고 계산식 세우기

17 튤립 182송이를 4송이씩 묶는다면 몇 묶음이 되고 몇 송이가 남는지?

식 182÷□=□···□

답 ______묶음, ______송이

18 장미 284송이를 5송이씩 묶는다면 몇 묶음이 되고 몇 송이가 남는지?

식 284÷□=□···□

답 ______묶음, ______송이

19 감 203개를 한 접시에 3개씩 담는다면 몇 접시가 되고 몇 개가 남는지?

식 □÷3=□···□

답 ______접시, ______개

20 밤 404개를 한 접시에 7개씩 담는다면 몇 접시가 되고 몇 개가 남는지?

식 □÷7=□···□

답 ______접시, ______개

11 일차 (세 자리 수)÷(한 자리 수)(5)

이렇게 해결하자

• 618÷3의 계산 — 몫의 일 또는 십의 자리에 0이 있는 (세 자리 수)÷(한 자리 수)

	2	0	6
3)	6	1	8
	6		
		1	8
		1	8
			0

618÷3에서 십의 자리 수 1은 3으로 나누어지지 않으므로 몫의 십의 자리에 0을 쓰고 8을 내려요.

계산해 보세요.

❶ $4\overline{)560}$

❷ $6\overline{)720}$

❸ $3\overline{)840}$

❹ $5\overline{)700}$

❺ $2\overline{)540}$

❻ $7\overline{)910}$

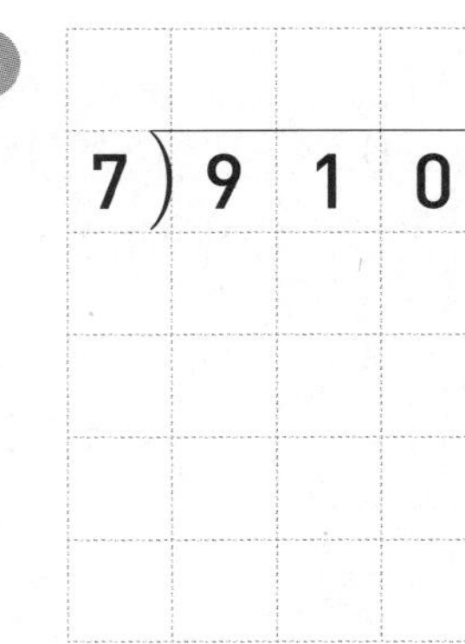

제한 시간 3분

기초 계산 연습

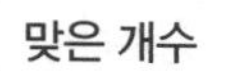
맞은 개수 /18개

▶ 정답과 해설 16~17쪽

7 $4\overline{)832}$

8 $5\overline{)530}$

9 $8\overline{)816}$

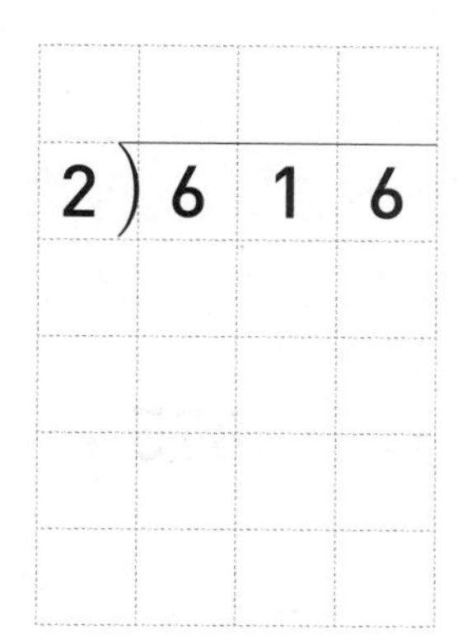
10 $2\overline{)616}$

11 $5\overline{)540}$

12 $9\overline{)981}$

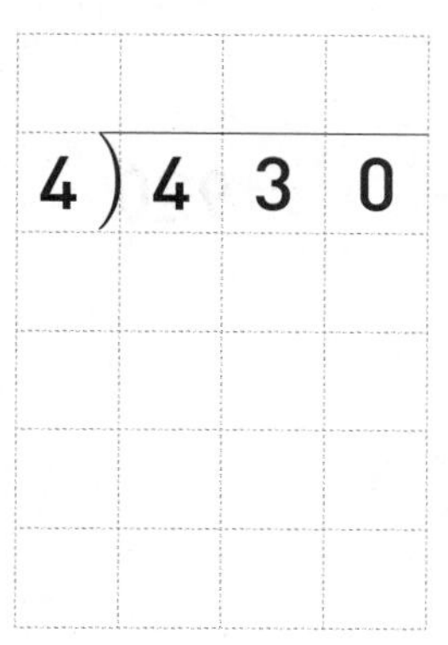
13 $4\overline{)430}$

14 $7\overline{)740}$

15 $3\overline{)925}$

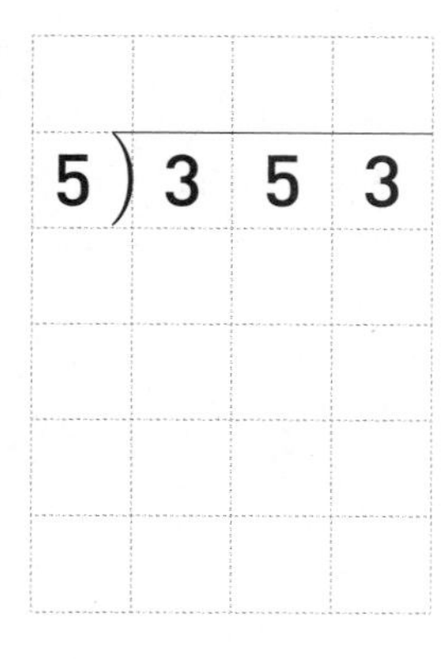
16 $5\overline{)353}$

17 $9\overline{)725}$

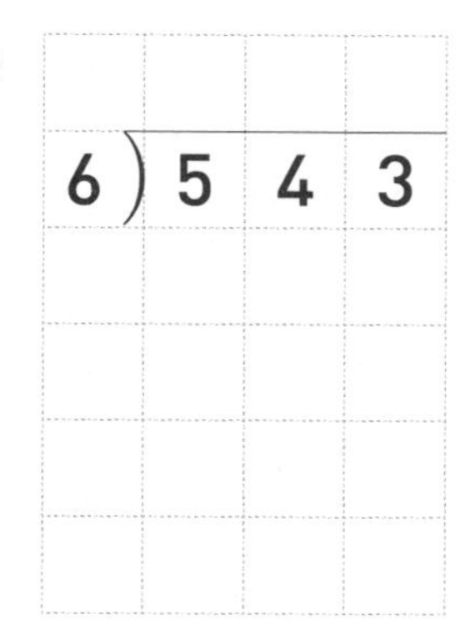
18 $6\overline{)543}$

11 일차

(세 자리 수)÷(한 자리 수)(5)

계산해 보고, 계산이 맞는지 확인해 보세요.

1 $920 \div 3 = \square \cdots \square$

확인 $3 \times \square = \square$

$918 + \square = 920$

2 $485 \div 6 = \square \cdots \square$

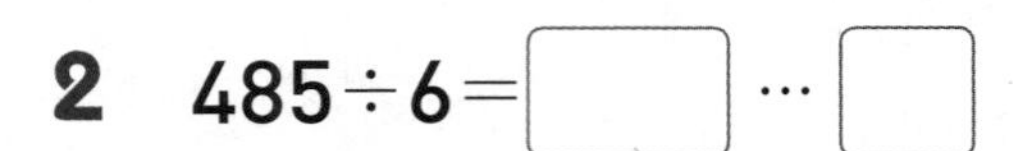

확인 $6 \times \square = \square$

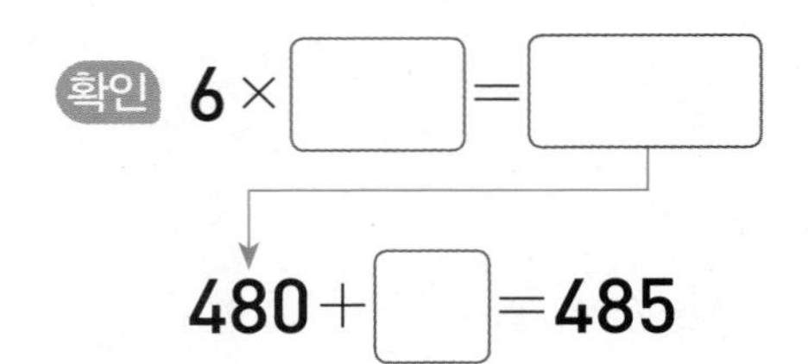

$480 + \square = 485$

3 $202 \div 4 = \square \cdots \square$

확인 $4 \times \square = \square$

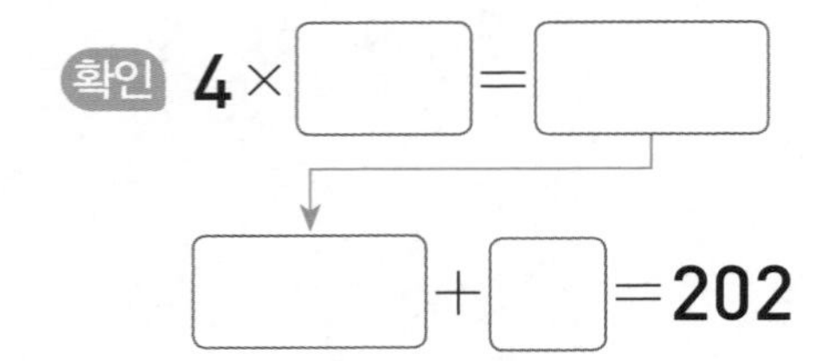

$\square + \square = 202$

4 $875 \div 8 = \square \cdots \square$

확인 $8 \times \square = \square$

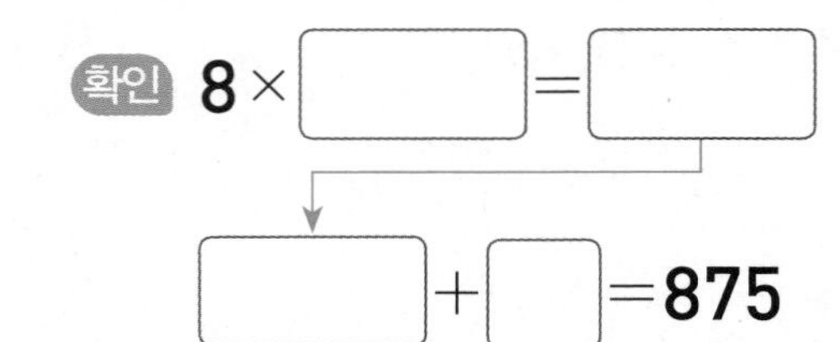

$\square + \square = 875$

5 $854 \div 5 = \square \cdots \square$

확인 $5 \times \square = \square$

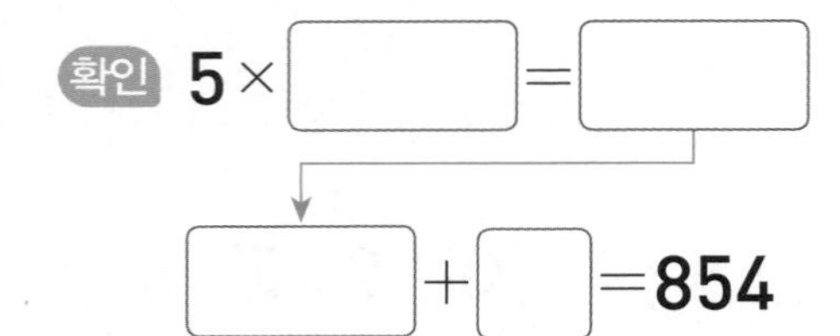

$\square + \square = 854$

6 $920 \div 9 = \square \cdots \square$

확인 $9 \times \square = \square$

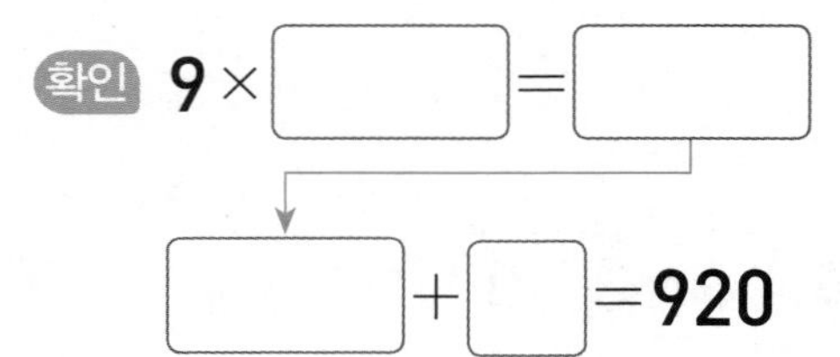

$\square + \square = 920$

선을 따라가며 계산해 보세요.

7

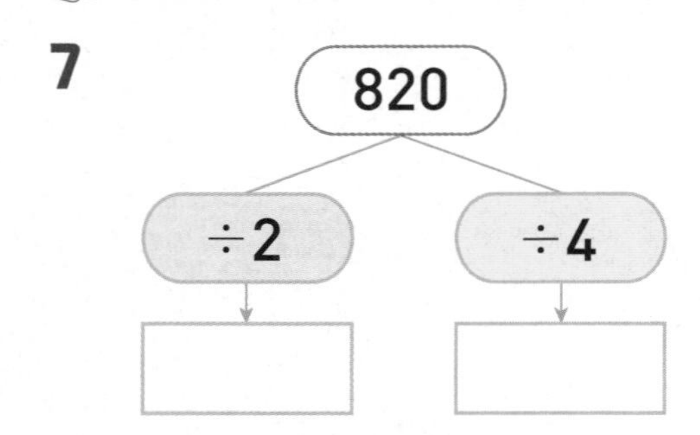

8

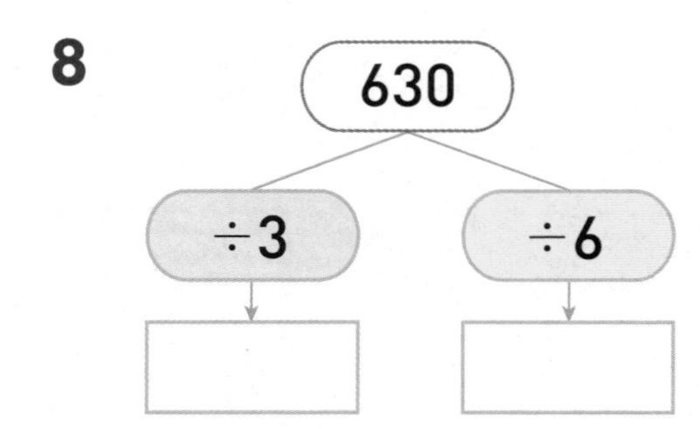

9

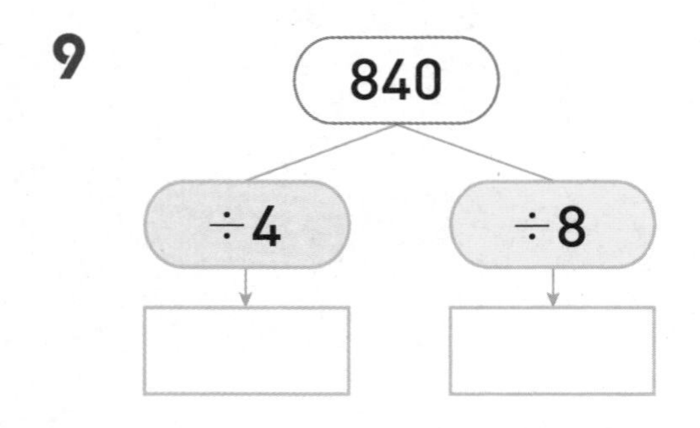

10

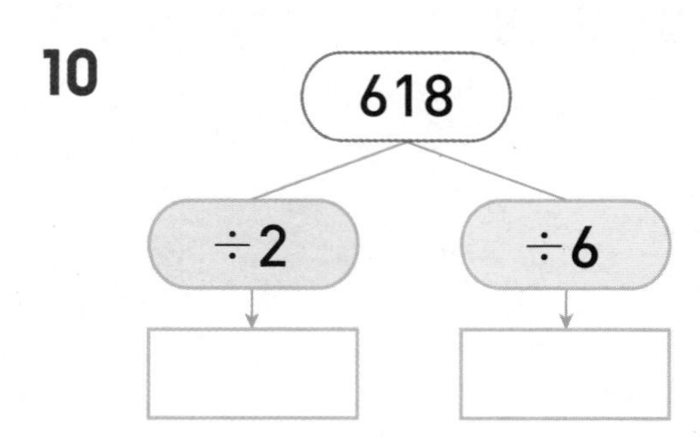

플러스 계산 연습

맞은 개수 /18개

▶ 정답과 해설 17쪽

나눗셈을 하여 □ 안에는 몫을, ◯ 안에는 나머지를 써넣으세요.

11

÷			
409	2	□	◯
819	4	□	◯

12

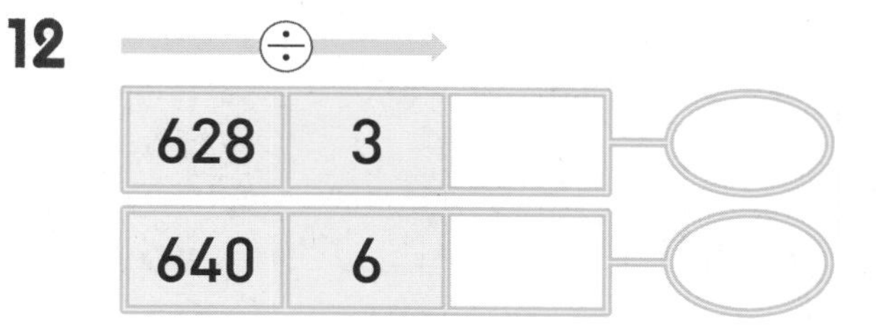

÷			
628	3	□	◯
640	6	□	◯

생활 속 계산

상자 한 개를 포장하는 필요한 끈의 길이입니다. 주어진 끈으로 상자를 몇 개까지 묶을 수 있는지 구하세요.

13

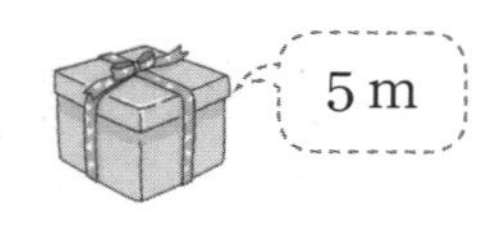

750÷□=□(개)

14

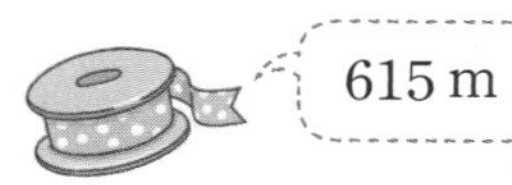

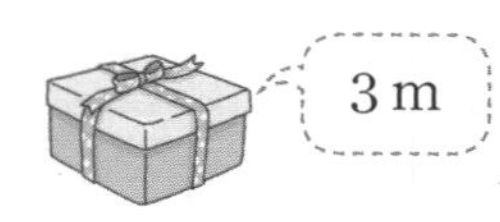

□÷3=□(개)

문장 읽고 계산식 세우기

15 사탕 650개를 한 명에게 5개씩 나누어 주면 몇 명에게 줄 수 있는지?

식 □÷5=□(명)

16 초콜릿 648개를 한 명에게 6개씩 나누어 주면 몇 명에게 줄 수 있는지?

식 □÷6=□(명)

17 연필 283자루를 한 명에게 4자루씩 나누어 주면 몇 명에게 주고 몇 자루가 남는지?

식 □÷4=□…□

답 ______ 명, ______ 자루

18 공책 837권을 한 명에게 8권씩 나누어 주면 몇 명에게 주고 몇 권이 남는지?

식 □÷8=□…□

답 ______ 명, ______ 권

평가 SPEED 연산력 TEST

계산해 보세요.

① $4\overline{)60}$

② $3\overline{)93}$

③ $6\overline{)84}$

④ $4\overline{)70}$

⑤ $5\overline{)87}$

⑥ $6\overline{)438}$

⑦ $3\overline{)624}$

⑧ $7\overline{)952}$

⑨ $4\overline{)670}$

⑩ $90 \div 3$

⑪ $48 \div 2$

⑫ $80 \div 5$

⑬ $85 \div 6$

⑭ $850 \div 5$

⑮ $856 \div 8$

⑯ $868 \div 7$

⑰ $850 \div 4$

⑱ $890 \div 6$

▶ 정답과 해설 17쪽

빈칸에 알맞은 수를 써넣으세요.

19
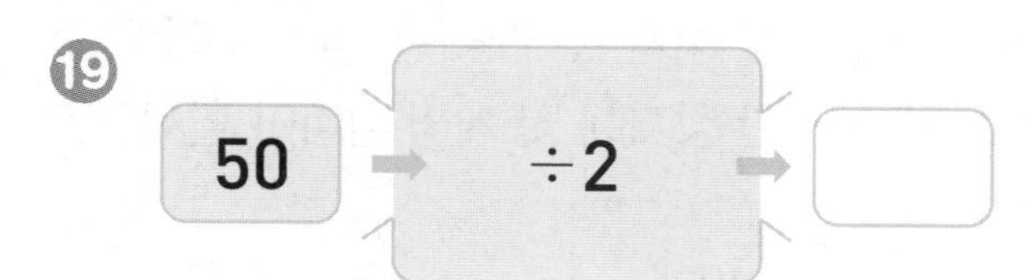

20
84 ÷4

21
96 ÷6

22
530 ÷5

23
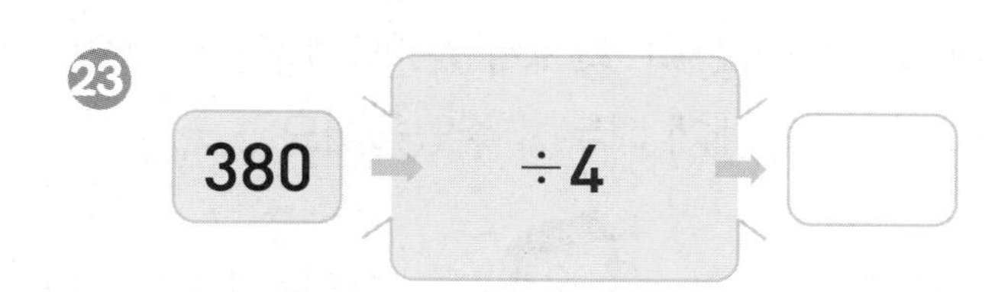

24
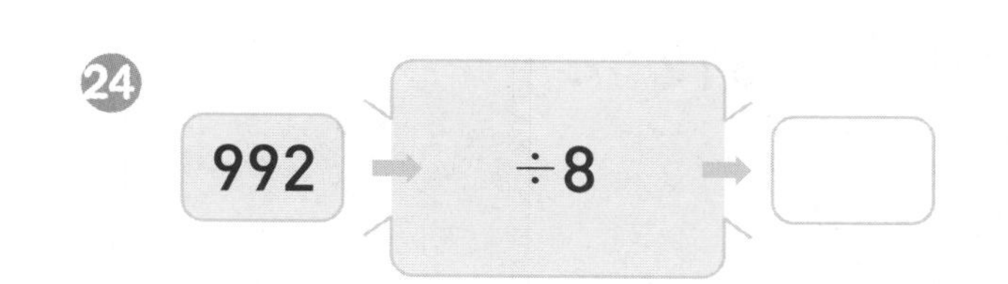

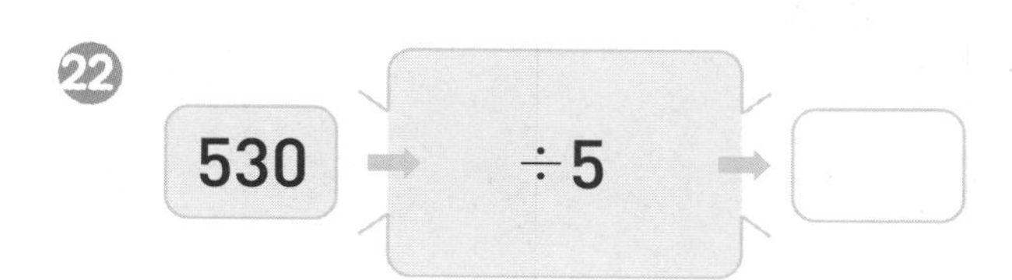

나눗셈을 하여 □ 안에는 몫을, ○ 안에는 나머지를 써넣으세요.

25
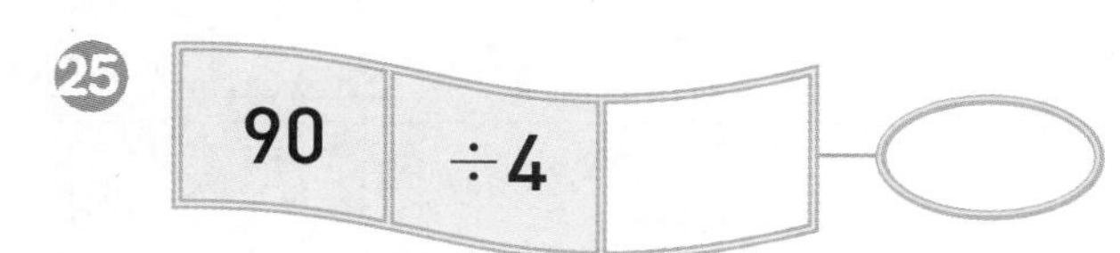

26
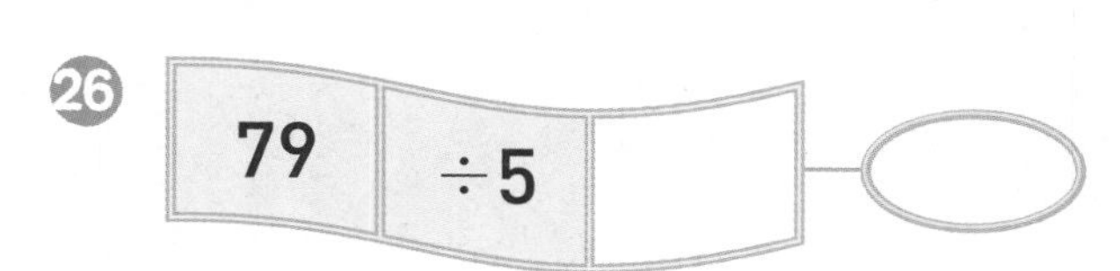

27
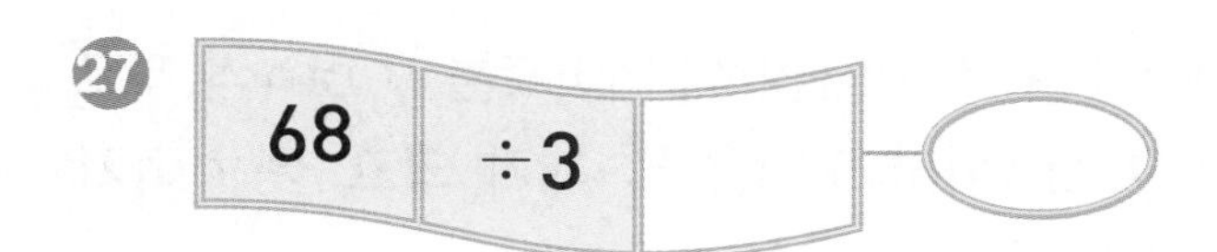

28
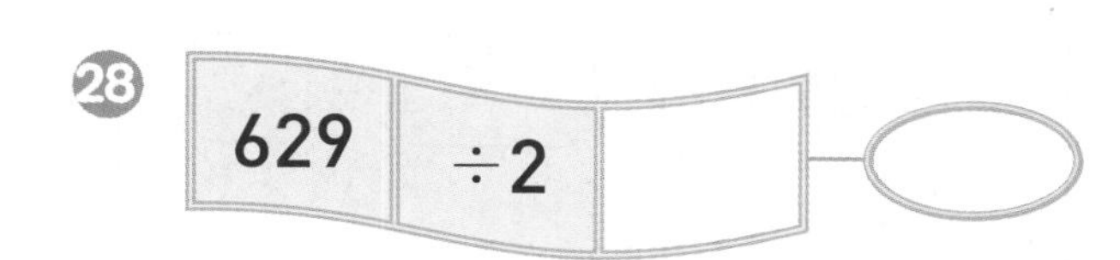

29
815 ÷4

30

제한 시간 안에 정확하게
모두 풀었다면 여러분은 진정한 **계산왕!**

특강 문장제 문제 도전하기

1 $80 \div 4 =$ ☐

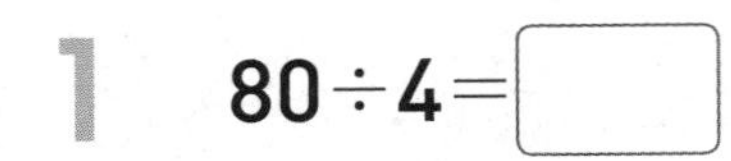
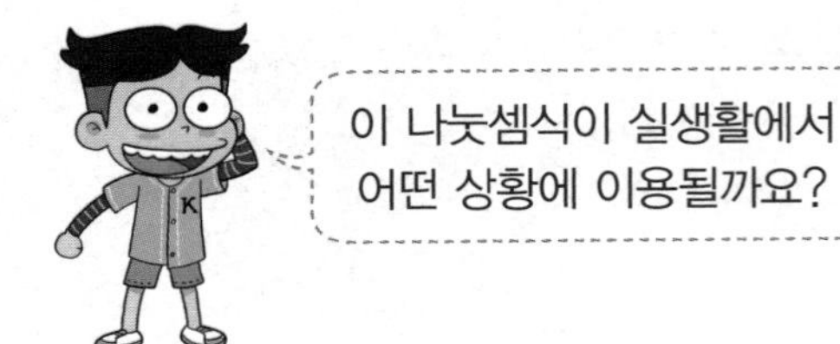

➔ 지우개 **80**개를 상자 **4**개에 똑같이 나누어 담으려고 합니다. 한 상자에 몇 개씩 담아야 할까요?

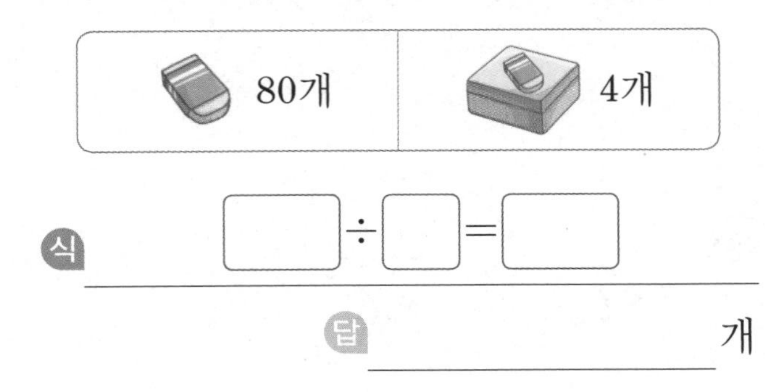

식 ☐ ÷ ☐ = ☐

답 ______ 개

2 $612 \div 4 =$ ☐

➔ 공책 **612**권을 한 명에게 **4**권씩 나누어 주었습니다. 몇 명에게 나누어 주었을까요?

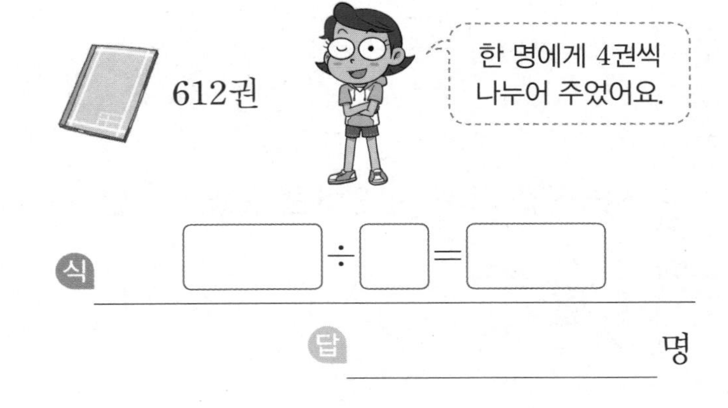

식 ☐ ÷ ☐ = ☐

답 ______ 명

3 $390 \div 9 =$ ☐ ··· ☐

➔ 길이가 **390** cm인 색 테이프를 **9** cm씩 자르면 **9** cm짜리 도막은 몇 개가 되고, 몇 cm가 남을까요?

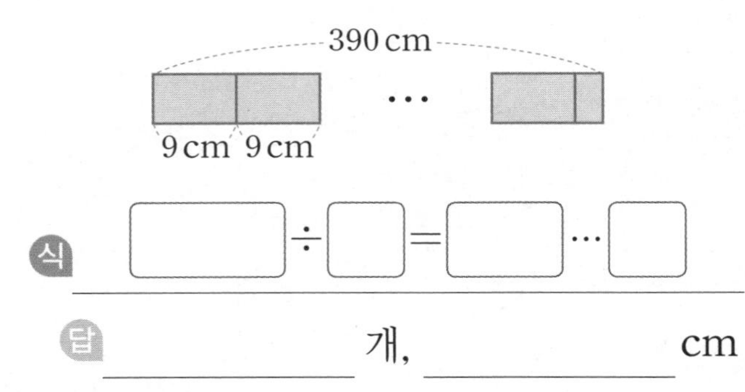

식 ☐ ÷ ☐ = ☐ ··· ☐

답 ______ 개, ______ cm

▶ 정답과 해설 17쪽

문장을 읽고 알맞은 나눗셈식을 세워 답을 구해 보자!

4 가위( ) **70**개를 상자( ) **5**개에 똑같이 나누어 담으려고 합니다.
한 상자에 몇 개씩 담아야 할까요?

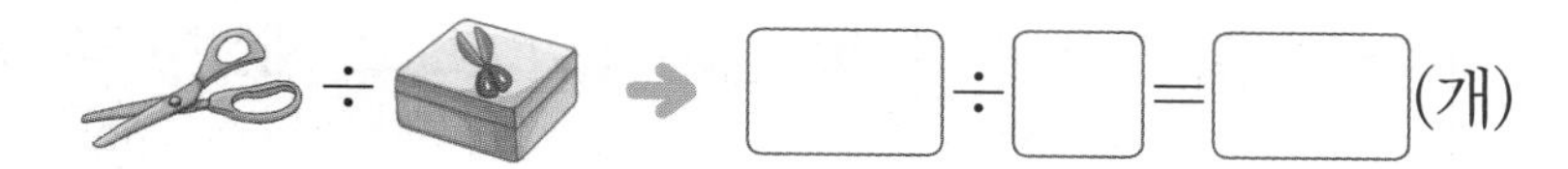

5 수첩( ) **392**권을 한 명에게 **7**권씩 나누어 주었습니다.
몇 명에게 나누어 주었을까요?

÷ **7** ➜ ☐ ÷ ☐ = ☐ (명)

6 길이가 **472** cm인 색 테이프를 **6** cm씩 자르면
6 cm짜리 도막은 몇 개가 되고, 몇 cm가 남을까요?

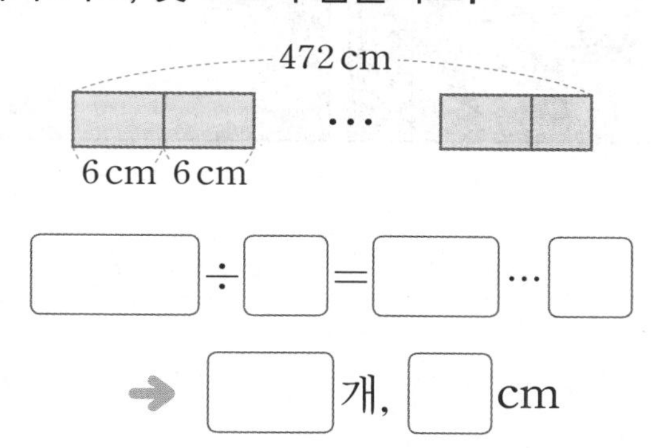

☐ ÷ ☐ = ☐ … ☐

➜ ☐ 개, ☐ cm

2 나눗셈

창의·융합·코딩·도전하기

1년 중 일주일은 몇 번 있을까?

융합 1 1년 중 일주일은 몇 번 있고 며칠이 남는지 알아보고, 계산이 맞는지 확인해 보세요. (단, 1년은 365일입니다.)

$365 \div 7 =$ ☐ … ☐ 이므로

1년 중 일주일은 ☐ 번 있고 ☐ 일이 남아요.

계산이 맞는지 확인해 보면

$7 \times$ ☐ $=$ ☐, ☐ $+$ ☐ $=365$예요.

창의 2 몫에 해당하는 구멍을 지나 로봇이 집에 도착할 수 있도록 길을 선으로 그어 보세요.

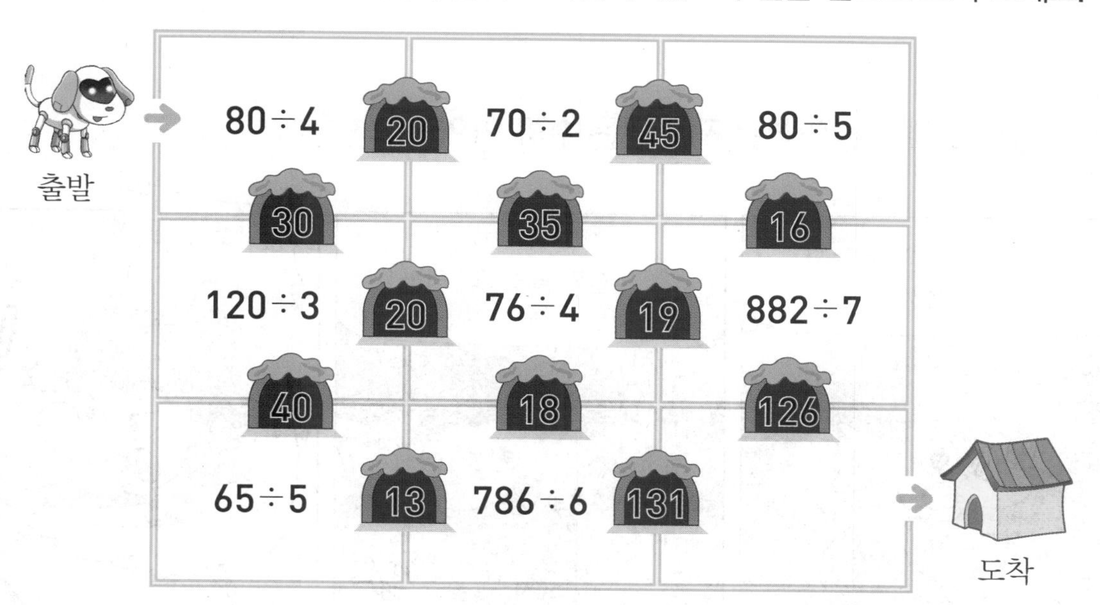

창의 3 다음과 같은 규칙으로 수가 나오는 마술 상자가 있습니다.
이 마술 상자에 **660**을 넣었을 때 나오는 수를 구하세요.

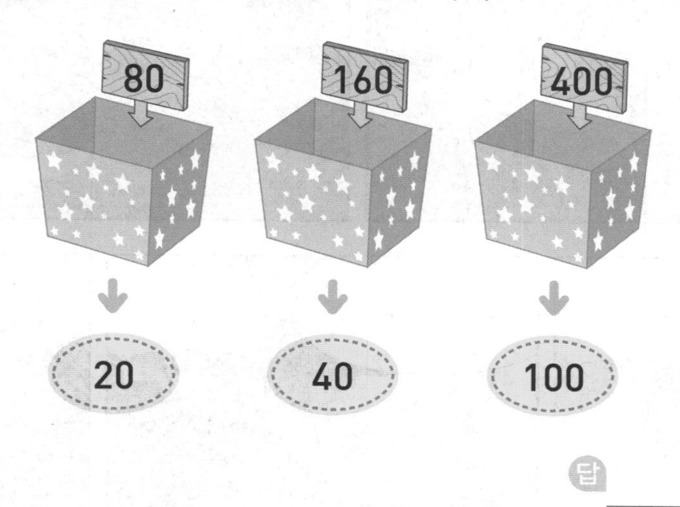

답 ______________

3 분 수

실생활에서 알아보는 재미있는 수학 이야기

이번에 배울 내용을 알아볼까요?

- 1일차 ▶ 분수로 나타내기
- 2일차 ▶ ~ 3일차 ▶ 분수만큼은 얼마인지 알아보기
- 4일차 ▶ ~ 5일차 ▶ 여러 가지 분수 알아보기
- 6일차 ▶ ~ 7일차 ▶ 분모가 같은 분수의 크기를 비교하기

1 일차

분수로 나타내기

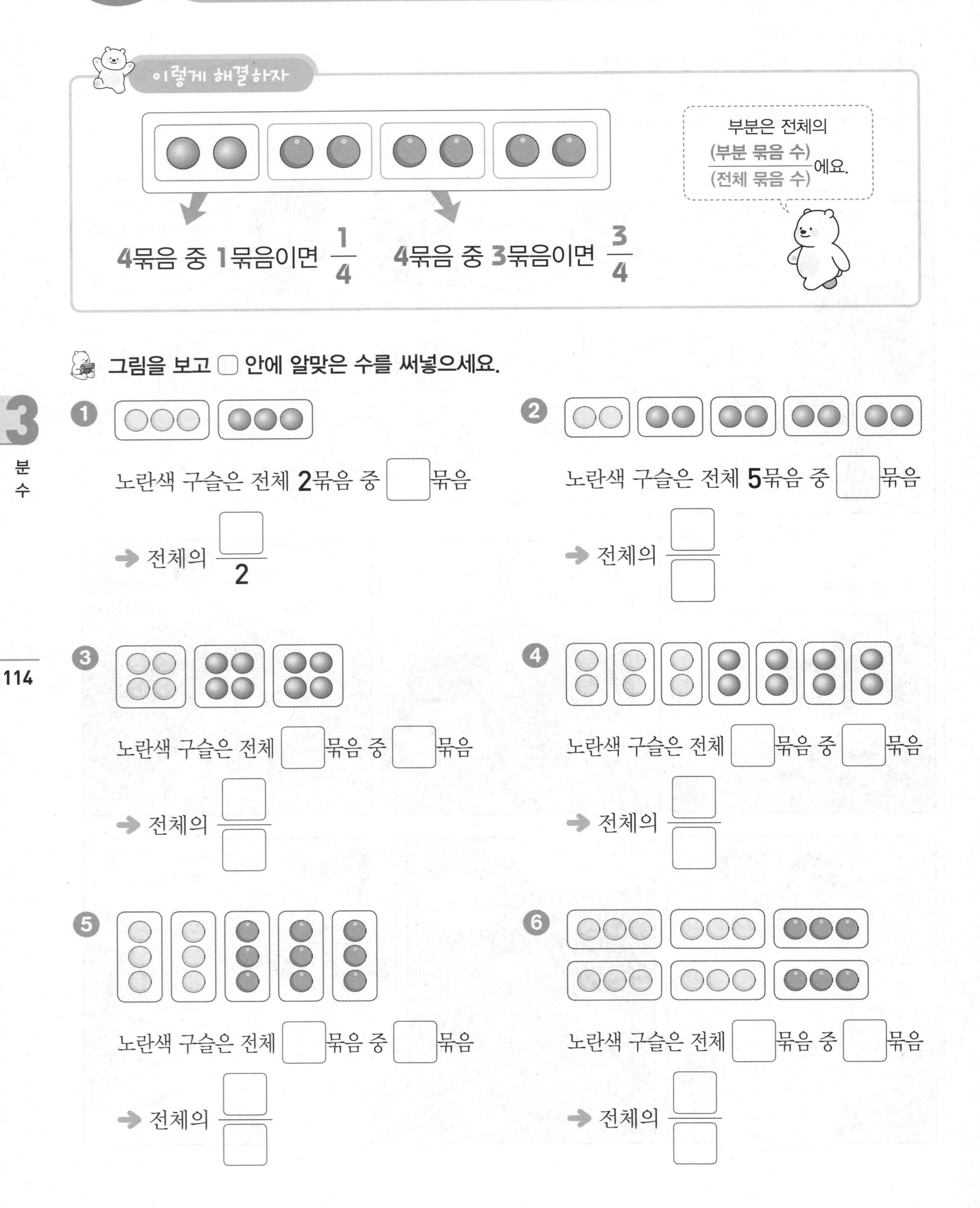
이렇게 해결하자
4묶음 중 1묶음이면 $\frac{1}{4}$
4묶음 중 3묶음이면 $\frac{3}{4}$
부분은 전체의 $\frac{\text{(부분 묶음 수)}}{\text{(전체 묶음 수)}}$에요.
그림을 보고 ☐ 안에 알맞은 수를 써넣으세요.
3
분수
114
1
노란색 구슬은 전체 2묶음 중 ☐묶음
→ 전체의 $\frac{☐}{2}$
2
노란색 구슬은 전체 5묶음 중 ☐묶음
→ 전체의 $\frac{☐}{☐}$
3
노란색 구슬은 전체 ☐묶음 중 ☐묶음
→ 전체의 $\frac{☐}{☐}$
4
노란색 구슬은 전체 ☐묶음 중 ☐묶음
→ 전체의 $\frac{☐}{☐}$
5
노란색 구슬은 전체 ☐묶음 중 ☐묶음
→ 전체의 $\frac{☐}{☐}$
6
노란색 구슬은 전체 ☐묶음 중 ☐묶음
→ 전체의 $\frac{☐}{☐}$

기초 계산 연습

맞은 개수 / 14개

▶ 정답과 해설 18쪽

❼ 

18을 3씩 묶으면 ☐ 묶음이 됩니다.

➔ 3은 18의 $\frac{\square}{6}$

❽ 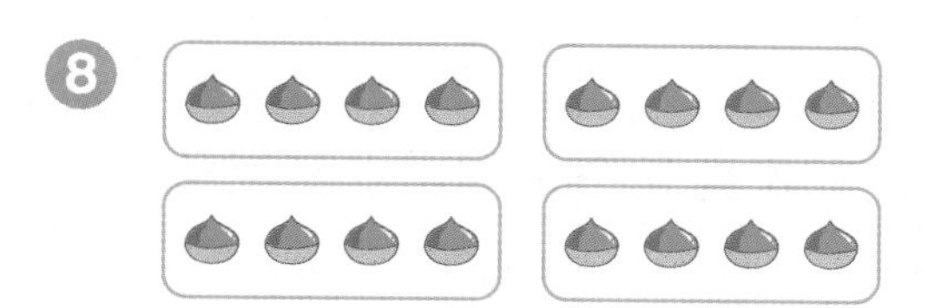

16을 4씩 묶으면 ☐ 묶음이 됩니다.

➔ 4는 16의 $\frac{\square}{\square}$

❾ 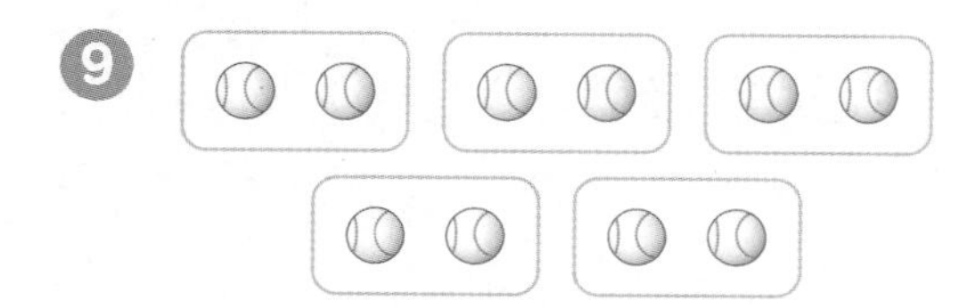

10을 2씩 묶으면 ☐ 묶음이 됩니다.

➔ 6은 10의 $\frac{\square}{\square}$

❿ 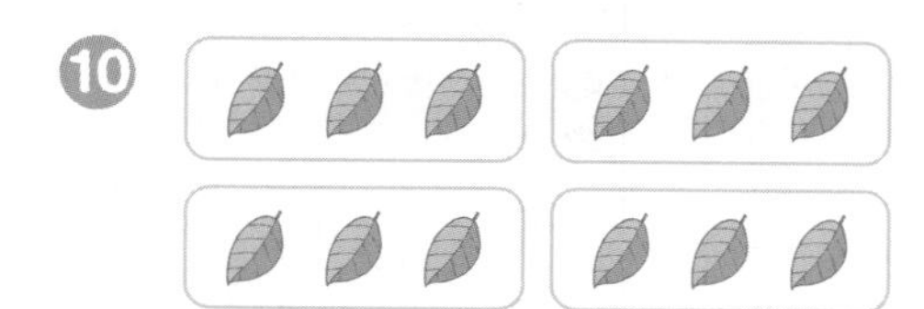

12를 3씩 묶으면 ☐ 묶음이 됩니다.

➔ 9는 12의 $\frac{\square}{\square}$

⓫ 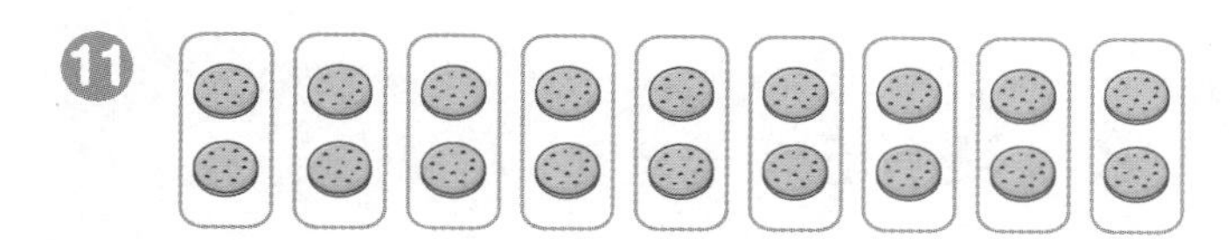

18을 2씩 묶으면 ☐ 묶음이 됩니다.

➔ 10은 18의 $\frac{\square}{\square}$

⓬ 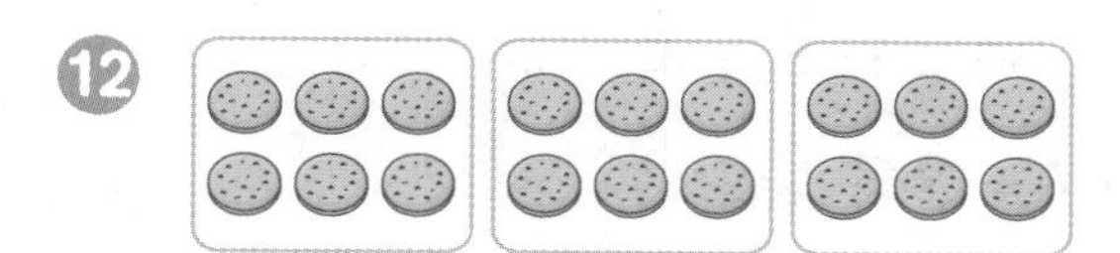

18을 6씩 묶으면 ☐ 묶음이 됩니다.

➔ 12는 18의 $\frac{\square}{\square}$

⓭ 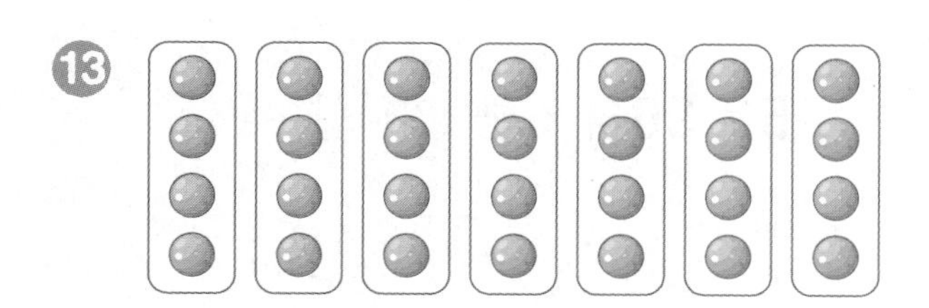

28을 4씩 묶으면 ☐ 묶음이 됩니다.

➔ 20은 28의 $\frac{\square}{\square}$

⓮ 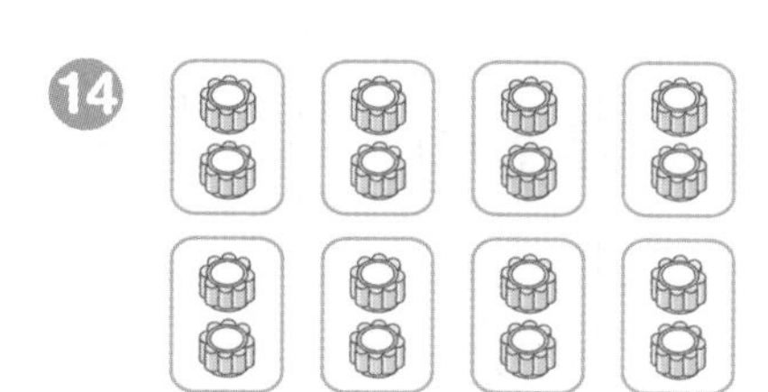

16을 2씩 묶으면 ☐ 묶음이 됩니다.

➔ 10은 16의 $\frac{\square}{\square}$

1 일차

분수로 나타내기

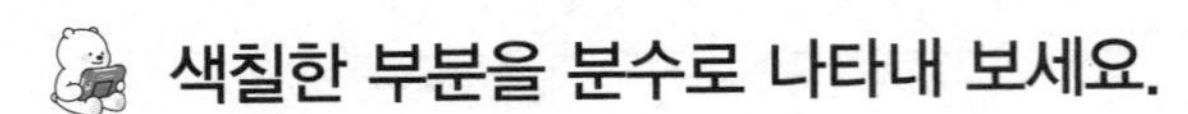

색칠한 부분을 분수로 나타내 보세요.

1

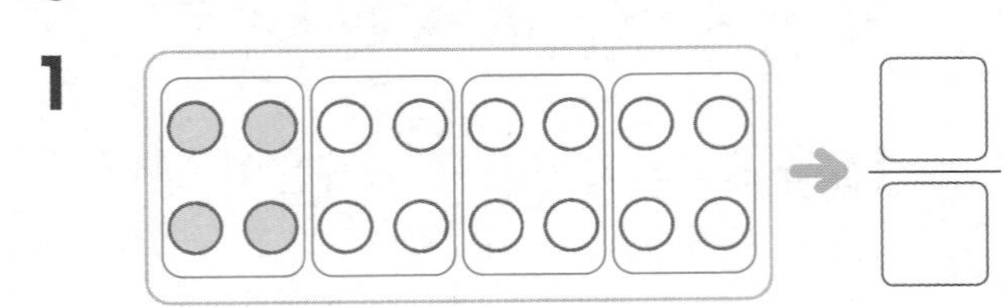

2

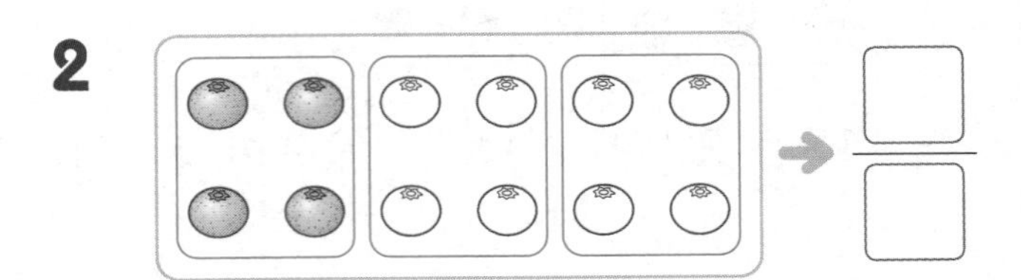

3

4

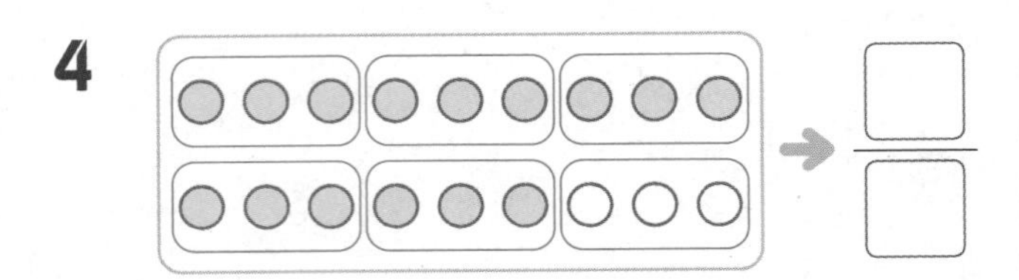

5

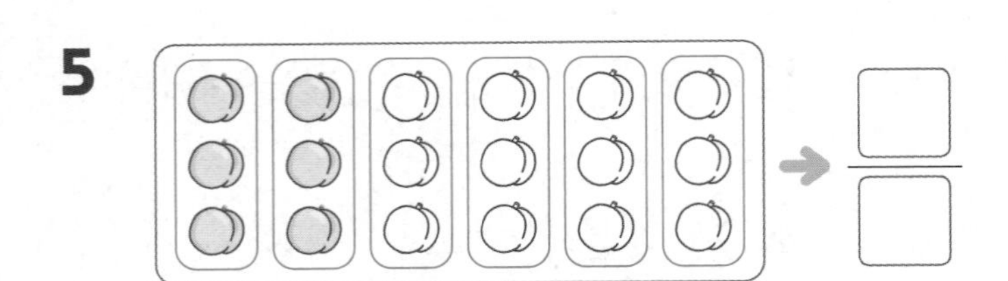

6

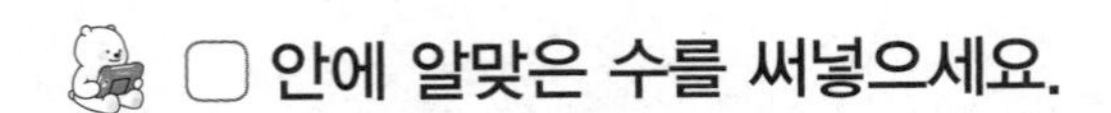

☐ 안에 알맞은 수를 써넣으세요.

7 27을 3씩 묶으면

12는 27의 $\frac{\square}{\square}$입니다.

8 15를 5씩 묶으면

10은 15의 $\frac{\square}{\square}$입니다.

9 35를 7씩 묶으면

14는 35의 $\frac{\square}{\square}$입니다.

10 30을 5씩 묶으면

15는 30의 $\frac{\square}{\square}$입니다.

11 21을 3씩 묶으면

15는 21의 $\frac{\square}{\square}$입니다.

12 36을 4씩 묶으면

20은 36의 $\frac{\square}{\square}$입니다.

플러스 계산 연습

맞은 개수 / 20개

▶ 정답과 해설 18쪽

생활 속 문제

지우개 24개를 여러 가지 방법으로 묶었을 때 전체에 대한 부분을 분수로 나타내 보세요.

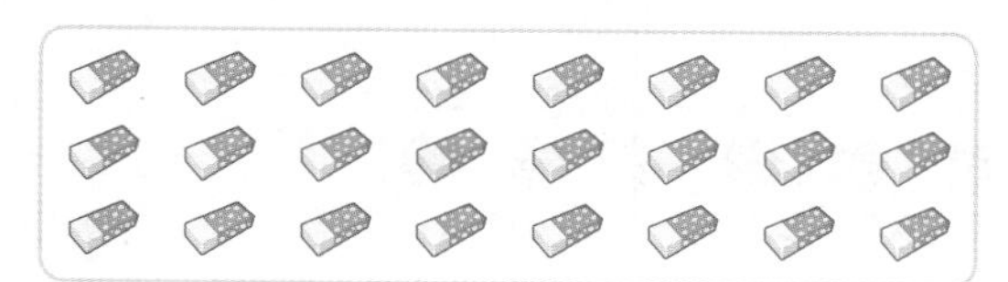

13 

9개는 24개의 $\frac{\square}{\square}$입니다.

14 

20개는 24개의 $\frac{\square}{\square}$입니다.

15 

18개는 24개의 $\frac{\square}{\square}$입니다.

16 

16개는 24개의 $\frac{\square}{\square}$입니다.

문장 읽고 문제 해결하기

17 전체 7묶음 중 2묶음일 때 전체에 대한 부분을 분수로 나타내면?

답 ________________

18 전체 8묶음 중 7묶음일 때 전체에 대한 부분을 분수로 나타내면?

답 ________________

19 28을 4씩 묶으면 12는 28의 얼마인지 분수로 나타내면?

 ________________

20 45를 5씩 묶으면 20은 45의 얼마인지 분수로 나타내면?

 ________________

2 일차 분수만큼은 얼마인지 알아보기(1)

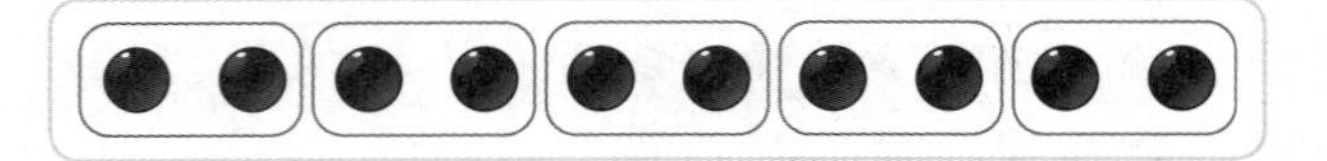

10의 $\frac{1}{5}$ → 2 (10을 똑같이 5묶음으로 나눈 것 중 1묶음 → 2)

10의 $\frac{2}{5}$ → 4 (10을 똑같이 5묶음으로 나눈 것 중 2묶음 → 4)

10을 똑같이 5묶음으로 나누면 1묶음은 2예요.

그림을 보고 □ 안에 알맞은 수를 써넣으세요.

❶

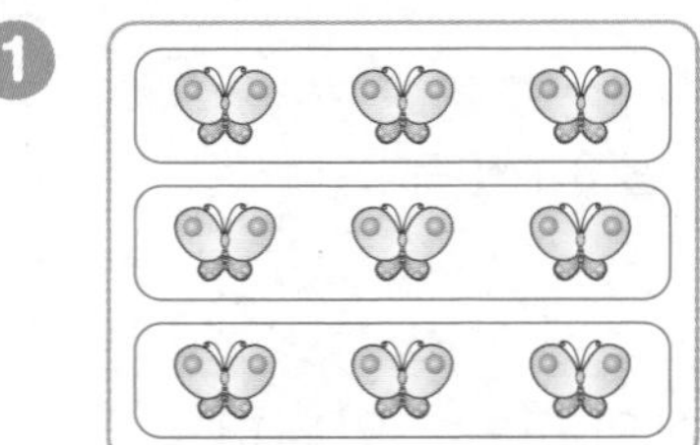

9의 $\frac{1}{3}$은 □입니다.

9의 $\frac{2}{3}$는 □입니다.

❷

12의 $\frac{1}{6}$은 □입니다.

12의 $\frac{4}{6}$는 □입니다.

❸

15의 $\frac{1}{5}$은 □입니다.

15의 $\frac{3}{5}$은 □입니다.

❹

18의 $\frac{1}{9}$은 □입니다.

18의 $\frac{6}{9}$은 □입니다.

기초 계산 연습

맞은 개수 / 20개

▶ 정답과 해설 18쪽

▢ 안에 알맞은 수를 써넣으세요.

⑤ 6의 $\frac{1}{2}$은 ▢입니다.

⑥ 27의 $\frac{1}{3}$은 ▢입니다.

⑦ 30의 $\frac{1}{6}$은 ▢입니다.

⑧ 32의 $\frac{1}{8}$은 ▢입니다.

⑨ 21의 $\frac{2}{3}$는 ▢입니다.

⑩ 25의 $\frac{3}{5}$은 ▢입니다.

⑪ 28의 $\frac{3}{4}$은 ▢입니다.

⑫ 24의 $\frac{5}{6}$는 ▢입니다.

⑬ 30의 $\frac{4}{5}$는 ▢입니다.

⑭ 35의 $\frac{2}{7}$는 ▢입니다.

⑮ 45의 $\frac{4}{5}$는 ▢입니다.

⑯ 36의 $\frac{2}{6}$는 ▢입니다.

⑰ 40의 $\frac{5}{8}$는 ▢입니다.

⑱ 49의 $\frac{5}{7}$는 ▢입니다.

⑲ 81의 $\frac{4}{9}$는 ▢입니다.

⑳ 72의 $\frac{3}{8}$은 ▢입니다.

2 일차

분수만큼은 얼마인지 알아보기(1)

□ 안에 알맞은 수를 써넣으세요.

1
12의 $\frac{1}{6}$은 □입니다.
12의 $\frac{1}{3}$은 □입니다.

2
16의 $\frac{1}{2}$은 □입니다.
16의 $\frac{1}{8}$은 □입니다.

3
18의 $\frac{2}{3}$는 □입니다.
18의 $\frac{2}{9}$는 □입니다.

4
24의 $\frac{3}{4}$은 □입니다.
24의 $\frac{3}{6}$은 □입니다.

5
36의 $\frac{4}{6}$는 □입니다.
36의 $\frac{4}{9}$는 □입니다.

6
48의 $\frac{5}{8}$는 □입니다.
48의 $\frac{5}{6}$는 □입니다.

분수만큼은 얼마인지 알맞은 수에 ○표 하세요.

7 21의 $\frac{4}{7}$

3	12

8 32의 $\frac{3}{4}$

24	28

9 42의 $\frac{2}{6}$

14	18

10 64의 $\frac{3}{8}$

16	24

11 40의 $\frac{4}{5}$

20	32

12 54의 $\frac{5}{9}$

30	40

플러스 계산 연습

맞은 개수 / 20개

▶ 정답과 해설 18쪽

생활 속 문제

주머니 안에 남아 있는 채소는 몇 개인지 구하세요.

13

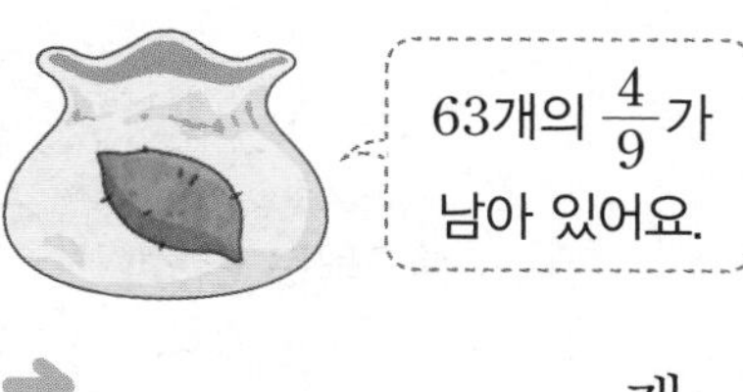

➜ ______ 개

14

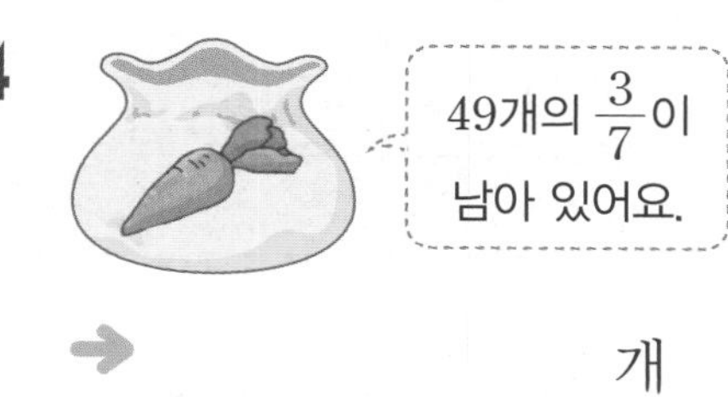

➜ ______ 개

15

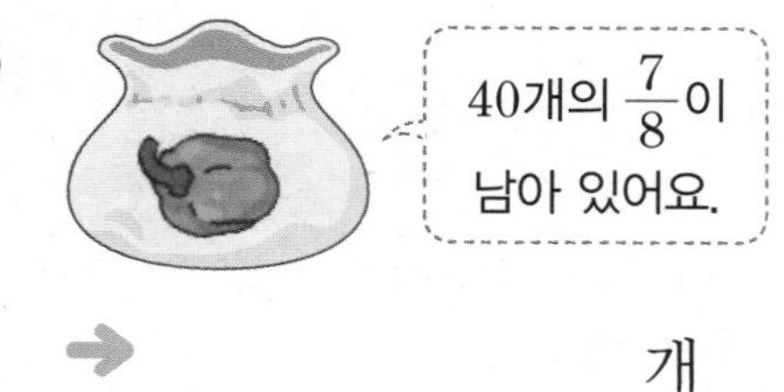

➜ ______ 개

16

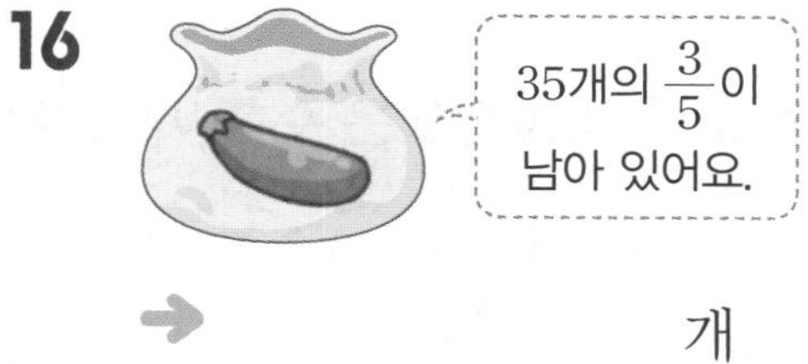

➜ ______ 개

문장 읽고 문제 해결하기

17 25의 $\frac{3}{5}$은 얼마?

답 ______

18 54의 $\frac{4}{9}$는 얼마?

답 ______

19 딸기 27개의 $\frac{7}{9}$만큼 먹었다면 먹은 딸기는 몇 개?

답 ______ 개

20 자두 63개의 $\frac{4}{7}$만큼 먹었다면 먹은 자두는 몇 개?

답 ______ 개

3 일차

분수만큼은 얼마인지 알아보기(2)

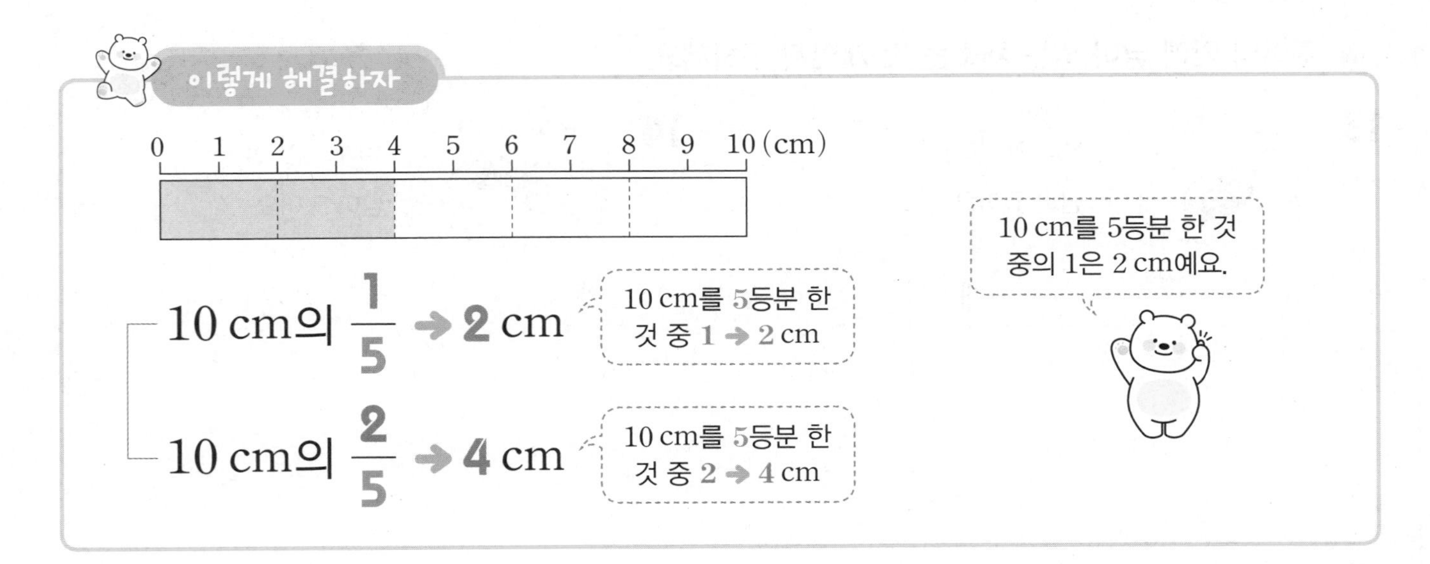

그림을 보고 ▢ 안에 알맞은 수를 써넣으세요.

1 0 1 2 3 4 5 6 7 8 9 10 11 12 13 14 15 16 (cm)

• 16 cm의 $\frac{1}{4}$은 ▢ cm입니다. • 16 cm의 $\frac{3}{4}$은 ▢ cm입니다.

2 0 1 2 3 4 5 6 7 8 9 10 11 12 13 14 (cm)

• 14 cm의 $\frac{1}{7}$은 ▢ cm입니다. • 14 cm의 $\frac{5}{7}$는 ▢ cm입니다.

3 0 1 2 3 4 5 6 7 8 9 10 11 12 13 14 15 16 17 18 (cm)

• 18 cm의 $\frac{1}{6}$은 ▢ cm입니다. • 18 cm의 $\frac{5}{6}$는 ▢ cm입니다.

4 0 1 2 3 4 5 6 7 8 9 10 11 12 13 14 15 16 17 18 19 20 (cm)

• 20 cm의 $\frac{1}{5}$은 ▢ cm입니다. • 20 cm의 $\frac{4}{5}$는 ▢ cm입니다.

기초 계산 연습

맞은 개수 / 20개

▶ 정답과 해설 19쪽

☐ 안에 알맞은 수를 써넣으세요.

⑤ 40 cm의 $\frac{1}{8}$은 ☐ cm입니다.

⑥ 12 cm의 $\frac{2}{6}$는 ☐ cm입니다.

⑦ 27 cm의 $\frac{4}{9}$는 ☐ cm입니다.

⑧ 42 cm의 $\frac{3}{7}$은 ☐ cm입니다.

⑨ 25 cm의 $\frac{2}{5}$는 ☐ cm입니다.

⑩ 24 cm의 $\frac{3}{8}$은 ☐ cm입니다.

⑪ 54 cm의 $\frac{4}{9}$는 ☐ cm입니다.

⑫ 30 cm의 $\frac{5}{6}$는 ☐ cm입니다.

⑬ 28 cm의 $\frac{5}{7}$는 ☐ cm입니다.

⑭ 32 cm의 $\frac{3}{4}$은 ☐ cm입니다.

⑮ 35 cm의 $\frac{4}{5}$는 ☐ cm입니다.

⑯ 49 cm의 $\frac{6}{7}$은 ☐ cm입니다.

⑰ 64 cm의 $\frac{5}{8}$는 ☐ cm입니다.

⑱ 63 cm의 $\frac{4}{9}$는 ☐ cm입니다.

⑲ 72 cm의 $\frac{5}{9}$는 ☐ cm입니다.

⑳ 56 cm의 $\frac{5}{7}$는 ☐ cm입니다.

3 일차 분수만큼은 얼마인지 알아보기(2)

그림을 보고 □ 안에 알맞은 수를 써넣으세요.

1 0 1 2 3 4 5 6 7 8 9 10 11 12(cm)

12 cm의 $\frac{1}{3}$ → □ cm

12 cm의 $\frac{1}{6}$ → □ cm

2 0 1 2 3 4 5 6 7 8 9 10 11 12 13 14 15(cm)

15 cm의 $\frac{2}{5}$ → □ cm

15 cm의 $\frac{2}{3}$ → □ cm

3 0 1 2 3 4 5 6 7 8 9 10 11 12 13 14 15 16(cm)

16 cm의 $\frac{3}{4}$ → □ cm

16 cm의 $\frac{3}{8}$ → □ cm

4 0 5 10 15 18(cm)

18 cm의 $\frac{4}{6}$ → □ cm

18 cm의 $\frac{4}{9}$ → □ cm

5 0 5 10 15 20(cm)

20 cm의 $\frac{3}{4}$ → □ cm

20 cm의 $\frac{3}{5}$ → □ cm

6 0 5 10 15 20 24(cm)

24 cm의 $\frac{5}{6}$ → □ cm

24 cm의 $\frac{5}{8}$ → □ cm

분수만큼은 얼마인지 □ 안에 알맞은 수를 써넣으세요.

7 21 km의 $\frac{5}{7}$ → □ km

8 25 km의 $\frac{3}{5}$ → □ km

9 30 km의 $\frac{4}{6}$ → □ km

10 45 km의 $\frac{7}{9}$ → □ km

11 48 km의 $\frac{5}{8}$ → □ km

12 63 km의 $\frac{7}{9}$ → □ km

제한 시간 5분

플러스 계산 연습

맞은 개수 / 20개

▶ 정답과 해설 19쪽

생활 속 문제

 1 m=100 cm임을 이용하여 주어진 길이는 몇 cm인지 구하세요.

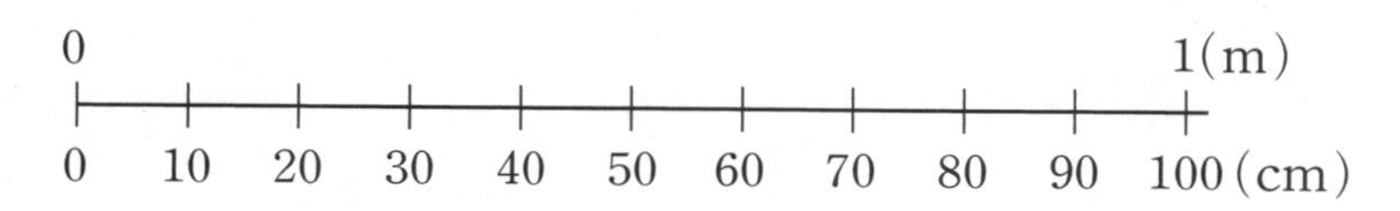

13 $\frac{1}{10}$ m → ______ cm

14 $\frac{7}{10}$ m → ______ cm

15 $\frac{1}{5}$ m → ______ cm

16 $\frac{3}{5}$ m → ______ cm

문장 읽고 문제 해결하기

17 21 cm의 $\frac{3}{7}$은 몇 cm?

답 ______ cm

18 56 cm의 $\frac{5}{8}$는 몇 cm?

답 ______ cm

19 공이 35 cm의 $\frac{2}{5}$만큼 튀어 올랐다면 튀어 오른 공의 높이는 몇 cm?

답 ______ cm

20 공이 70 cm의 $\frac{3}{10}$만큼 튀어 올랐다면 튀어 오른 공의 높이는 몇 cm?

답 ______ cm

4 일차 여러 가지 분수 알아보기(1)

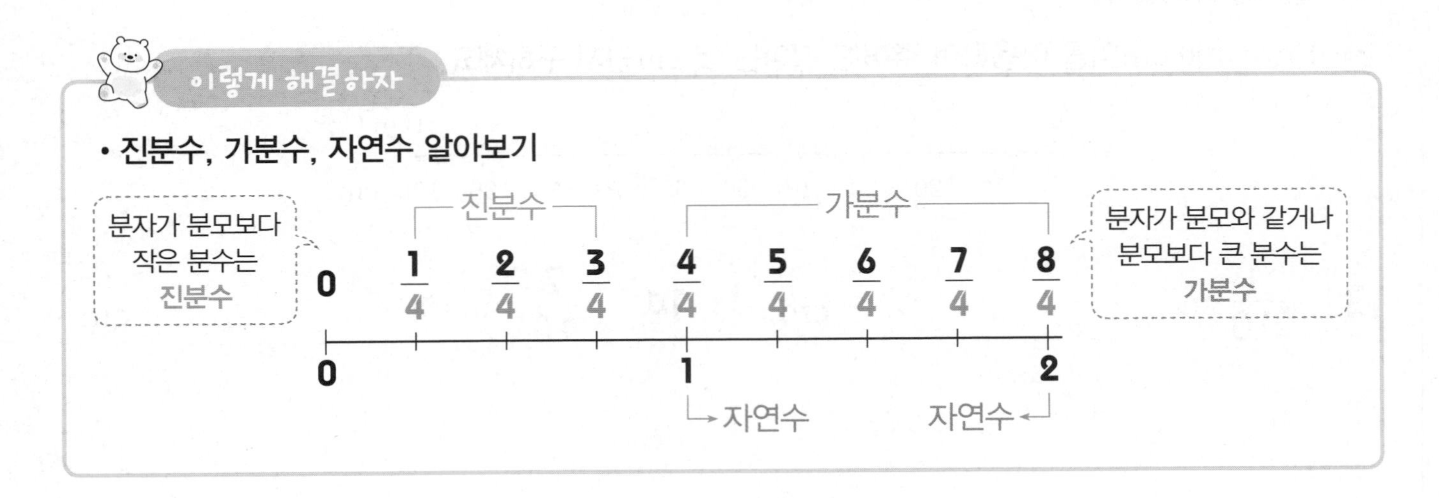

그림을 보고 ▢ 안에 알맞은 수를 써넣으세요.

❶
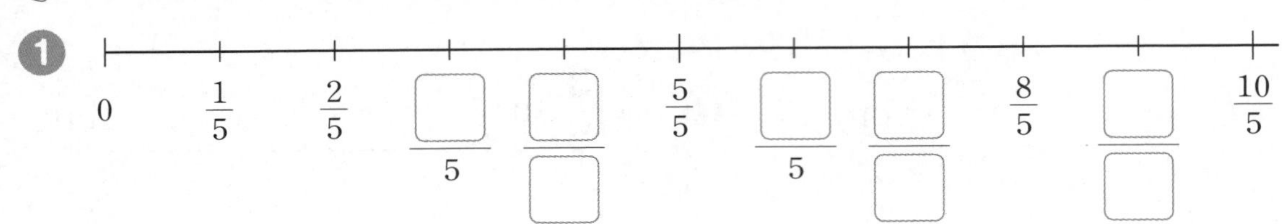

❷

0 $\frac{1}{7}$ $\frac{2}{7}$ $\frac{3}{7}$ $\frac{\square}{\square}$ $\frac{5}{7}$ $\frac{6}{7}$ $\frac{\square}{\square}$ $\frac{8}{7}$ $\frac{9}{7}$ $\frac{\square}{\square}$ $\frac{\square}{\square}$ $\frac{12}{7}$ $\frac{13}{7}$ $\frac{14}{7}$

❸
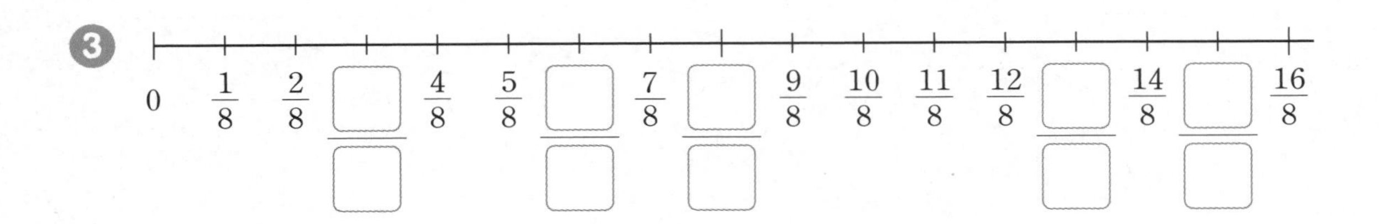

❹
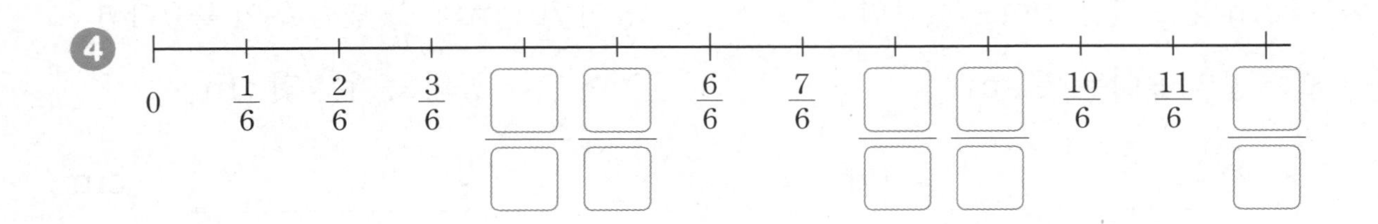

기초 계산 연습

맞은 개수 / 25개

▶ 정답과 해설 19쪽

진분수에는 '진', 가분수에는 '가', 자연수에는 '자'를 써 보세요.

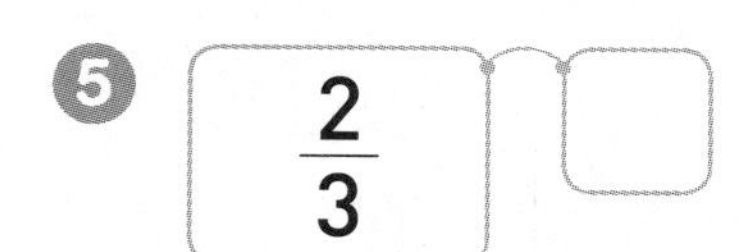

5. $\frac{2}{3}$ ☐

6. $\frac{4}{5}$ ☐

7. 5 ☐

8. $\frac{9}{7}$ ☐

9. $\frac{8}{9}$ ☐

10. $\frac{9}{10}$ ☐

11. $\frac{8}{8}$ ☐

12. 3 ☐

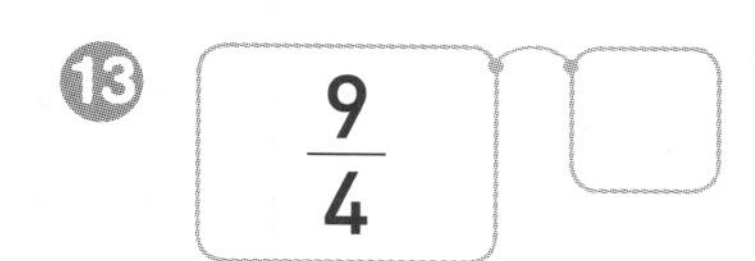

13. $\frac{9}{4}$ ☐

14. $\frac{1}{11}$ ☐

15. $\frac{3}{2}$ ☐

16. $\frac{11}{10}$ ☐

17. $\frac{4}{8}$ ☐

18. 8 ☐

19. $\frac{31}{30}$ ☐

20. $\frac{20}{19}$ ☐

21. $\frac{4}{15}$ ☐

22. $\frac{1}{21}$ ☐

23. 10 ☐

24. $\frac{17}{17}$ ☐

25. $\frac{8}{13}$ ☐

4 일차 여러 가지 분수 알아보기(1)

색칠한 부분을 분수로 나타내 보세요.

1 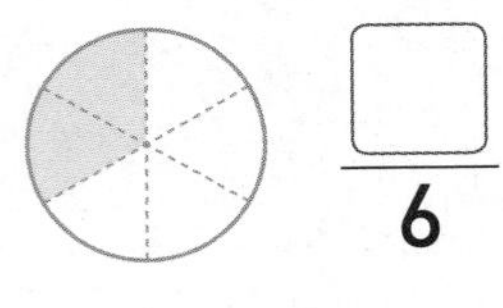 $\frac{\square}{6}$

2 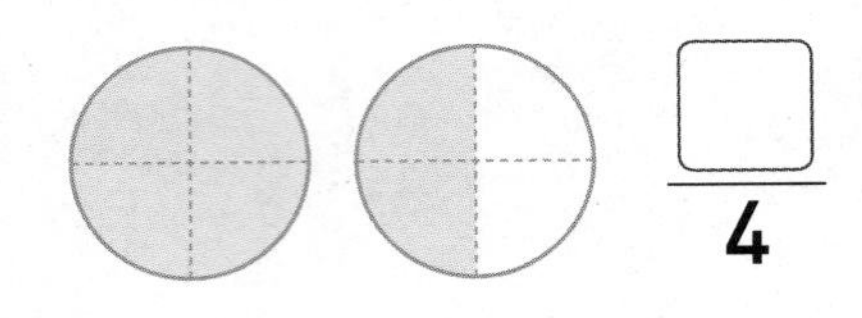 $\frac{\square}{4}$

3 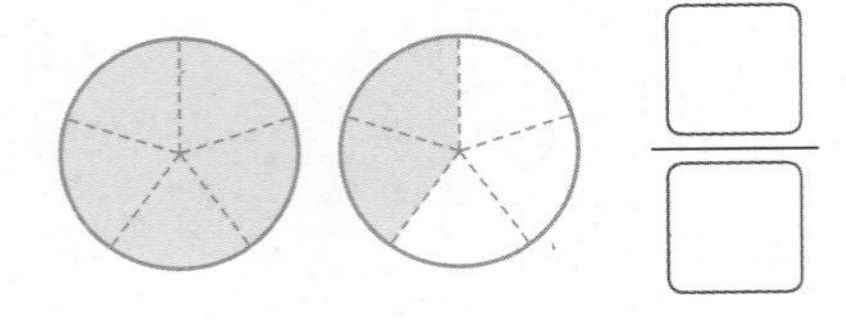 $\frac{\square}{\square}$

4 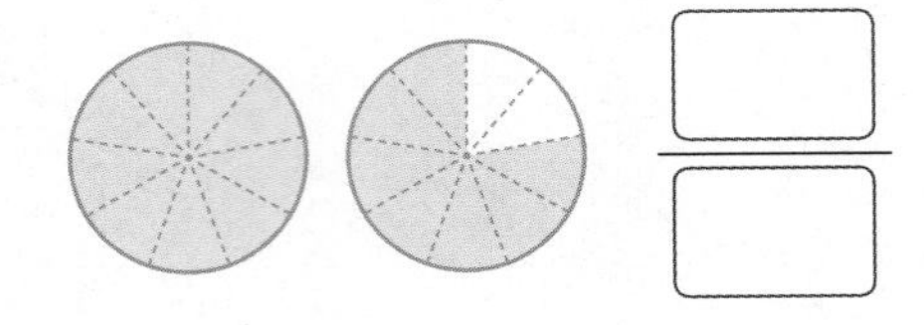 $\frac{\square}{\square}$

5 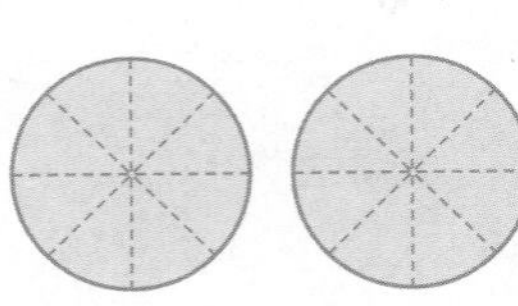 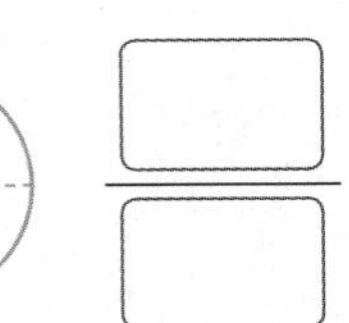 $\frac{\square}{\square}$

6 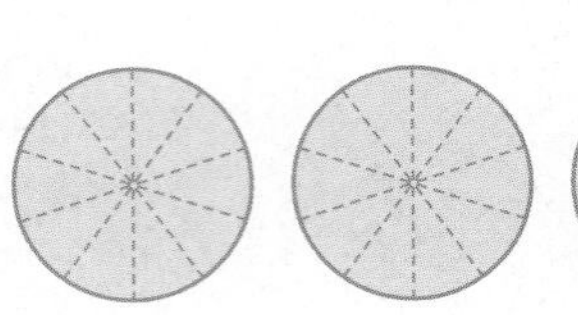 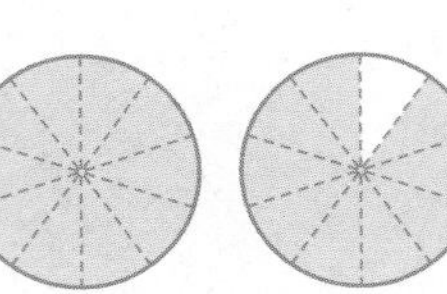 $\frac{\square}{\square}$

 진분수에 ○표, 가분수에 △표 하세요.

7 $\frac{4}{7}$ 3 $\frac{5}{5}$ $\frac{3}{8}$

8 $\frac{9}{6}$ $\frac{8}{11}$ 2 $\frac{7}{9}$

9 $\frac{7}{7}$ 1 $\frac{10}{11}$ $\frac{8}{9}$

10 $\frac{3}{2}$ 4 $\frac{1}{19}$ 2

11 $\frac{8}{3}$ 1 $\frac{10}{10}$ $\frac{2}{6}$

12 3 $\frac{13}{8}$ $\frac{11}{15}$ $\frac{14}{11}$

플러스 계산 연습

맞은 개수 / 20개

▶ 정답과 해설 19쪽

생활 속 문제

 남은 음식을 보고 가분수로 나타내 보세요.

13

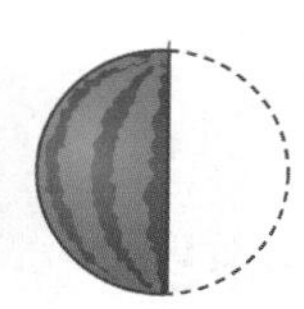

➔ ______________

14

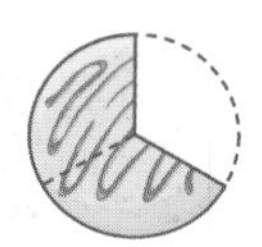

➔ ______________

15

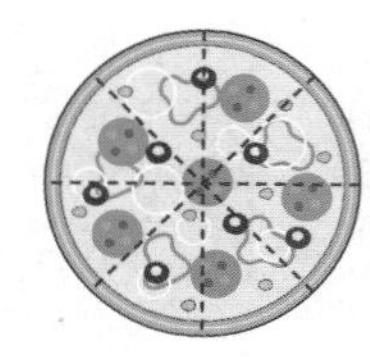
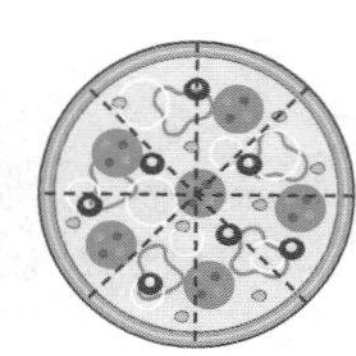
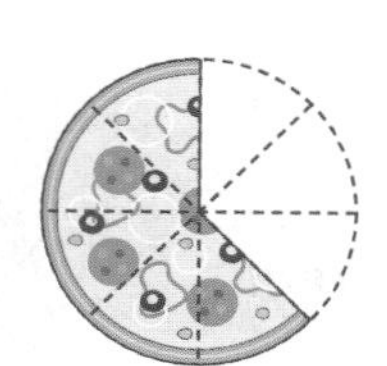

➔ ______________

16

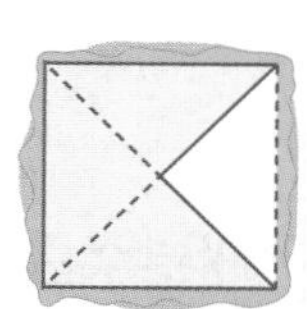

➔ ______________

3 분수

문장 읽고 문제 해결하기

17 $\frac{4}{5}$, $\frac{15}{7}$, $\frac{10}{9}$ 중에서 진분수는?

 ______________

18 4, $\frac{4}{9}$, $\frac{11}{4}$ 중에서 진분수는?

 ______________

19 $\frac{10}{3}$, $\frac{5}{6}$, 2 중에서 가분수는?

답 ______________

20 $\frac{5}{8}$, $\frac{1}{11}$, $\frac{9}{9}$ 중에서 가분수는?

답 ______________

5 일차

여러 가지 분수 알아보기(2)

이렇게 해결하자

- 대분수: 자연수와 진분수로 이루어진 분수

- $1\frac{2}{3}$를 가분수로 나타내기

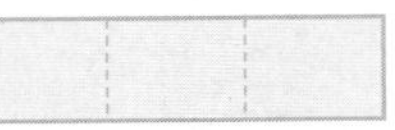

$1\frac{2}{3}$ ➔ $\frac{1}{3}$이 5개 ➔ $\frac{5}{3}$

$1\frac{2}{3}=\frac{5}{3}$

- $\frac{7}{4}$을 대분수로 나타내기

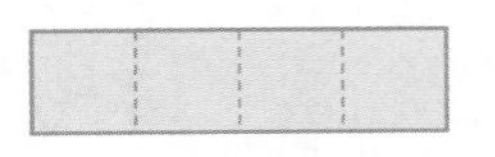

$\frac{7}{4}$ ➔ 1과 $\frac{3}{4}$ ➔ $1\frac{3}{4}$

$\frac{7}{4}=1\frac{3}{4}$

대분수를 가분수로, 가분수를 대분수로 나타내 보세요.

❶

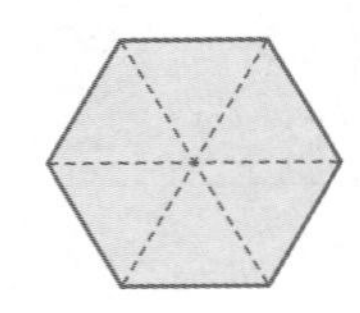

$1\frac{1}{6}=\frac{\square}{6}$

❷

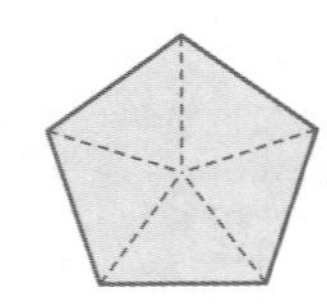

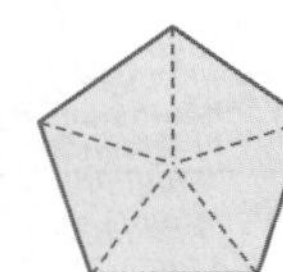

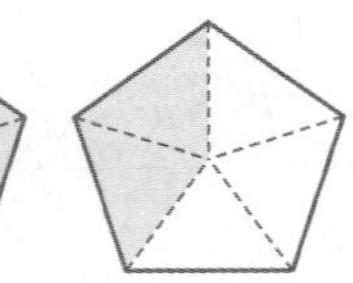

$2\frac{2}{5}=\frac{\square}{5}$

❸

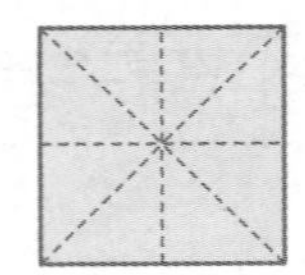

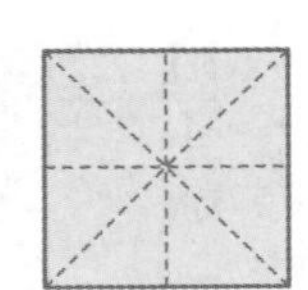

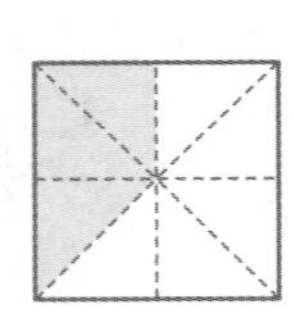

$2\frac{3}{8}=\frac{\square}{8}$

❹

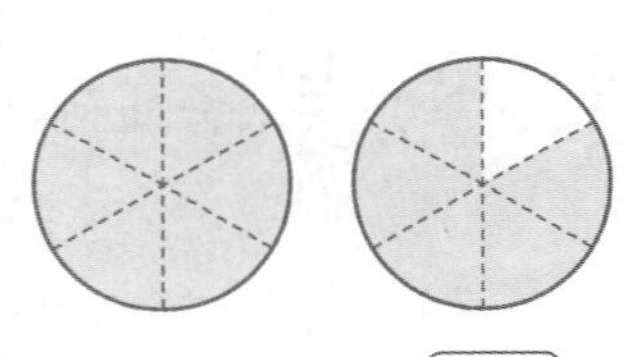

$\frac{11}{6}=\square\frac{\square}{6}$

❺

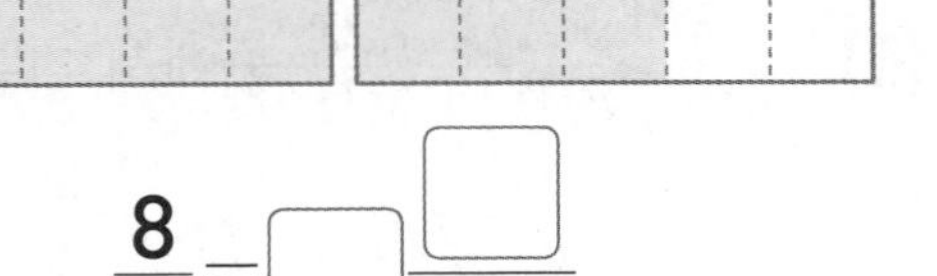

$\frac{8}{5}=\square\frac{\square}{5}$

❻

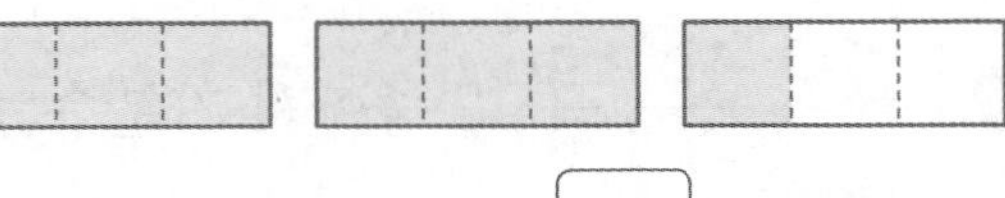

$\frac{7}{3}=\square\frac{\square}{3}$

기초 계산 연습

맞은 개수 / 24개

▶ 정답과 해설 20쪽

❼ $3\frac{3}{7}=\frac{\square}{7}$

❽ $4\frac{4}{9}=\frac{\square}{9}$

❾ $2\frac{4}{11}=\frac{\square}{11}$

❿ $4\frac{1}{6}=\frac{\square}{6}$

⓫ $5\frac{2}{3}=\frac{\square}{3}$

⓬ $3\frac{7}{9}=\frac{\square}{9}$

⓭ $2\frac{1}{12}=\frac{\square}{12}$

⓮ $1\frac{3}{10}=\frac{\square}{10}$

⓯ $4\frac{2}{7}=\frac{\square}{7}$

⓰ $\frac{20}{7}=\square\frac{\square}{7}$

⓱ $\frac{16}{6}=\square\frac{\square}{6}$

⓲ $\frac{20}{3}=\square\frac{\square}{3}$

⓳ $\frac{15}{4}=\square\frac{\square}{4}$

⓴ $\frac{25}{9}=\square\frac{\square}{9}$

㉑ $\frac{32}{10}=\square\frac{\square}{10}$

㉒ $\frac{33}{8}=\square\frac{\square}{8}$

㉓ $\frac{22}{15}=\square\frac{\square}{15}$

㉔ $\frac{40}{11}=\square\frac{\square}{11}$

5 일차

여러 가지 분수 알아보기(2)

대분수를 가분수로 나타낸 수에 ○표 하세요.

1 $3\frac{2}{5}$ | $\frac{12}{5}$ | $\frac{17}{5}$

2 $3\frac{1}{6}$ | $\frac{19}{6}$ | $\frac{31}{6}$

3 $4\frac{1}{4}$ | $\frac{15}{4}$ | $\frac{17}{4}$

4 $2\frac{4}{7}$ | $\frac{18}{7}$ | $\frac{24}{7}$

5 $2\frac{7}{8}$ | $\frac{23}{8}$ | $\frac{27}{8}$

6 $3\frac{4}{9}$ | $\frac{30}{9}$ | $\frac{31}{9}$

가분수를 대분수로 나타내 보세요.

7 $\frac{22}{3}$

8 $\frac{37}{8}$

9 $\frac{29}{4}$

10 $\frac{24}{5}$

11 $\frac{41}{9}$

12 $\frac{50}{11}$

플러스 계산 연습

맞은 개수 / 22개

▶ 정답과 해설 20쪽

생활 속 문제

곤충의 몸길이가 다음과 같습니다. 대분수는 가분수로, 가분수는 대분수로 나타내 보세요.

13 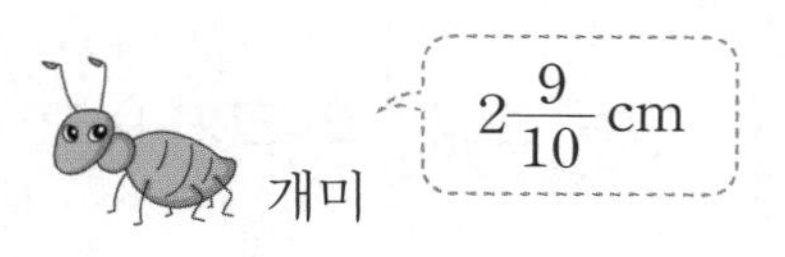
개미 $2\frac{9}{10}$ cm

➜ ______ cm

14 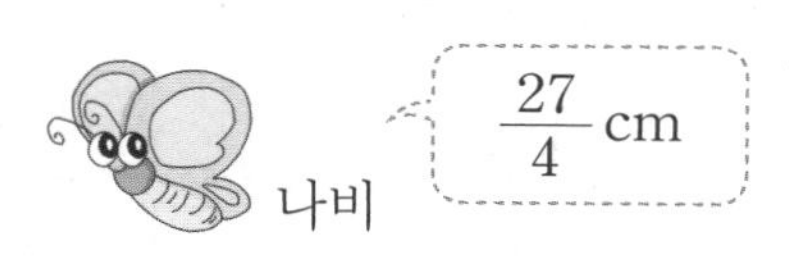
나비 $\frac{27}{4}$ cm

➜ ______ cm

15 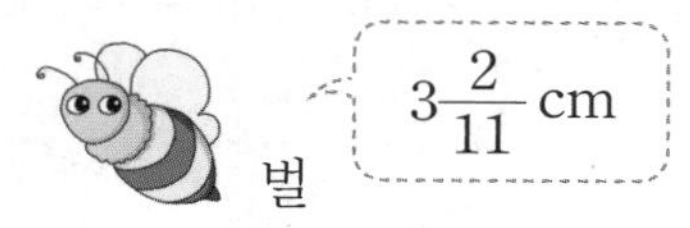
벌 $3\frac{2}{11}$ cm

➜ ______ cm

16 
지렁이 $\frac{40}{6}$ cm

➜ ______ cm

17 
메뚜기 $5\frac{2}{8}$ cm

➜ ______ cm

18 
잠자리 $\frac{49}{9}$ cm

➜ ______ cm

문장 읽고 문제 해결하기

19 5와 $\frac{4}{7}$를 가분수로 나타내면?

답 ______

20 3과 $\frac{7}{10}$을 가분수로 나타내면?

답 ______

21 $\frac{1}{8}$이 49개인 수를 대분수로 나타내면?

답 ______

22 $\frac{1}{4}$이 39개인 수를 대분수로 나타내면?

 ______

6 일차 분모가 같은 분수의 크기를 비교하기(1)

이렇게 해결하자

가분수끼리 크기 비교
• $\frac{5}{4}$와 $\frac{7}{4}$의 크기 비교

$\frac{5}{4} < \frac{7}{4}$

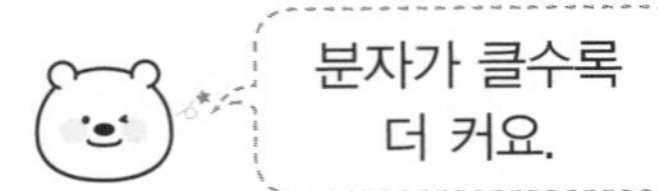

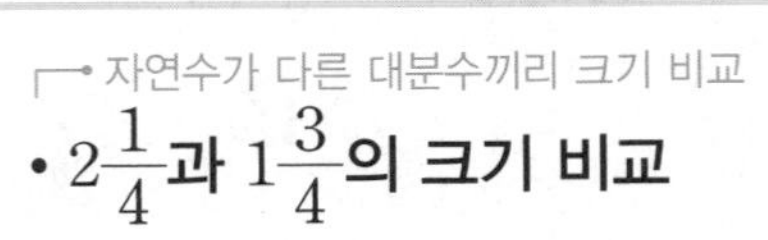

자연수가 다른 대분수끼리 크기 비교
• $2\frac{1}{4}$과 $1\frac{3}{4}$의 크기 비교

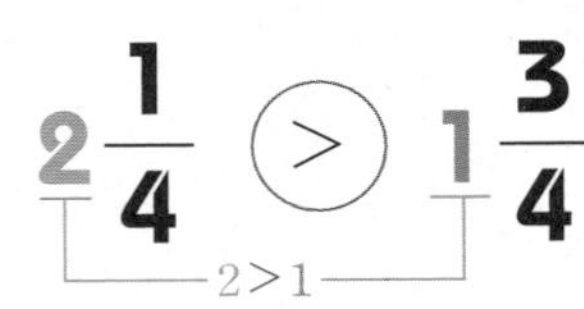

$2\frac{1}{4} > 1\frac{3}{4}$

자연수가 같은 대분수끼리 크기 비교
• $2\frac{1}{5}$과 $2\frac{4}{5}$의 크기 비교

1<4

$2\frac{1}{5} < 2\frac{4}{5}$

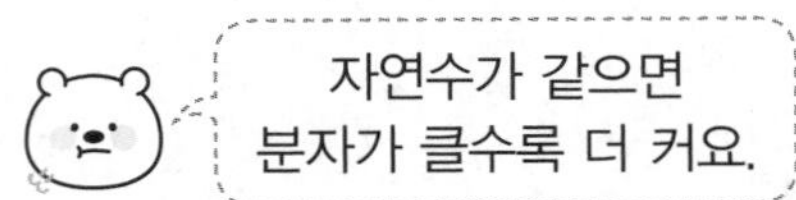

분수의 크기를 비교하여 ○ 안에 >, =, <를 알맞게 써넣으세요.

1

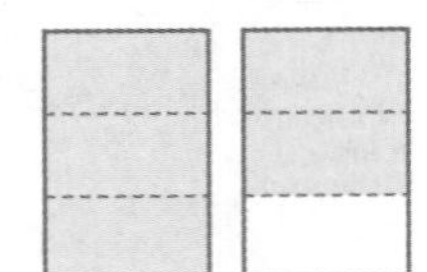
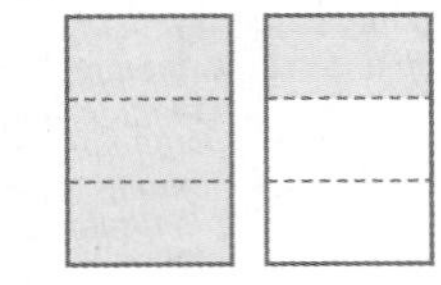

$\frac{5}{3}$ ○ $\frac{4}{3}$

2

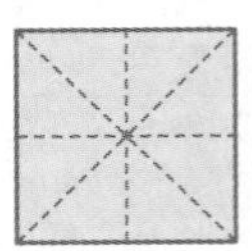
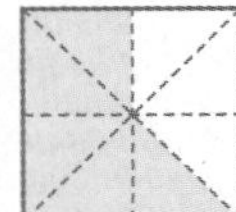
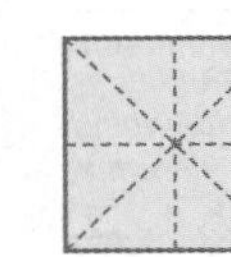
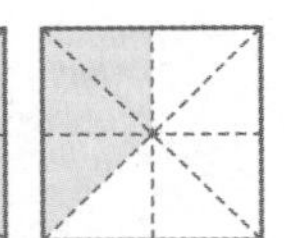

$\frac{13}{8}$ ○ $\frac{11}{8}$

3

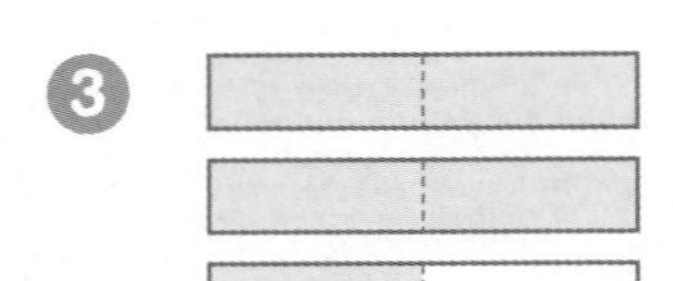

$2\frac{1}{2}$ ○ $1\frac{1}{2}$

4

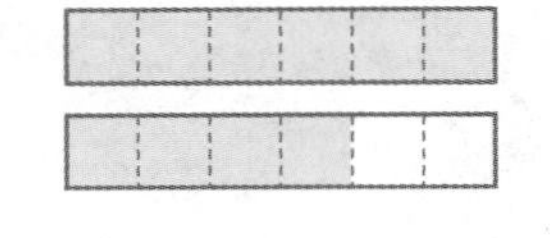
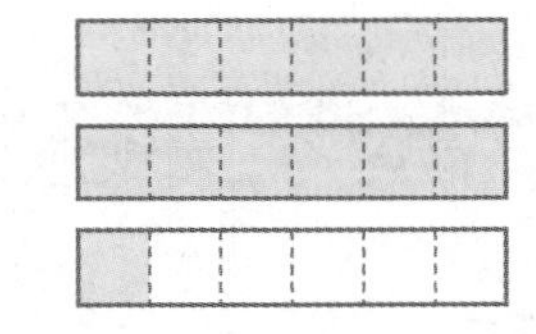

$1\frac{4}{6}$ ○ $2\frac{1}{6}$

5

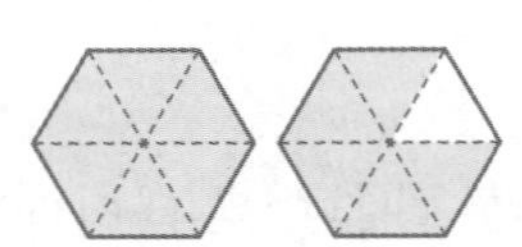
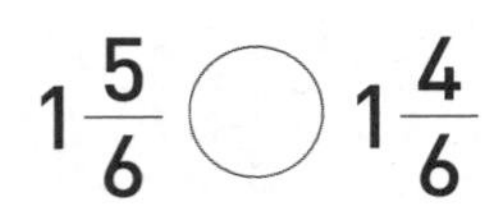

$1\frac{5}{6}$ ○ $1\frac{4}{6}$

6

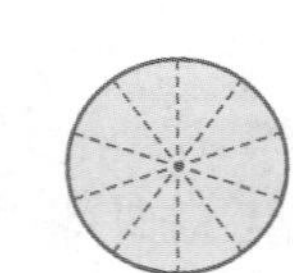
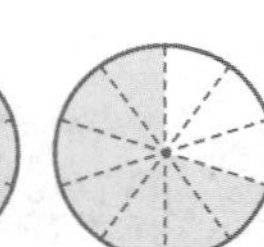
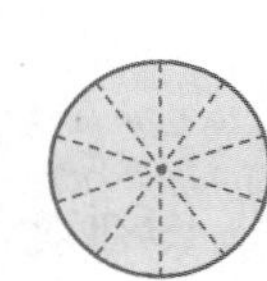
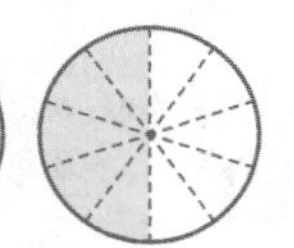

$1\frac{7}{10}$ ○ $1\frac{5}{10}$

기초 계산 연습

맞은 개수 / 24개

▶ 정답과 해설 20쪽

⑦ $\frac{8}{3}$ ○ $\frac{5}{3}$

⑧ $\frac{12}{7}$ ○ $\frac{16}{7}$

⑨ $\frac{20}{9}$ ○ $\frac{17}{9}$

⑩ $\frac{9}{8}$ ○ $\frac{11}{8}$

⑪ $\frac{10}{6}$ ○ $\frac{7}{6}$

⑫ $\frac{29}{11}$ ○ $\frac{32}{11}$

⑬ $1\frac{5}{6}$ ○ $2\frac{4}{6}$

⑭ $4\frac{3}{7}$ ○ $3\frac{5}{7}$

⑮ $5\frac{1}{3}$ ○ $3\frac{2}{3}$

⑯ $2\frac{8}{9}$ ○ $4\frac{1}{9}$

⑰ $1\frac{7}{13}$ ○ $3\frac{2}{13}$

⑱ $4\frac{3}{10}$ ○ $3\frac{9}{10}$

⑲ $5\frac{7}{9}$ ○ $5\frac{4}{9}$

⑳ $2\frac{1}{8}$ ○ $2\frac{3}{8}$

㉑ $4\frac{6}{7}$ ○ $4\frac{4}{7}$

㉒ $3\frac{4}{15}$ ○ $3\frac{3}{15}$

㉓ $6\frac{3}{11}$ ○ $6\frac{8}{11}$

㉔ $5\frac{8}{13}$ ○ $5\frac{11}{13}$

6 일차

분모가 같은 분수의 크기를 비교하기(1)

분수의 크기를 비교하여 더 작은 분수에 ○표 하세요.

1 $\frac{11}{3}$ | $\frac{8}{3}$

2 $\frac{17}{6}$ | $\frac{15}{6}$

3 $\frac{9}{8}$ | $\frac{11}{8}$

4 $2\frac{3}{4}$ | $3\frac{1}{4}$

5 $3\frac{5}{6}$ | $4\frac{1}{6}$

6 $2\frac{1}{9}$ | $1\frac{4}{9}$

7 $2\frac{1}{7}$ | $2\frac{2}{7}$

8 $3\frac{5}{11}$ | $3\frac{3}{11}$

9 $5\frac{7}{15}$ | $5\frac{11}{15}$

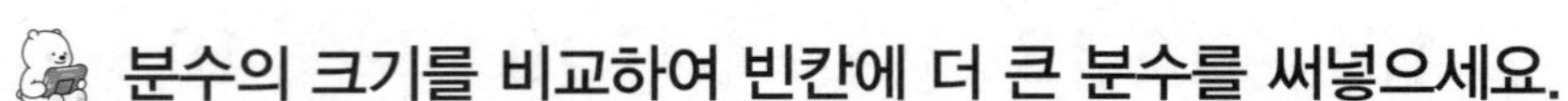
분수의 크기를 비교하여 빈칸에 더 큰 분수를 써넣으세요.

10

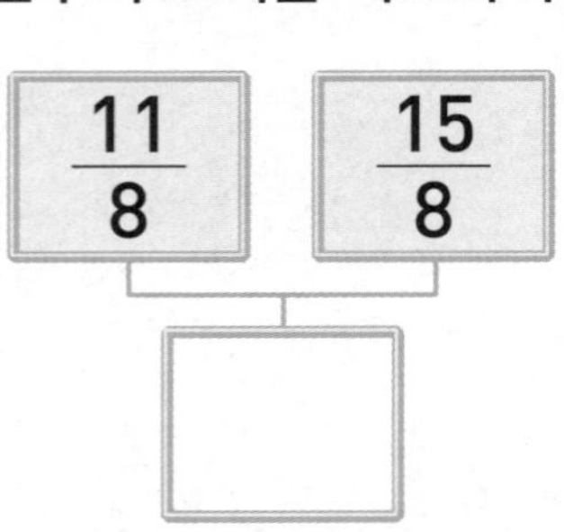

11

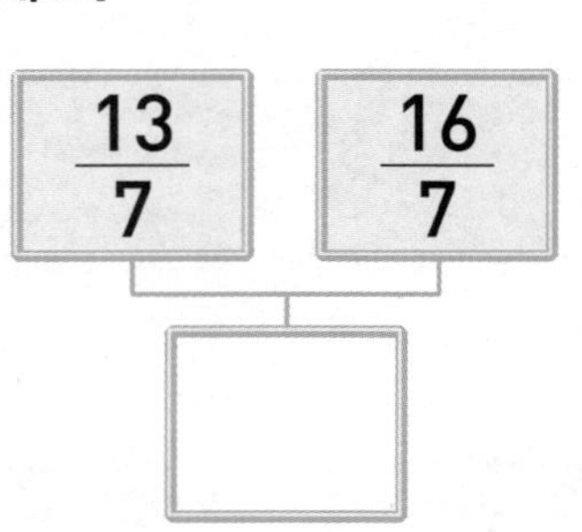

12

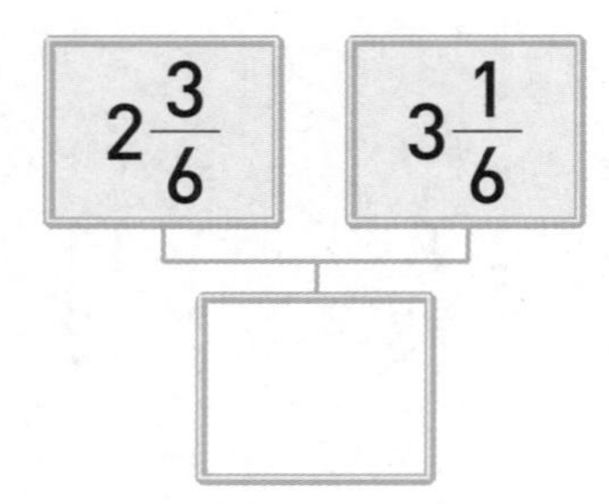

13

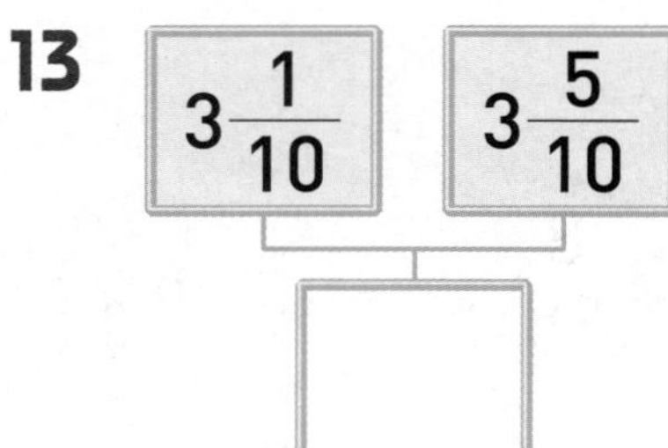

제한 시간 5분

플러스 계산 연습

맞은 개수 / 21개

▶ 정답과 해설 20쪽

생활 속 문제

친구들의 멀리뛰기 기록입니다. 더 멀리 뛴 친구를 찾아 ○표 하세요.

14 ( ) ( )

15 ( ) ( )

16 ( ) ( )

17 ( ) ( )

문장 읽고 문제 해결하기

18 $\frac{33}{8}$과 $\frac{29}{8}$ 중 더 큰 분수는?

$\frac{33}{8}$ ○ $\frac{29}{8}$ → 답

19 $4\frac{7}{10}$과 $5\frac{4}{10}$ 중 더 작은 분수는?

$4\frac{7}{10}$ ○ $5\frac{4}{10}$ → 답

20 감자는 $1\frac{5}{9}$ kg, 양파는 $2\frac{1}{9}$ kg 샀다면 더 많이 산 채소는?

$1\frac{5}{9}$ ○ $2\frac{1}{9}$ → 답

21 밤은 $2\frac{8}{15}$ kg, 대추는 $2\frac{11}{15}$ kg 땄다면 더 많이 딴 과일는?

$2\frac{8}{15}$ ○ $2\frac{11}{15}$ → 답

3 분수

7 일차 분모가 같은 분수의 크기를 비교하기(2)

이렇게 해결하자

• $\frac{7}{3}$과 $2\frac{2}{3}$의 크기 비교하기

방법 1 가분수를 대분수로 나타내 크기를 비교하기

(가분수) (대분수)

$\frac{7}{3} = 2\frac{1}{3}$

$2\frac{1}{3} < 2\frac{2}{3} \rightarrow \frac{7}{3} < 2\frac{1}{3}$

방법 2 대분수를 가분수로 나타내 크기를 비교하기

(대분수) (가분수)

$2\frac{2}{3} = \frac{8}{3}$

$\frac{7}{3} < \frac{8}{3} \rightarrow \frac{7}{3} < 2\frac{2}{3}$

분수의 크기를 비교하여 ○ 안에 >, =, <를 알맞게 써넣으세요.

❶ 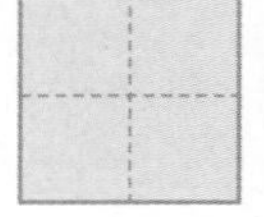 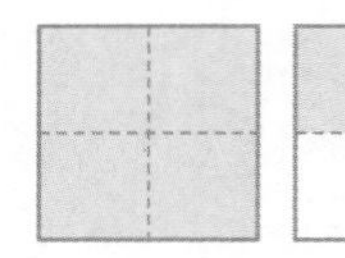

$\frac{7}{4}$ ○ $1\frac{2}{4}$

❷ 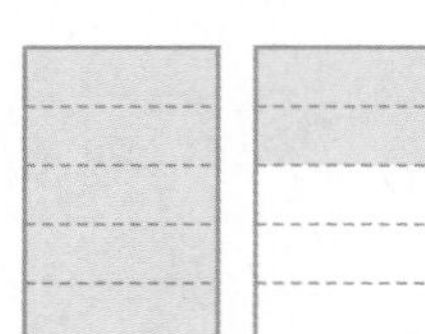 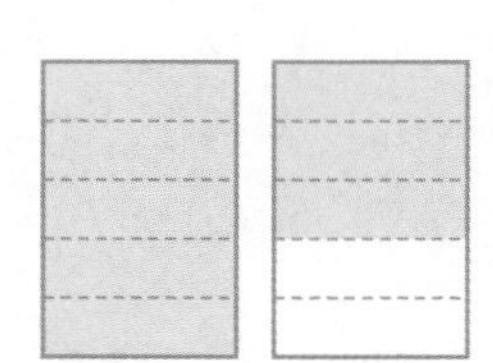

$\frac{7}{5}$ ○ $1\frac{3}{5}$

❸ 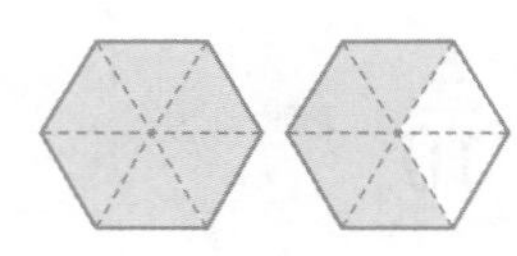

$\frac{10}{6}$ ○ $1\frac{3}{6}$

❹ 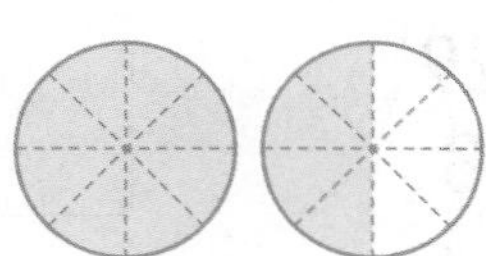 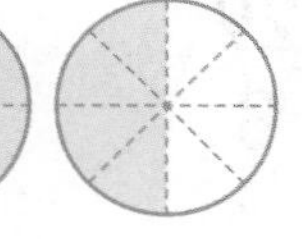 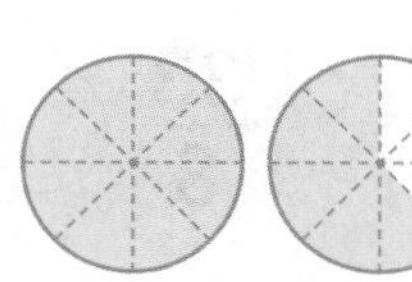

$\frac{12}{8}$ ○ $1\frac{5}{8}$

❺ 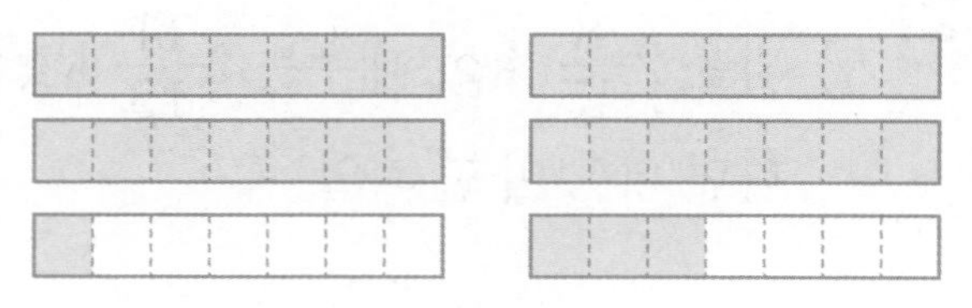

$2\frac{1}{7}$ ○ $\frac{17}{7}$

❻ 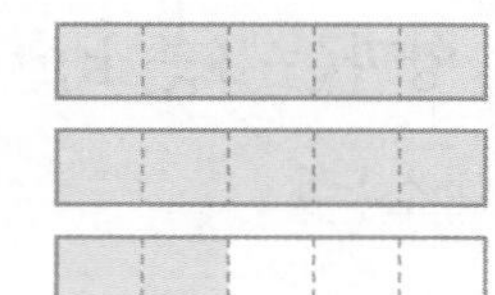 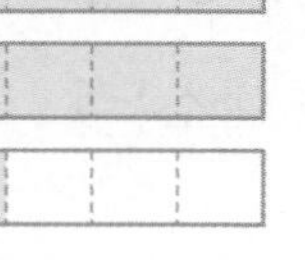

$2\frac{2}{5}$ ○ $\frac{11}{5}$

기초 계산 연습

맞은 개수 / 24개

▶ 정답과 해설 20쪽

⑦ $\frac{4}{3}$ ○ $1\frac{2}{3}$

⑧ $2\frac{1}{6}$ ○ $\frac{11}{6}$

⑨ $1\frac{4}{7}$ ○ $\frac{10}{7}$

⑩ $\frac{19}{5}$ ○ $3\frac{4}{5}$

⑪ $1\frac{4}{5}$ ○ $\frac{11}{5}$

⑫ $\frac{20}{8}$ ○ $3\frac{1}{8}$

⑬ $\frac{16}{9}$ ○ $1\frac{4}{9}$

⑭ $3\frac{3}{4}$ ○ $\frac{14}{4}$

⑮ $\frac{32}{15}$ ○ $1\frac{14}{15}$

⑯ $3\frac{1}{6}$ ○ $\frac{19}{6}$

⑰ $\frac{33}{9}$ ○ $3\frac{8}{9}$

⑱ $5\frac{2}{5}$ ○ $\frac{31}{5}$

⑲ $\frac{20}{7}$ ○ $2\frac{5}{7}$

⑳ $2\frac{5}{11}$ ○ $\frac{27}{11}$

㉑ $4\frac{4}{10}$ ○ $\frac{39}{10}$

㉒ $\frac{23}{10}$ ○ $2\frac{5}{10}$

㉓ $2\frac{5}{6}$ ○ $\frac{16}{6}$

㉔ $2\frac{3}{13}$ ○ $\frac{30}{13}$

7 일차

분모가 같은 분수의 크기를 비교하기(2)

분수의 크기를 비교하여 더 큰 분수에 ○표 하세요.

1 $\frac{17}{6}$ | $3\frac{1}{6}$

2 $\frac{17}{10}$ | $1\frac{9}{10}$

3 $\frac{22}{9}$ | $2\frac{2}{9}$

4 $4\frac{3}{7}$ | $\frac{34}{7}$

5 $4\frac{7}{8}$ | $\frac{41}{8}$

6 $1\frac{7}{12}$ | $\frac{17}{12}$

7 $2\frac{5}{8}$ | $\frac{19}{8}$

8 $\frac{41}{9}$ | $4\frac{2}{9}$

9 $\frac{56}{11}$ | $5\frac{2}{11}$

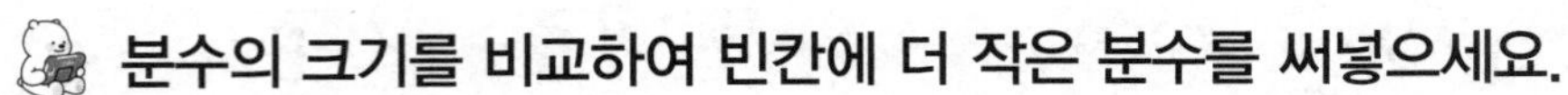
분수의 크기를 비교하여 빈칸에 더 작은 분수를 써넣으세요.

10

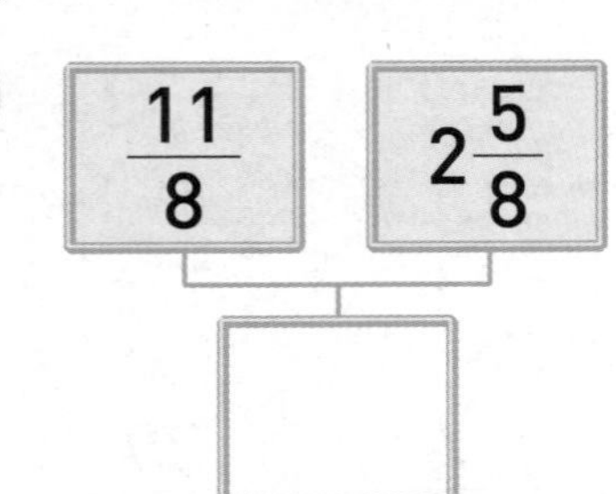

11

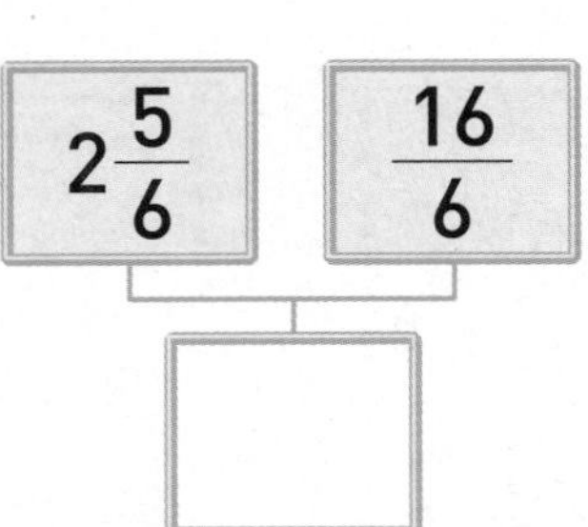

12

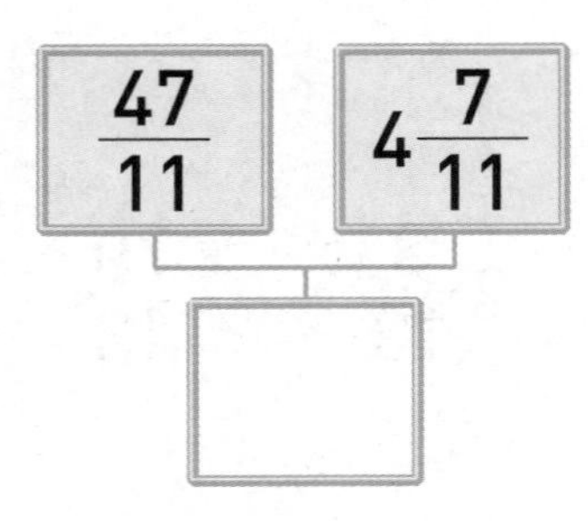

13

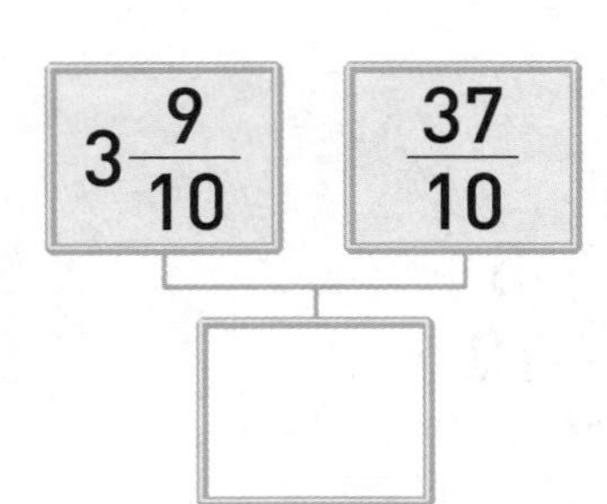

제한 시간 5분

플러스 계산 연습

맞은 개수 / 21개

▶ 정답과 해설 21쪽

생활 속 문제

집에서 더 가까운 곳을 찾아 ○표 하세요.

14

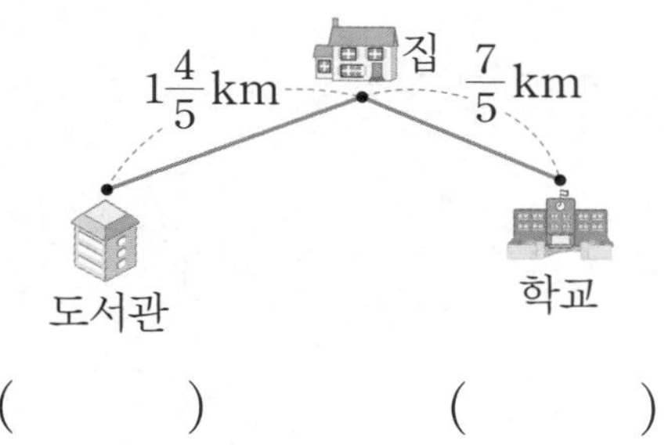

( ) ( )

15

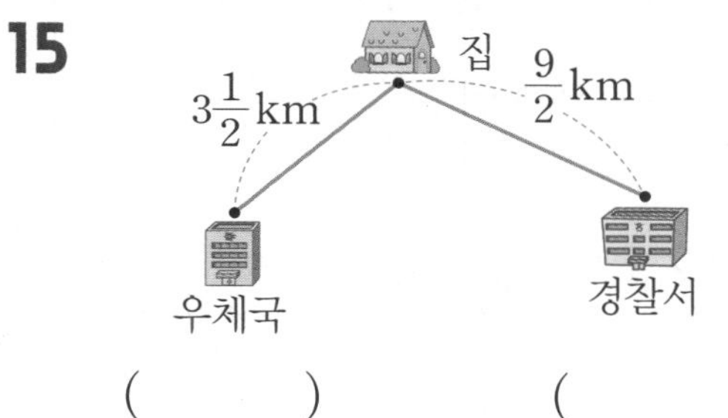

( ) ( )

16

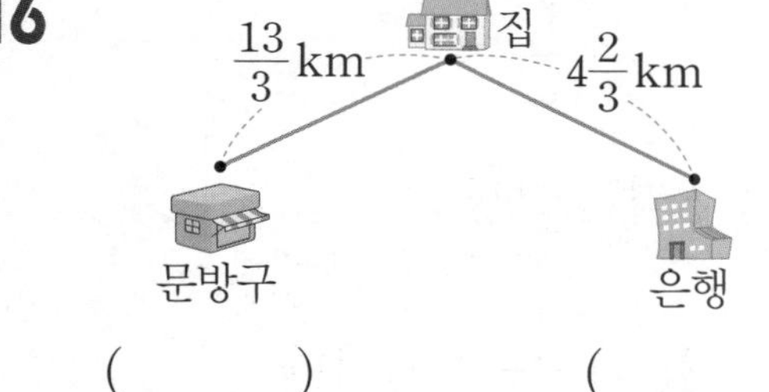

( ) ( )

17

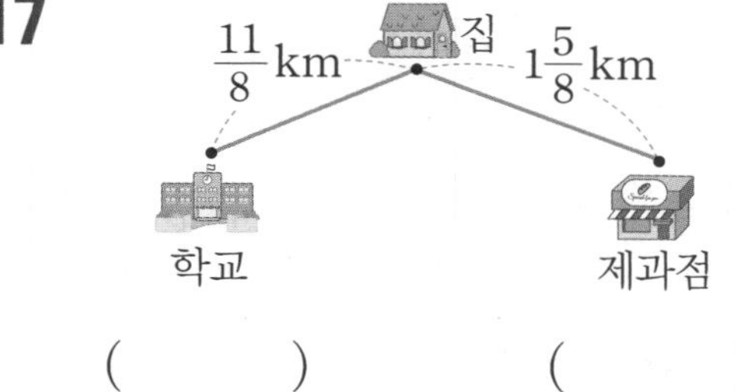

( ) ( )

문장 읽고 문제 해결하기

18 $2\frac{3}{9}$과 $\frac{20}{9}$ 중 더 큰 분수는?

$2\frac{3}{9}$ ○ $\frac{20}{9}$ → 답 ☐

19 $3\frac{7}{11}$과 $\frac{41}{11}$ 중 더 작은 분수는?

$3\frac{7}{11}$ ○ $\frac{41}{11}$ → 답 ☐

20 건후는 $1\frac{6}{12}$시간, 나은이는 $\frac{19}{12}$시간 공부를 했다면 더 오래 공부한 사람은?

$1\frac{6}{12}$ ○ $\frac{19}{12}$ → 답 ☐

21 승아는 $\frac{37}{4}$시간, 정훈이는 $8\frac{3}{4}$시간 잠을 잤다면 더 오래 잠을 잔 사람은?

$\frac{37}{4}$ ○ $8\frac{3}{4}$ → 답 ☐

평가 SPEED 연산력 TEST

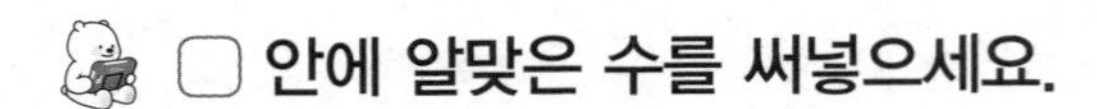

□ 안에 알맞은 수를 써넣으세요.

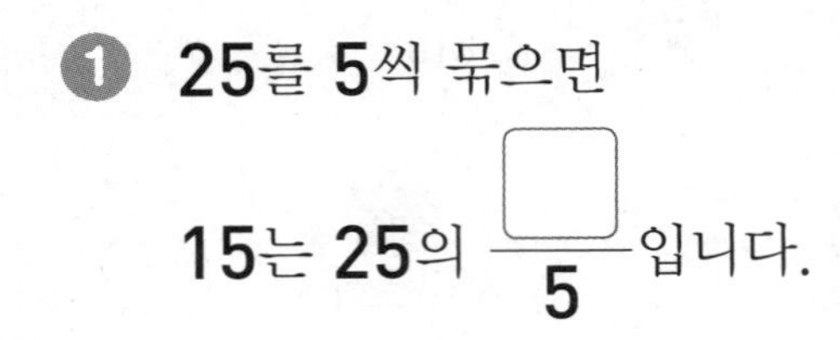

❶ 25를 5씩 묶으면

15는 25의 $\frac{\square}{5}$입니다.

❷ 63을 7씩 묶으면

35는 63의 $\frac{\square}{9}$입니다.

❸ 32를 4씩 묶으면

20은 32의 $\frac{\square}{\square}$입니다.

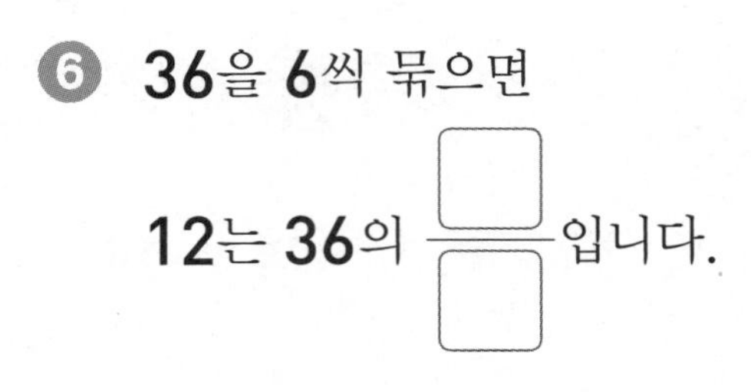

❹ 27을 3씩 묶으면

15는 27의 $\frac{\square}{\square}$입니다.

❺ 56을 8씩 묶으면

32는 56의 $\frac{\square}{\square}$입니다.

❻ 36을 6씩 묶으면

12는 36의 $\frac{\square}{\square}$입니다.

분수만큼은 얼마인지 □ 안에 알맞은 수를 써넣으세요.

❼ 16의 $\frac{1}{4}$ → □

❽ 24의 $\frac{3}{8}$ → □

❾ 35의 $\frac{2}{5}$ → □

❿ 30의 $\frac{4}{6}$ → □

⓫ 18 cm의 $\frac{2}{3}$ → □ cm

⓬ 72 cm의 $\frac{5}{9}$ → □ cm

⓭ 42 cm의 $\frac{3}{7}$ → □ cm

⓮ 56 cm의 $\frac{5}{8}$ → □ cm

▶ 정답과 해설 21쪽

대분수는 가분수로, 가분수는 대분수로 나타내 보세요.

⑮ $1\frac{3}{7}$ | ⑯ $3\frac{7}{9}$

⑰ $3\frac{4}{11}$ | ⑱ $\frac{29}{9}$

⑲ $\frac{45}{6}$ | ⑳ $\frac{25}{11}$

분수의 크기를 비교하여 ○ 안에 >, =, <를 알맞게 써넣으세요.

㉑ $\frac{10}{6}$ ○ $\frac{7}{6}$

㉒ $\frac{17}{8}$ ○ $\frac{20}{8}$

㉓ $4\frac{3}{7}$ ○ $5\frac{2}{7}$

㉔ $3\frac{5}{10}$ ○ $4\frac{2}{10}$

㉕ $5\frac{6}{11}$ ○ $5\frac{9}{11}$

㉖ $2\frac{8}{9}$ ○ $2\frac{5}{9}$

㉗ $\frac{50}{9}$ ○ $5\frac{3}{9}$

㉘ $3\frac{2}{5}$ ○ $\frac{19}{5}$

㉙ $\frac{30}{13}$ ○ $2\frac{4}{13}$

㉚ $1\frac{9}{12}$ ○ $\frac{20}{12}$

제한 시간 안에 정확하게
모두 풀었다면 여러분은 진정한 **계산왕!**

특강

문장제 문제 도전하기

1 27을 3씩 묶으면

12는 27의 $\frac{\square}{\square}$

→ 사탕 27개를 3개씩 묶으면 12개는 27개의 몇 분의 몇일까요?

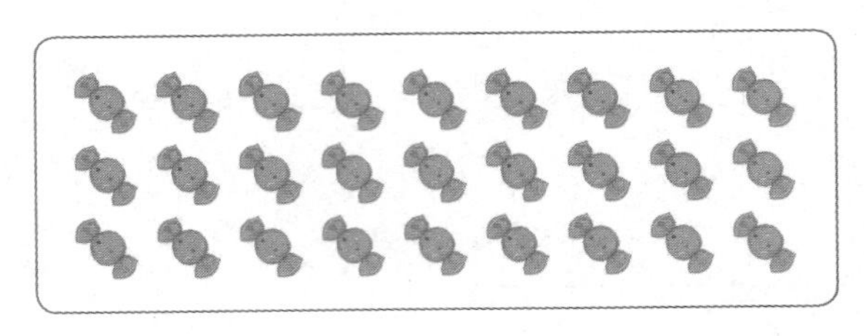

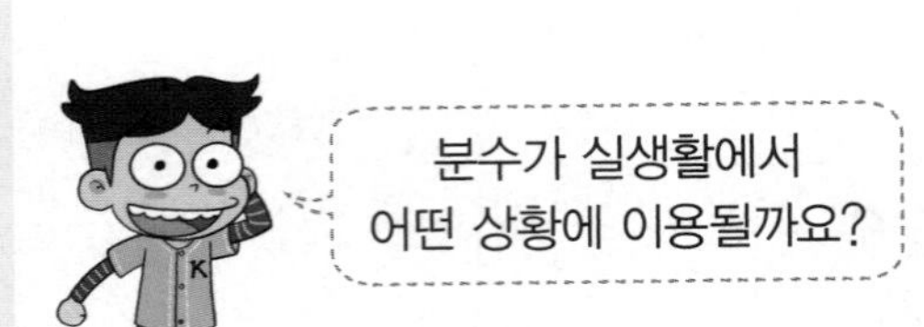

답 ____________

2 35의 $\frac{4}{7}$

→ $\square$

→ 길이가 35 m인 리본의 $\frac{4}{7}$만큼을 선물 상자를 포장하는 데 사용하였습니다. 사용한 리본의 길이는 몇 m일까요?

답 ____________ m

3 $1\frac{5}{8}$ ◯ $\frac{15}{8}$

→ 민하네 집에서 병원까지는 $1\frac{5}{8}$ km이고 학교까지는 $\frac{15}{8}$ km입니다. 민하네 집에서 더 가까운 곳은 어디일까요?

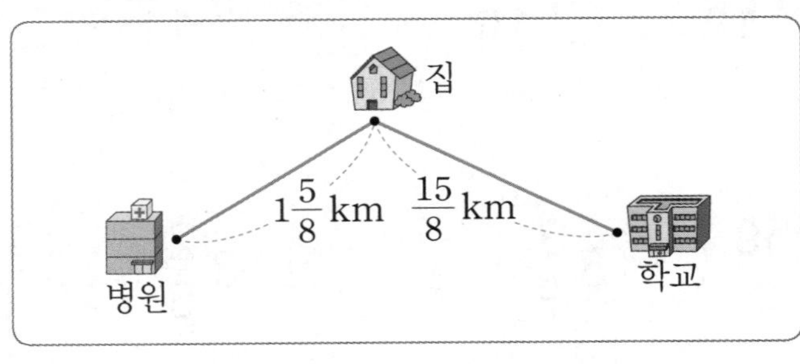

$1\frac{5}{8}$ ◯ $\frac{15}{8}$

답 ____________

▶ 정답과 해설 21쪽

문장을 읽고 분수에 대한 문제를 해결하고 답을 구해 보자!

4 쿠키 **28**개를 **4**개씩 묶으면 **20**개는 **28**개의 몇 분의 몇일까요?

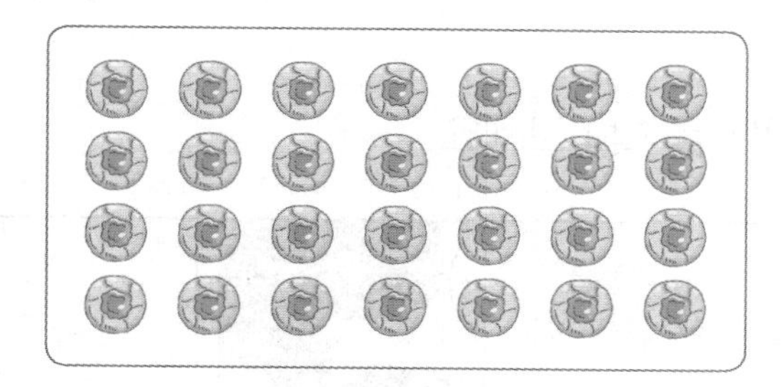

답 ______________

5 길이가 **56** m인 리본( )의 $\frac{3}{8}$만큼을 선물 상자( )를 포장하는 데 사용하였습니다. 사용한 리본의 길이는 몇 m일까요?

의 $\frac{3}{8}$ → ☐ m의 ☐ → ☐ m

답 ______________ m

6 나은이네 집에서 학교( )까지는 $2\frac{5}{11}$ km이고 경찰서( )까지는 $\frac{31}{11}$ km입니다. 나은이네 집에서 더 먼 곳은 어디일까요?

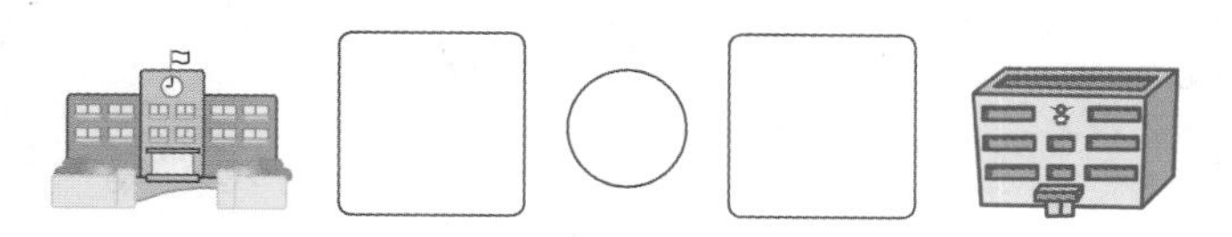

답 ______________

보석함의 비밀번호를 찾아라!

보석함의 비밀번호를 찾아보세요.

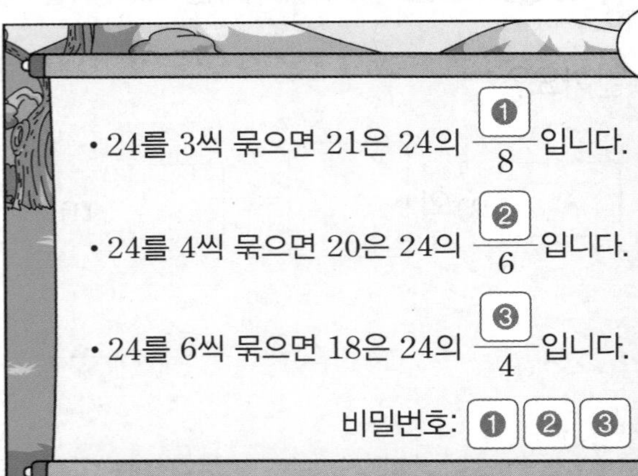

- 24를 3씩 묶으면 21은 24의 $\frac{❶}{8}$입니다.
- 24를 4씩 묶으면 20은 24의 $\frac{❷}{6}$입니다.
- 24를 6씩 묶으면 18은 24의 $\frac{❸}{4}$입니다.

비밀번호: ❶ ❷ ❸

❶, ❷, ❸에 알맞은 수를 구해 봐요.

24를 3씩 묶으면	24를 4씩 묶으면	24를 6씩 묶으면
21은 24의 $\frac{❶}{8}$입니다.	20은 24의 $\frac{❷}{6}$입니다.	18은 24의 $\frac{❸}{4}$입니다.

보석함의 비밀번호는 ❶ ☐ ❷ ☐ ❸ ☐ 이에요.

▶ 정답과 해설 21쪽

창의 2 은수가 하루 동안 공부와 텔레비전을 본 시간을 각각 구하세요.

공부: 하루의 $\frac{1}{3}$

텔레비전 보기: 하루의 $\frac{1}{6}$

답 공부: ______________ 시간, 텔레비전 보기: ______________ 시간

융합 3 우리가 흔히 사용하는 A4 용지는 A0 용지를 잘라서 만듭니다.
A4 용지의 크기는 A0 용지의 크기의 얼마인지 분수로 나타내 보세요.

A0

A1	A2	
	A3	A4
		A5 A5

A1은 A0를 반으로 자른 것,
A2는 A1을 반으로 자른 것,
A3는 A2를 반으로 자른 것이에요.

답 ______________

들이와 무게

실생활에서 알아보는 재미있는 수학 이야기

이번에 배울 내용을 알아볼까요?

- 1일차 들이의 단위, 무게의 단위
- 2일차 들이의 덧셈
- 3일차 들이의 뺄셈
- 4일차 무게의 덧셈
- 5일차 무게의 뺄셈

들이의 단위, 무게의 단위

이렇게 해결하자

• 들이의 단위: 리터와 밀리리터

쓰기	1 L	쓰기	1 mL
읽기	1 리터	읽기	1 밀리리터

1 L=1000 mL

• 1 L보다 500 mL 더 많은 들이

1 L 500 mL
=1000 mL+500 mL
=1500 mL

• 무게의 단위: 그램, 킬로그램, 톤

쓰기	1 g	쓰기	1 kg
읽기	1 그램	읽기	1 킬로그램

1 kg=1000 g

• 1 kg보다 300 g 더 무거운 무게

1 kg 300 g
=1000 g+300 g
=1300 g

1000 kg을 1 t이라 쓰고
1톤이라고 읽어요.

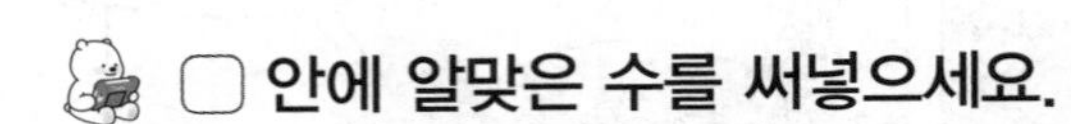

□ 안에 알맞은 수를 써넣으세요.

❶ 1 L 800 mL
=□ mL+800 mL
=□ mL

❷ 3 L 100 mL
=□ mL+100 mL
=□ mL

❸ 9 L 550 mL=□ mL

❹ 2 L 150 mL=□ mL

❺ 2 L 90 mL=□ mL

❻ 3 L 70 mL=□ mL

❼ 4 L 8 mL=□ mL

❽ 7 L 490 mL=□ mL

기초 계산 연습

맞은 개수 / 26개

▶ 정답과 해설 22쪽

⑨ 2700 mL
= ☐ mL + 700 mL
= ☐ L ☐ mL

⑩ 3400 mL
= ☐ mL + 400 mL
= ☐ L ☐ mL

⑪ 7650 mL = ☐ L ☐ mL

⑫ 6850 mL = ☐ L ☐ mL

⑬ 3050 mL = ☐ L ☐ mL

⑭ 4007 mL = ☐ L ☐ mL

⑮ 1 kg 300 g
= ☐ g + 300 g
= ☐ g

⑯ 9 kg 700 g
= ☐ g + 700 g
= ☐ g

⑰ 4 kg 950 g = ☐ g

⑱ 6 kg 250 g = ☐ g

⑲ 5 kg 30 g = ☐ g

⑳ 7 kg 3 g = ☐ g

㉑ 6200 g
= ☐ g + 200 g
= ☐ kg ☐ g

㉒ 4900 g
= ☐ g + 900 g
= ☐ kg ☐ g

㉓ 2950 g = ☐ kg ☐ g

㉔ 9450 g = ☐ kg ☐ g

㉕ 7050 g = ☐ kg ☐ g

㉖ 5009 g = ☐ kg ☐ g

1 일차

들이의 단위, 무게의 단위

같은 것끼리 선으로 이어 보세요.

1

5 L 800 mL •	• 5008 mL
5 L 80 mL •	• 5080 mL
	• 5800 mL

2

7 L 40 mL •	• 7040 mL
7 L 4 mL •	• 7400 mL
	• 7004 mL

3

2 kg 900 g •	• 2900 g
9 kg 20 g •	• 9020 g
	• 9200 g

4

4 kg 1 g •	• 4001 g
4 kg 100 g •	• 4010 g
	• 4100 g

크기를 비교하여 ○ 안에 >, =, <를 알맞게 써넣으세요.

5 3 L 400 mL ◯ 3090 mL

6 7 L 90 mL ◯ 7100 mL

7 4200 mL ◯ 4 L 300 mL

8 8040 mL ◯ 8 L 40 mL

9 3 kg 560 g ◯ 3650 g

10 5 kg 10 g ◯ 5010 g

11 4090 g ◯ 4 kg 200 g

12 9400 g ◯ 9 kg 50 g

▶ 정답과 해설 22쪽

생활 속 문제

물건의 무게를 2가지 방법으로 나타내 보세요.

13

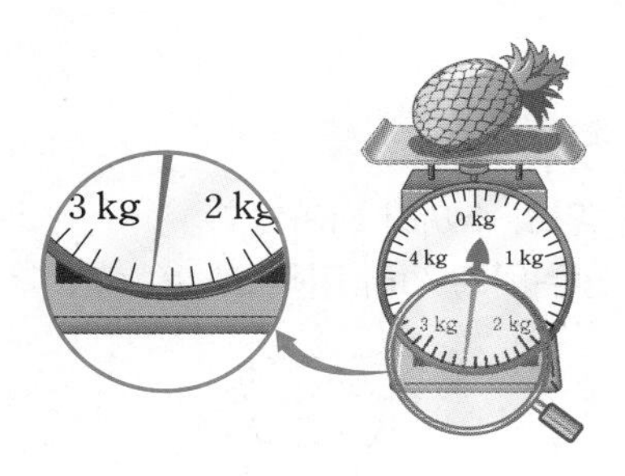

☐ g

☐ kg ☐ g

14

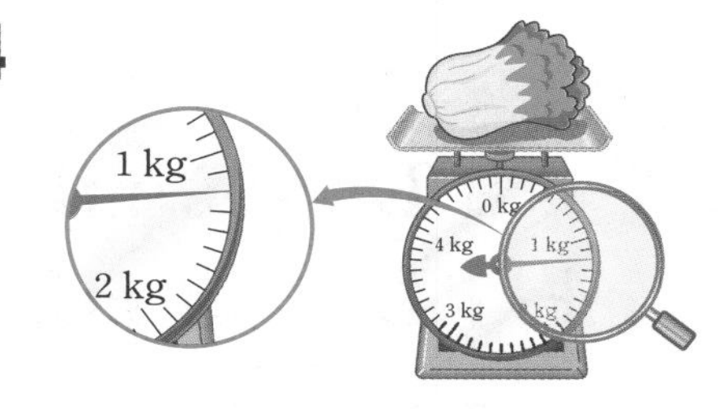

☐ g

☐ kg ☐ g

15

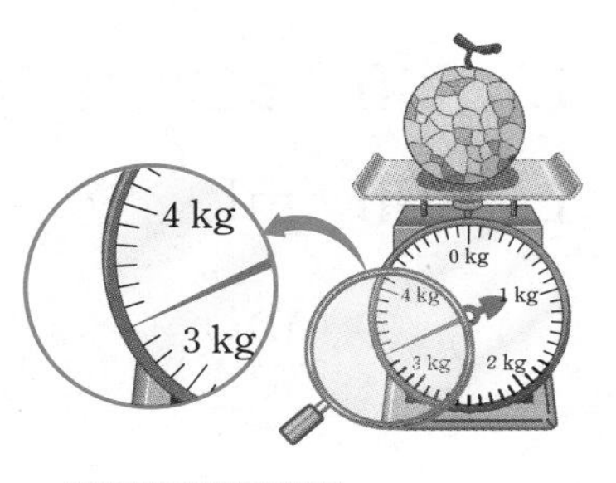

☐ g

☐ kg ☐ g

16

☐ g

☐ kg ☐ g

문장 읽고 문제 해결하기

17 물 6 L에 200 mL를 더 부으면 물은 모두 몇 mL?

답 ________ mL

18 물 9 L에 30 mL를 더 부으면 물은 모두 몇 mL?

답 ________ mL

19 2 kg보다 600 g 더 무거운 무게는 몇 g?

답 ________ g

20 7 kg보다 80 g 더 무거운 무게는 몇 g?

답 ________ g

2 일차

들이의 덧셈

이렇게 해결하자

$$\begin{array}{r} {}^{1} \\ 3\text{ L}\ \ 400\text{ mL} \\ +\ 1\text{ L}\ \ 900\text{ mL} \\ \hline 5\text{ L}\ \ 300\text{ mL} \end{array}$$

1000 mL를 1 L로 받아올림해요.

1+3+1=5

400+900=1300

L 단위의 수끼리 더하고, mL 단위의 수끼리 더해요.

계산해 보세요.

❶

	2	L	200	mL
+	1	L	600	mL
		L		mL

❷

	4	L	500	mL
+	2	L	300	mL
		L		mL

❸

	3	L	200	mL
+	1	L	700	mL
		L		mL

❹

	4	L	300	mL
+	4	L	100	mL
		L		mL

❺

	1	L	500	mL
+	5	L	250	mL
		L		mL

❻

	3	L	650	mL
+	2	L	300	mL
		L		mL

❼

	1	L	550	mL
+	2	L	350	mL
		L		mL

❽

	4	L	250	mL
+	1	L	250	mL
		L		mL

기초 계산 연습

▶ 정답과 해설 22쪽

⑨

	2	L	700	mL
+	3	L	700	mL
		L		mL

⑩

	4	L	800	mL
+	4	L	300	mL
		L		mL

⑪

	1	L	900	mL
+	7	L	300	mL
		L		mL

⑫

	5	L	300	mL
+	3	L	800	mL
		L		mL

⑬

	2	L	350	mL
+	4	L	700	mL
		L		mL

⑭

	6	L	850	mL
+	1	L	900	mL
		L		mL

⑮

	3	L	900	mL
+	3	L	950	mL
		L		mL

⑯

	4	L	500	mL
+	1	L	550	mL
		L		mL

⑰

	2	L	650	mL
+	5	L	750	mL
		L		mL

⑱

	3	L	850	mL
+	5	L	450	mL
		L		mL

⑲

	3	L	450	mL
+	3	L	650	mL
		L		mL

⑳

	4	L	250	mL
+	2	L	850	mL
		L		mL

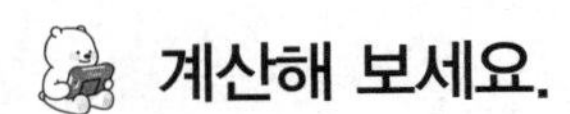

들이의 덧셈

계산해 보세요.

1 $1\text{ L }500\text{ mL}+2\text{ L }100\text{ mL}$
$=\square\text{ L }\square\text{ mL}$

2 $1\text{ L }700\text{ mL}+5\text{ L }200\text{ mL}$
$=\square\text{ L }\square\text{ mL}$

3 $3\text{ L }500\text{ mL}+3\text{ L }450\text{ mL}$
$=\square\text{ L }\square\text{ mL}$

4 $4\text{ L }350\text{ mL}+3\text{ L }550\text{ mL}$
$=\square\text{ L }\square\text{ mL}$

5 $4\text{ L }400\text{ mL}+2\text{ L }800\text{ mL}$
$=\square\text{ L }\square\text{ mL}$

6 $3\text{ L }500\text{ mL}+3\text{ L }700\text{ mL}$
$=\square\text{ L }\square\text{ mL}$

7 $2\text{ L }750\text{ mL}+5\text{ L }700\text{ mL}$
$=\square\text{ L }\square\text{ mL}$

8 $1\text{ L }550\text{ mL}+7\text{ L }550\text{ mL}$
$=\square\text{ L }\square\text{ mL}$

두 들이의 합은 몇 L 몇 mL인지 구하세요.

9 5 L 400 mL　2 L 200 mL
□ L □ mL

10 3 L 300 mL　2 L 550 mL
□ L □ mL

11 6 L 800 mL　2 L 500 mL
□ L □ mL

12 2 L 600 mL　2 L 450 mL
□ L □ mL

플러스 계산 연습

▶ 정답과 해설 22쪽

생활 속 계산

두 그릇의 들이의 합은 몇 L 몇 mL인지 구하세요.

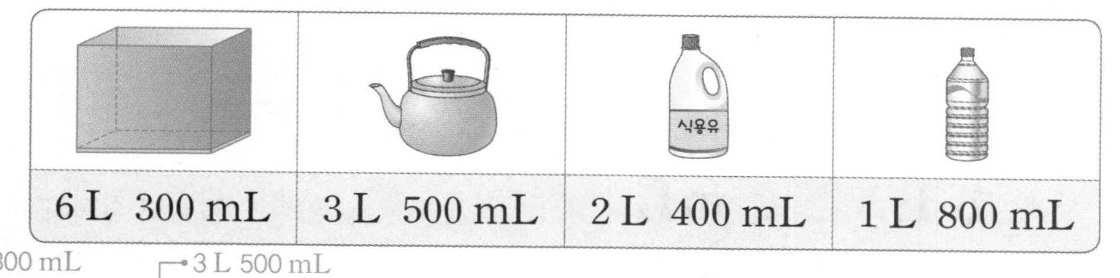

6 L 300 mL	3 L 500 mL	2 L 400 mL	1 L 800 mL

13 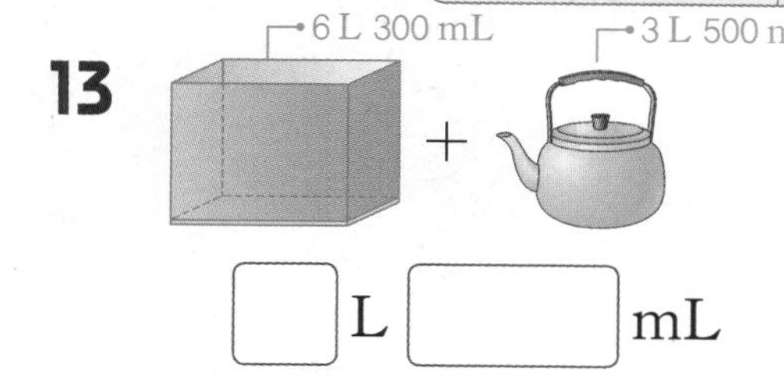

☐ L ☐ mL

14 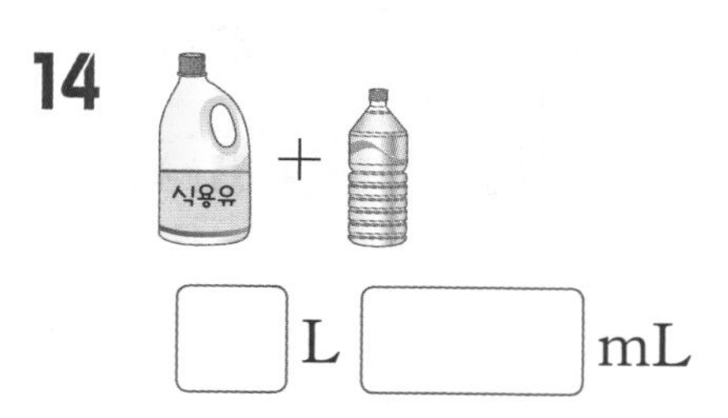

☐ L ☐ mL

15 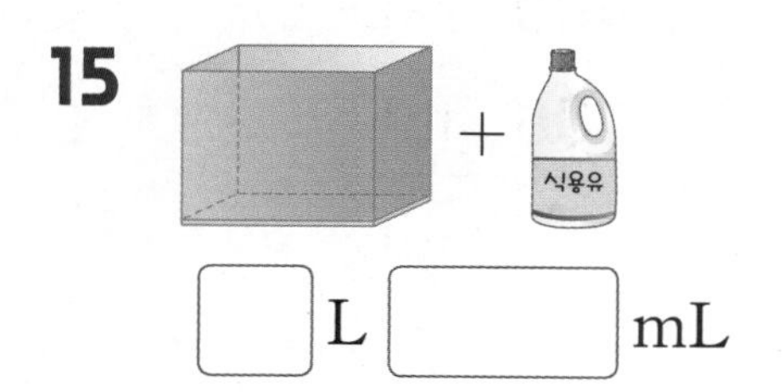

☐ L ☐ mL

16 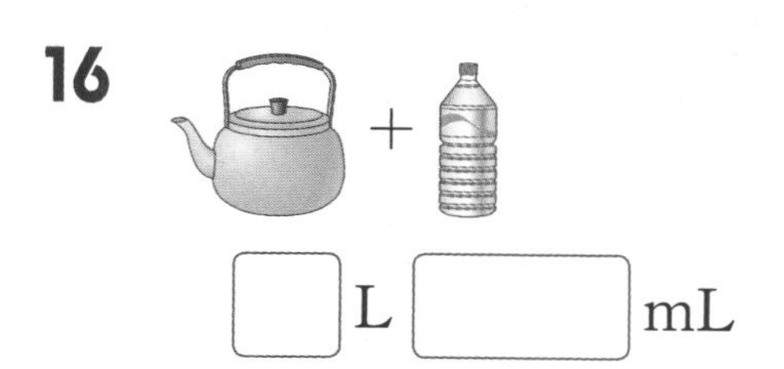

☐ L ☐ mL

문장 읽고 계산식 세우기

17 3 L 200 mL의 물이 들어 있는 수조에 물 1 L 600 mL를 더 부으면 물은 모두 몇 L 몇 mL?

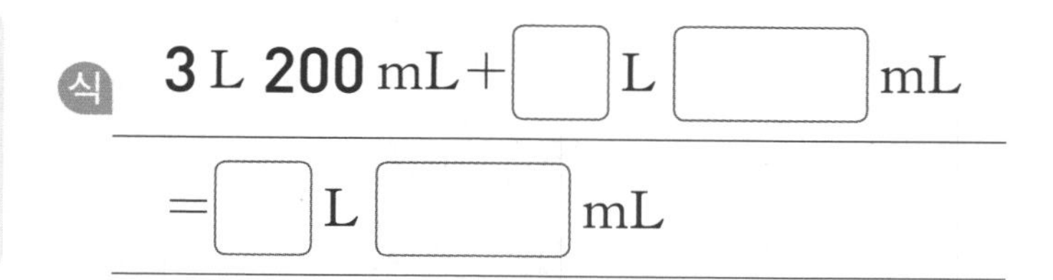

식 3 L 200 mL + ☐ L ☐ mL
= ☐ L ☐ mL

18 1 L 700 mL의 물이 들어 있는 어항에 물 2 L 450 mL를 더 부으면 물은 모두 몇 L 몇 mL?

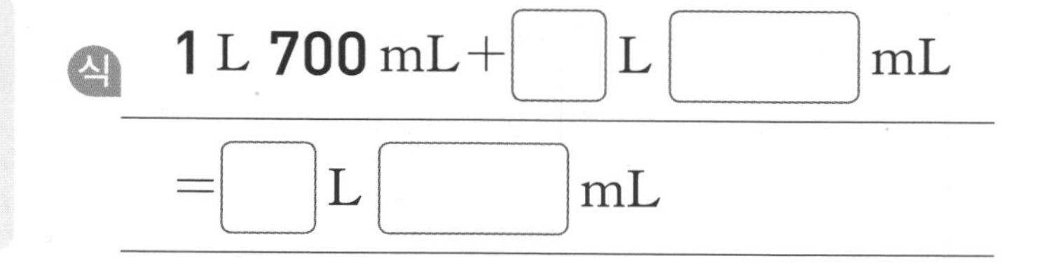

식 1 L 700 mL + ☐ L ☐ mL
= ☐ L ☐ mL

3 일차 들이의 뺄셈

이렇게 해결하자

1 L를 1000 mL로 받아내림해요.

	7		1000	
	~~8~~	L	200	mL
−	3	L	700	mL
	4	L	500	mL

$8-1-3=4$ 　 $1000+200-700=500$

L 단위의 수끼리 빼고,
mL 단위의 수끼리 빼요.

계산해 보세요.

❶

	6	L	700	mL
−	2	L	500	mL
		L		mL

❷

	5	L	400	mL
−	3	L	100	mL
		L		mL

❸

	3	L	900	mL
−	2	L	400	mL
		L		mL

❹

	8	L	900	mL
−	2	L	700	mL
		L		mL

❺

	5	L	350	mL
−	1	L	100	mL
		L		mL

❻

	7	L	750	mL
−	4	L	400	mL
		L		mL

❼

	9	L	900	mL
−	4	L	550	mL
		L		mL

❽

	4	L	700	mL
−	2	L	450	mL
		L		mL

▶ 정답과 해설 23쪽

⑨

	7	L	200	mL
−	2	L	600	mL
		L		mL

⑩

	6	L	100	mL
−	3	L	500	mL
		L		mL

⑪

	8	L	350	mL
−	6	L	800	mL
		L		mL

⑫

	6	L	450	mL
−	1	L	750	mL
		L		mL

⑬

	9	L	50	mL
−	3	L	200	mL
		L		mL

⑭

	7	L	350	mL
−	1	L	400	mL
		L		mL

⑮

	4	L	400	mL
−	2	L	450	mL
		L		mL

⑯

	6	L	500	mL
−	1	L	950	mL
		L		mL

⑰

	8	L	800	mL
−	4	L	850	mL
		L		mL

⑱

	5	L	50	mL
−	3	L	750	mL
		L		mL

⑲

	4	L		
−	2	L	750	mL
		L		mL

⑳

	8	L		
−	4	L	50	mL
		L		mL

3 일차

들이의 뺄셈

계산해 보세요.

1 5 L 700 mL − 2 L 300 mL
= □ L □ mL

2 8 L 500 mL − 3 L 400 mL
= □ L □ mL

3 7 L 650 mL − 4 L 200 mL
= □ L □ mL

4 9 L 500 mL − 2 L 450 mL
= □ L □ mL

5 4 L 100 mL − 2 L 800 mL
= □ L □ mL

6 6 L 400 mL − 3 L 800 mL
= □ L □ mL

7 7 L 150 mL − 5 L 700 mL
= □ L □ mL

8 8 L 50 mL − 5 L 550 mL
= □ L □ mL

들이의 차는 몇 L 몇 mL인지 구하세요.

9

9 L 500 mL	4 L 300 mL
□ L □ mL	

10

2 L 100 mL	6 L 600 mL
□ L □ mL	

11

3 L 800 mL	5 L 200 mL
□ L □ mL	

12

8 L 100 mL	3 L 850 mL
□ L □ mL	

플러스 계산 연습

맞은 개수 / 18개

▶ 정답과 해설 23쪽

생활 속 계산

물을 덜어낸 후 수조에 남아 있는 물의 양은 몇 L 몇 mL인지 구하세요.

13

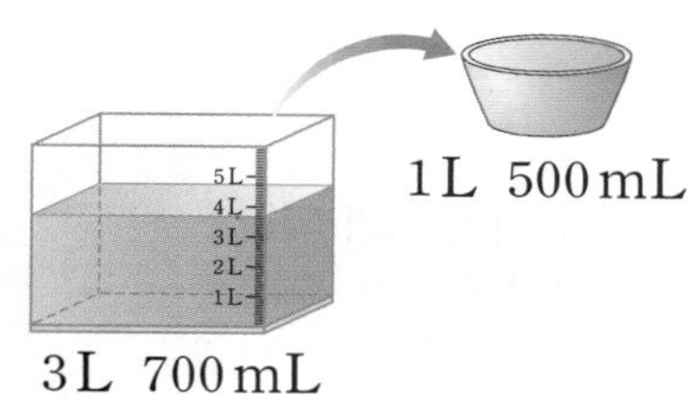

☐ L ☐ mL

14

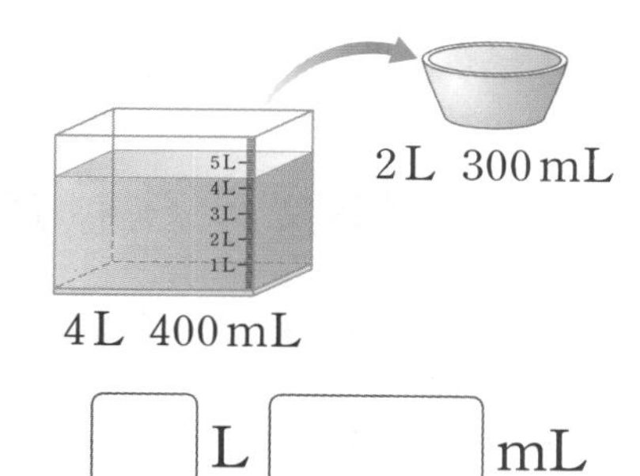

☐ L ☐ mL

15

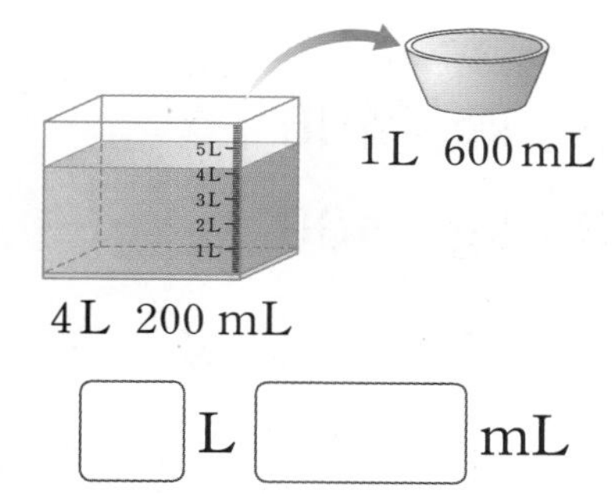

☐ L ☐ mL

16

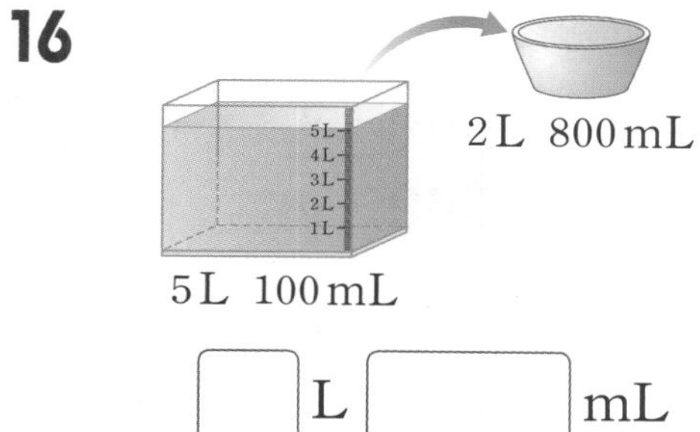

☐ L ☐ mL

4

들이와 무게

문장 읽고 계산식 세우기

17

물 5 L 600 mL 중에서 밥을 짓는 데 3 L 400 mL를 사용했다면 남은 물의 양은 몇 L 몇 mL?

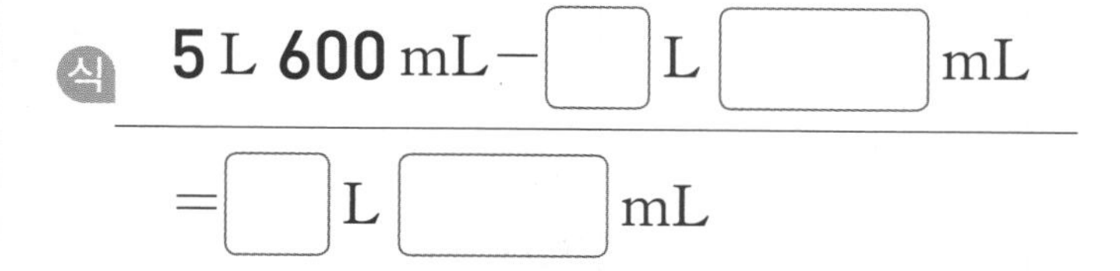

식 5 L 600 mL − ☐ L ☐ mL

= ☐ L ☐ mL

18

물 7 L 100 mL 중에서 화분에 물을 주는 데 2 L 850 mL를 사용했다면 남은 물의 양은 몇 L 몇 mL?

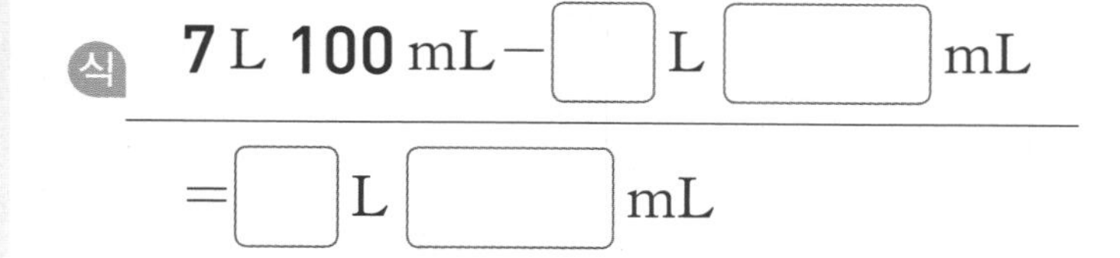

식 7 L 100 mL − ☐ L ☐ mL

= ☐ L ☐ mL

4 일차 무게의 덧셈

이렇게 해결하자

1000 g을 1 kg으로 받아올림해요.

	1			
	3	kg	700	g
+	4	kg	800	g
	8	kg	500	g

1+3+4=8

700+800=1500

kg 단위의 수끼리 더하고, g 단위의 수끼리 더해요.

계산해 보세요.

❶

	2	kg	200	g
+	1	kg	300	g
		kg		g

❷

	2	kg	400	g
+	3	kg	400	g
		kg		g

❸

	1	kg	200	g
+	3	kg	300	g
		kg		g

❹

	4	kg	400	g
+	4	kg	500	g
		kg		g

❺

	5	kg	250	g
+	3	kg	200	g
		kg		g

❻

	2	kg	300	g
+	4	kg	650	g
		kg		g

❼

	2	kg	250	g
+	7	kg	550	g
		kg		g

❽

	1	kg	450	g
+	5	kg	150	g
		kg		g

제한 시간 5분

기초 계산 연습

맞은 개수 / 20개

▶ 정답과 해설 23쪽

⑨

	5	kg	900	g
+	2	kg	900	g
		kg		g

⑩

	3	kg	800	g
+	3	kg	300	g
		kg		g

⑪

	5	kg	600	g
+	3	kg	600	g
		kg		g

⑫

	7	kg	900	g
+	1	kg	500	g
		kg		g

⑬

	2	kg	300	g
+	4	kg	850	g
		kg		g

⑭

	3	kg	600	g
+	1	kg	750	g
		kg		g

⑮

	4	kg	350	g
+	2	kg	700	g
		kg		g

⑯

	7	kg	450	g
+	1	kg	800	g
		kg		g

⑰

	3	kg	900	g
+	2	kg	850	g
		kg		g

⑱

	5	kg	100	g
+	1	kg	950	g
		kg		g

⑲

	4	kg	450	g
+	4	kg	650	g
		kg		g

⑳

	2	kg	550	g
+	3	kg	850	g
		kg		g

4 일차

무게의 덧셈

계산해 보세요.

1 2 kg 300 g+2 kg 500 g
=□kg □g

2 1 kg 200 g+4 kg 200 g
=□kg □g

3 3 kg 150 g+1 kg 400 g
=□kg □g

4 3 kg 200 g+3 kg 650 g
=□kg □g

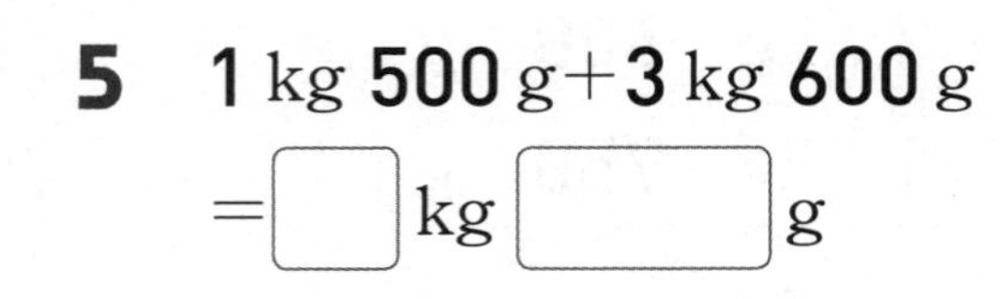

5 1 kg 500 g+3 kg 600 g
=□kg □g

6 2 kg 700 g+2 kg 350 g
=□kg □g

7 3 kg 250 g+4 kg 900 g
=□kg □g

8 5 kg 850 g+2 kg 350 g
=□kg □g

무게의 합은 몇 kg 몇 g인지 구하세요.

9 2 kg 600 g 3 kg 200 g
□kg □g

10 4 kg 450 g 2 kg 300 g
□kg □g

11 1 kg 400 g 3 kg 700 g
□kg □g

12 3 kg 550 g 3 kg 500 g
□kg □g

제한 시간 8분

플러스 계산 연습

맞은 개수 / 18개

▶ 정답과 해설 23쪽

생활 속 계산

채소의 무게가 다음과 같습니다. 채소의 무게의 합은 몇 kg 몇 g인지 구하세요.

13 6 kg 500 g + 2 kg 300 g

☐ kg ☐ g

14 1 kg 400 g + 2 kg 800 g

☐ kg ☐ g

15

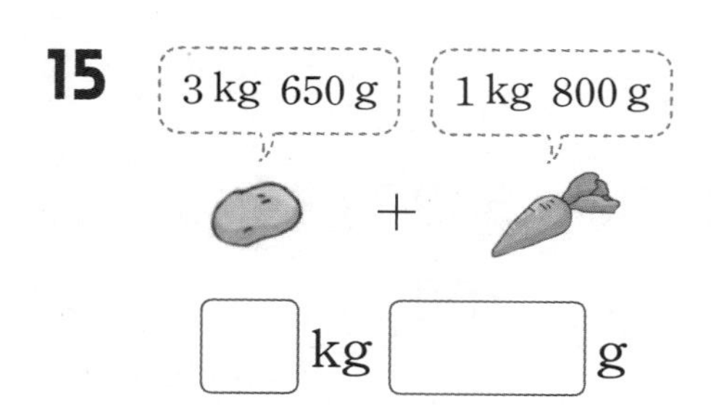

☐ kg ☐ g

16

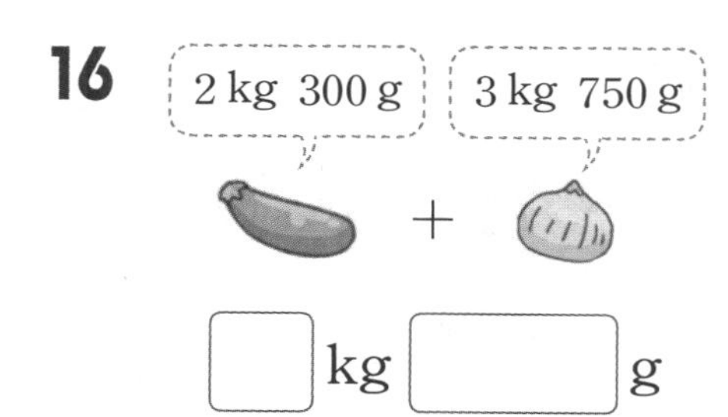

☐ kg ☐ g

문장 읽고 계산식 세우기

17 딸기는 2 kg 600 g 있고, 토마토는 1 kg 200 g 있다면 딸기와 토마토는 모두 몇 kg 몇 g?

식 2 kg 600 g+☐ kg ☐ g

=☐ kg ☐ g

18 사과는 3 kg 600 g 있고 오렌지는 1 kg 800 g 있다면 사과와 오렌지는 모두 몇 kg 몇 g?

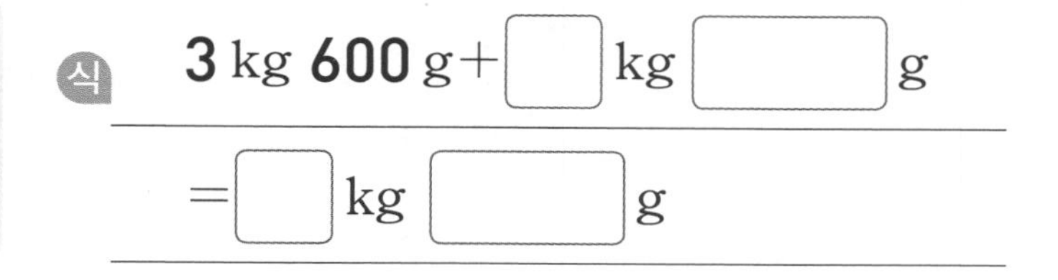
식 3 kg 600 g+☐ kg ☐ g

=☐ kg ☐ g

5 일차

무게의 뺄셈

이렇게 해결하자

1 kg을 1000 g으로 받아내림해요.

	6		1000	
	7	kg	100	g
−	4	kg	600	g
	2	kg	500	g

7−1−4=2

1000+100−600=500

계산해 보세요.

❶

	4	kg	700	g
−	2	kg	500	g
		kg		g

❷

	5	kg	500	g
−	3	kg	100	g
		kg		g

❸

	6	kg	900	g
−	1	kg	500	g
		kg		g

❹

	9	kg	700	g
−	2	kg	200	g
		kg		g

❺

	7	kg	350	g
−	4	kg	100	g
		kg		g

❻

	8	kg	950	g
−	2	kg	350	g
		kg		g

❼

	5	kg	800	g
−	2	kg	150	g
		kg		g

❽

	9	kg	700	g
−	4	kg	650	g
		kg		g

기초 계산 연습

맞은 개수 / 20개

▶ 정답과 해설 23쪽

⑨

	6	kg	300	g
−	4	kg	700	g
		kg		g

⑩

	9	kg	200	g
−	1	kg	800	g
		kg		g

⑪

	7	kg	500	g
−	3	kg	900	g
		kg		g

⑫

	4	kg	200	g
−	2	kg	400	g
		kg		g

⑬

	3	kg	250	g
−	1	kg	500	g
		kg		g

⑭

	5	kg	450	g
−	2	kg	800	g
		kg		g

⑮

	6	kg	450	g
−	4	kg	800	g
		kg		g

⑯

	9	kg	550	g
−	3	kg	600	g
		kg		g

⑰

	4	kg	400	g
−	2	kg	550	g
		kg		g

⑱

	7	kg	100	g
−	3	kg	850	g
		kg		g

⑲

	6	kg		
−	1	kg	350	g
		kg		g

⑳

	8	kg		
−	6	kg	150	g
		kg		g

5 일차

무게의 뺄셈

 계산해 보세요.

1 6 kg 600 g − 2 kg 100 g
= □ kg □ g

2 4 kg 900 g − 3 kg 500 g
= □ kg □ g

3 8 kg 750 g − 2 kg 700 g
= □ kg □ g

4 9 kg 200 g − 7 kg 150 g
= □ kg □ g

5 5 kg 700 g − 3 kg 900 g
= □ kg □ g

6 4 kg 100 g − 2 kg 800 g
= □ kg □ g

7 7 kg 450 g − 3 kg 700 g
= □ kg □ g

8 8 kg 400 g − 4 kg 750 g
= □ kg □ g

무게의 차는 몇 kg 몇 g인지 구하세요.

9

5 kg 600 g	3 kg 400 g
□ kg □ g	

10

1 kg 450 g	8 kg 800 g
□ kg □ g	

11

5 kg 100 g	1 kg 700 g
□ kg □ g	

12

2 kg 500 g	7 kg
□ kg □ g	

플러스 계산 연습

맞은 개수 / 18개

▶ 정답과 해설 23쪽

생활 속 계산

빈 바구니의 무게는 몇 kg 몇 g인지 구하세요.

13

3 kg 100 g

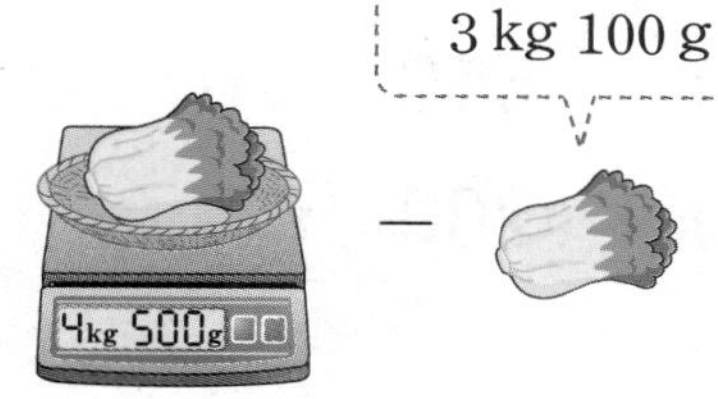

☐ kg ☐ g

14

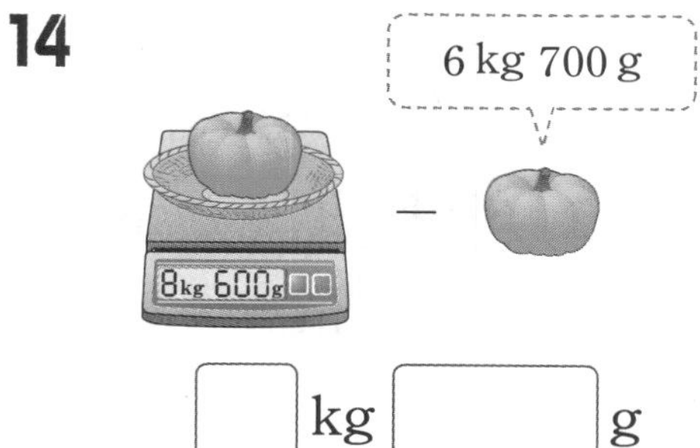

☐ kg ☐ g

15

7 kg 350 g

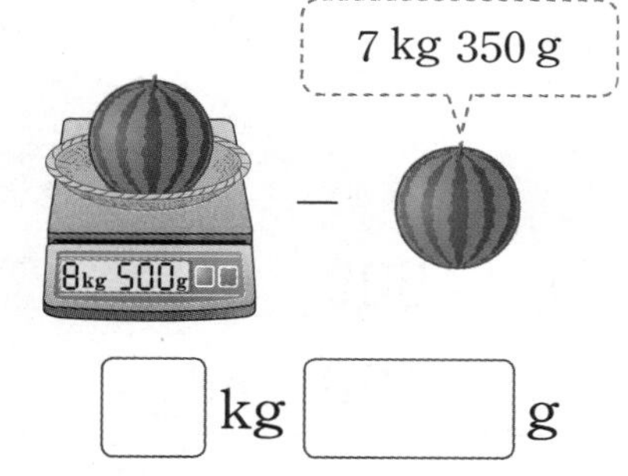

☐ kg ☐ g

16

5 kg 850 g

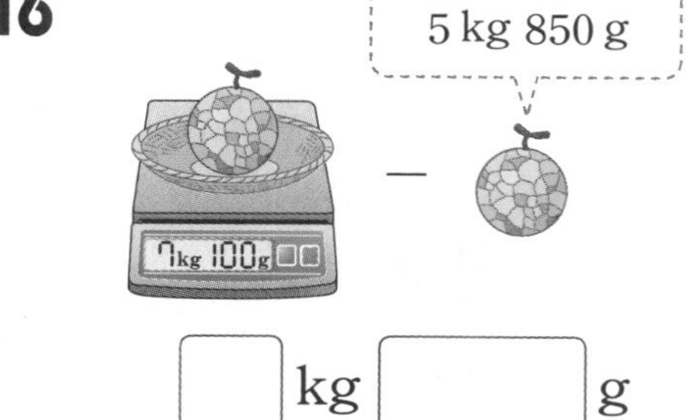

☐ kg ☐ g

문장 읽고 계산식 세우기

17 쌀 6 kg 400 g 중에서 떡을 만드는 데 4 kg 100 g을 사용했다면 남은 쌀은 몇 kg 몇 g?

식 6 kg 400 g − ☐ kg ☐ g

= ☐ kg ☐ g

18 설탕 5 kg 100 g 중에서 빵을 만드는 데 1 kg 750 g을 사용했다면 남은 설탕은 몇 kg 몇 g?

식 5 kg 100 g − ☐ kg ☐ g

= ☐ kg ☐ g

평가 SPEED 연산력 TEST

계산해 보세요.

❶
$$\begin{array}{rlrl} & 1\ \text{L} & 400 & \text{mL} \\ + & 1\ \text{L} & 400 & \text{mL} \\ \hline & \square\ \text{L} & \square & \text{mL} \end{array}$$

❷
$$\begin{array}{rlrl} & 2\ \text{L} & 550 & \text{mL} \\ + & 4\ \text{L} & 200 & \text{mL} \\ \hline & \square\ \text{L} & \square & \text{mL} \end{array}$$

❸
$$\begin{array}{rlrl} & 1\ \text{L} & 500 & \text{mL} \\ + & 7\ \text{L} & 600 & \text{mL} \\ \hline & \square\ \text{L} & \square & \text{mL} \end{array}$$

❹
$$\begin{array}{rlrl} & 2\ \text{L} & 850 & \text{mL} \\ + & 3\ \text{L} & 200 & \text{mL} \\ \hline & \square\ \text{L} & \square & \text{mL} \end{array}$$

❺
$$\begin{array}{rlrl} & 5\ \text{L} & 900 & \text{mL} \\ - & 1\ \text{L} & 500 & \text{mL} \\ \hline & \square\ \text{L} & \square & \text{mL} \end{array}$$

❻
$$\begin{array}{rlrl} & 8\ \text{L} & 500 & \text{mL} \\ - & 4\ \text{L} & 450 & \text{mL} \\ \hline & \square\ \text{L} & \square & \text{mL} \end{array}$$

❼
$$\begin{array}{rlrl} & 4\ \text{L} & 100 & \text{mL} \\ - & 2\ \text{L} & 700 & \text{mL} \\ \hline & \square\ \text{L} & \square & \text{mL} \end{array}$$

❽
$$\begin{array}{rlrl} & 7\ \text{L} & 50 & \text{mL} \\ - & 1\ \text{L} & 600 & \text{mL} \\ \hline & \square\ \text{L} & \square & \text{mL} \end{array}$$

❾ $2\text{ L } 200\text{ mL} + 2\text{ L } 500\text{ mL}$
$= \square\text{ L } \square\text{ mL}$

❿ $3\text{ L } 700\text{ mL} + 5\text{ L } 350\text{ mL}$
$= \square\text{ L } \square\text{ mL}$

⓫ $7\text{ L } 600\text{ mL} - 3\text{ L } 500\text{ mL}$
$= \square\text{ L } \square\text{ mL}$

⓬ $6\text{ L } 100\text{ mL} - 3\text{ L } 750\text{ mL}$
$= \square\text{ L } \square\text{ mL}$

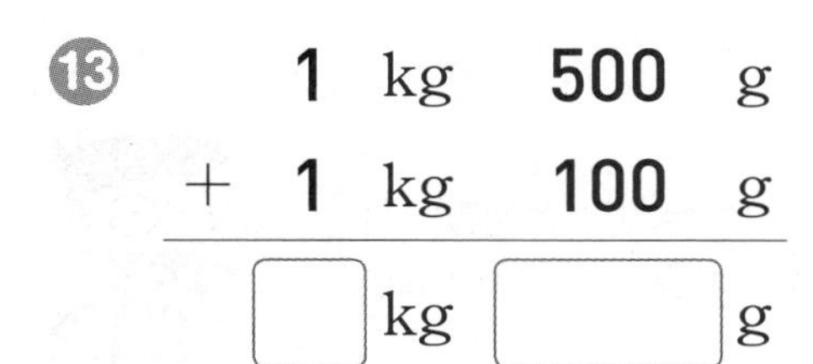

⑬
  1 kg 500 g
+ 1 kg 100 g
□ kg □ g

⑭
  2 kg 400 g
+ 3 kg 400 g
□ kg □ g

⑮
  5 kg 200 g
+ 2 kg 900 g
□ kg □ g

⑯
  1 kg 600 g
+ 4 kg 450 g
□ kg □ g

⑰
  5 kg 500 g
− 1 kg 400 g
□ kg □ g

⑱
  9 kg 750 g
− 4 kg 600 g
□ kg □ g

⑲
  4 kg 500 g
− 1 kg 900 g
□ kg □ g

⑳
  6 kg 100 g
− 3 kg 450 g
□ kg □ g

㉑ 2 kg 300 g + 1 kg 500 g
= □ kg □ g

㉒ 2 kg 500 g + 6 kg 550 g
= □ kg □ g

㉓ 4 kg 650 g − 2 kg 200 g
= □ kg □ g

㉔ 8 kg 200 g − 4 kg 650 g
= □ kg □ g

㉕ 9 kg − 1 kg 850 g
= □ kg □ g

제한 시간 안에 정확하게
모두 풀었다면 여러분은 진정한 **계산왕!**

특강 문장제 문제 도전하기

1

$$\begin{array}{rlrl} & 1 \text{ L} & 800 & \text{mL} \\ + & 1 \text{ L} & 400 & \text{mL} \\ \hline & \square \text{ L} & \square & \text{mL} \end{array}$$

➔ 민재가 마신 우유는 모두 몇 L 몇 mL일까요?

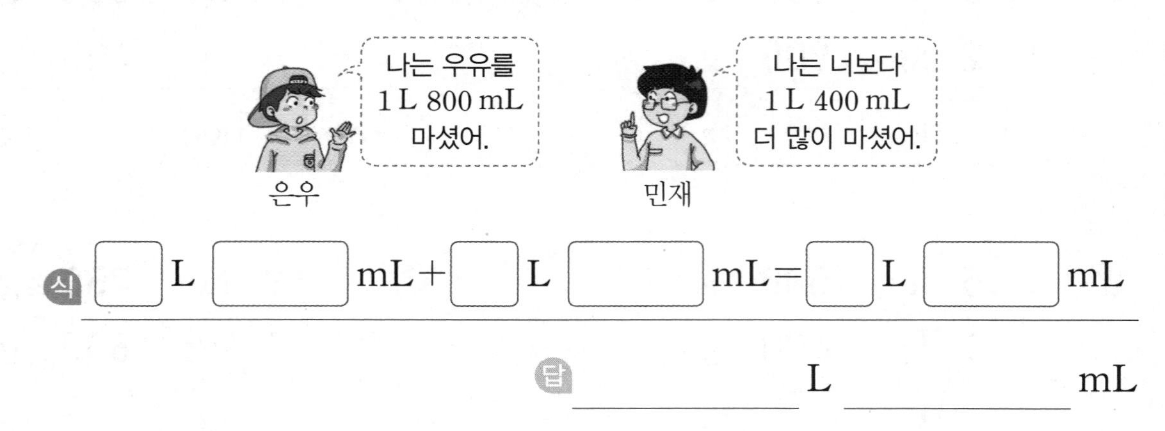

식 □ L □ mL + □ L □ mL = □ L □ mL

답 ______ L ______ mL

2

$$\begin{array}{rlrl} & 4 \text{ kg} & 300 & \text{g} \\ - & 1 \text{ kg} & 700 & \text{g} \\ \hline & \square \text{ kg} & \square & \text{g} \end{array}$$

➔ 책이 들어 있는 가방의 무게는 **4** kg **300** g입니다. 이 가방에서 무게가 **1** kg **700** g인 책을 꺼내면 빈 가방의 무게는 몇 kg 몇 g일까요?

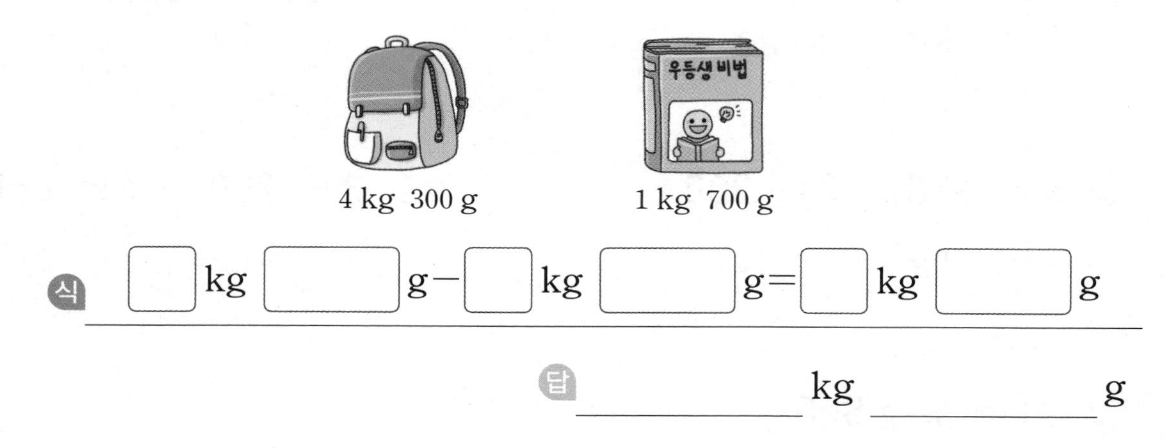

식 □ kg □ g − □ kg □ g = □ kg □ g

답 ______ kg ______ g

▶ 정답과 해설 24쪽

문장을 읽고 들이와 무게에 관한 문제의 답을 구해 보자!

3 수박 한 개의 무게는 몇 kg 몇 g일까요?

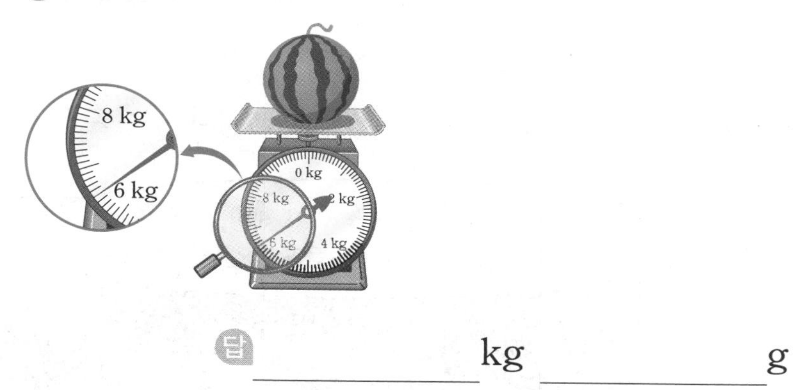

답 ________ kg ________ g

4 지안이는 물( ) **3** L **200** mL 중에서 **1** L **450** mL를 마셨습니다.

남은 물은 몇 L 몇 mL일까요?

□ L □ mL − □ L □ mL = □ L □ mL

5 고구마 **3** kg **500** g과 당근 **2** kg **700** g이 있습니다.
고구마와 당근은 모두 몇 kg 몇 g일까요?

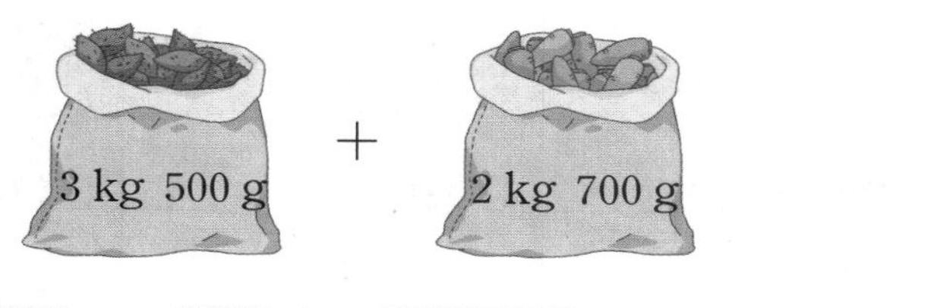

➔ □ kg □ g + □ kg □ g = □ kg □ g

우유를 더 많이 짠 모둠은?

목장에서 우유 짜기 체험을 했습니다. 우유를 더 많이 짠 모둠을 알아보세요.

1모둠	2모둠
2 L 200 mL + 3 L 200 mL = □ L □ mL	2 L 800 mL + 2 L 500 mL = □ L □ mL

답 ____________ 모둠

▶ 정답과 해설 24쪽

코딩 2 순서도의 (시작)에 1 kg 500 g을 넣었을 때 출력되는 값을 구하세요.

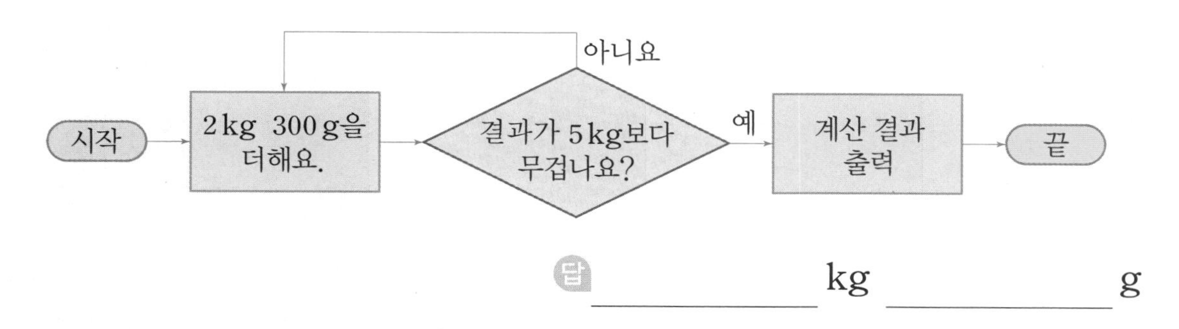

답 ________ kg ________ g

창의 3 아래로 내려가다 가로 선을 만나면 가로 선을 따라가는 방법으로 사다리 타기를 하였습니다. 계산 결과를 ▢ 안에 알맞게 써넣으세요.

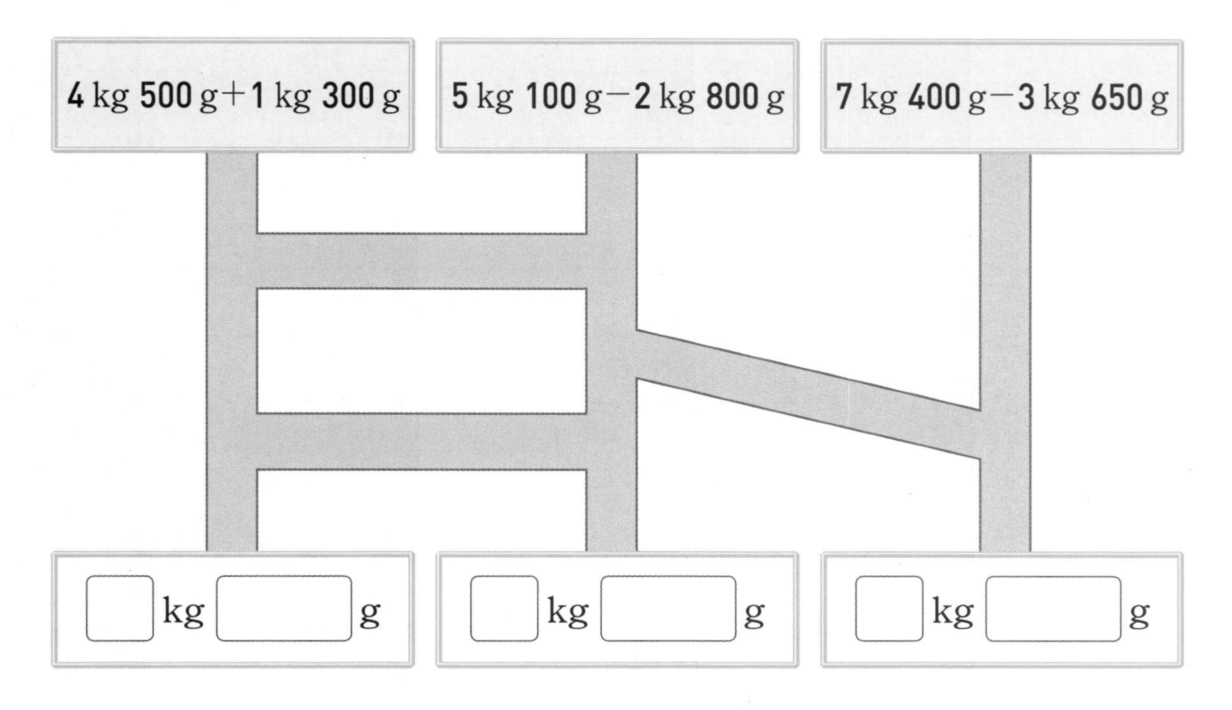

난이도

최상

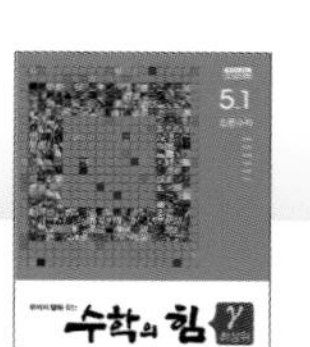
수학의 힘[감마]

수학리더[최상위]

심화

수학의 힘[베타]

수학리더
[응용+심화]

유형

초등 문해력
독해가 힘이다
[문장제 수학편]

수학도
독해가 힘이다

수학리더
[기본+응용]

수학의 힘[알파]

수학리더[유형]

개념

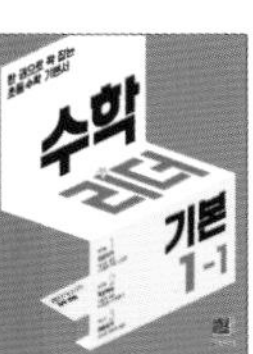
수학리더[기본]

수학리더[개념]

기초
연산

계산박사

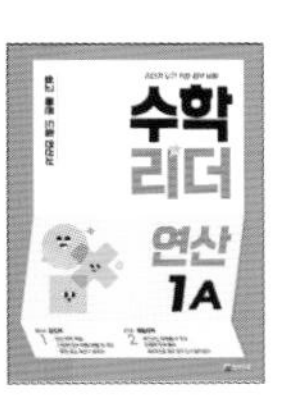
수학리더[연산]

최하

New 해법 수학

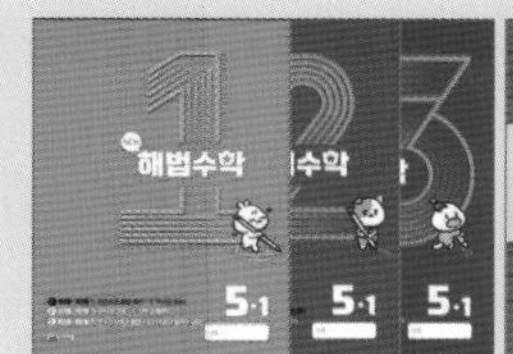
학기별 1~3호

방학 개념 학습

GO! 매쓰 시리즈

Start/Run A–C/Jump

평가 대비 특화 교재

단원 평가
마스터

HME 수학
학력평가

예비 중학
신입생 수학

#차원이_다른_클라쓰
#강의전문교재
#초등교재

수학교재

● 수학리더 시리즈

– 수학리더 [연산]	예비초~6학년/A·B단계
– 수학리더 [개념]	1~6학년/학기별
– 수학리더 [기본]	1~6학년/학기별
– 수학리더 [유형]	1~6학년/학기별
– 수학리더 [기본+응용]	1~6학년/학기별
– 수학리더 [응용·심화]	1~6학년/학기별
신간 수학리더 [최상위]	3~6학년/학기별

● 독해가 힘이다 시리즈 *문제해결력

– 수학도 독해가 힘이다	1~6학년/학기별
신간 초등 문해력 독해가 힘이다 문장제 수학편	1~6학년/단계별

● 수학의 힘 시리즈

– 수학의 힘 알파[실력]	3~6학년/학기별
– 수학의 힘 베타[유형]	1~6학년/학기별

● Go! 매쓰 시리즈

– Go! 매쓰(Start) *교과서 개념	1~6학년/학기별
– Go! 매쓰(Run A/B/C) *교과서+사고력	1~6학년/학기별
– Go! 매쓰(Jump) *유형 사고력	1~6학년/학기별

● 계산박사 1~12단계

월간교재

● NEW 해법수학	1~6학년
● 해법수학 단원평가 마스터	1~6학년 / 학기별
● 월간 우등생평가	1~6학년

전과목교재

● 리더 시리즈

– 국어	1~6학년/학기별
– 사회	3~6학년/학기별
– 과학	3~6학년/학기별

쉽고 빠른 드릴 연산서

해법 전략

수학리더 연산 3B

- 혼자서도 이해할 수 있는 친절한 문제 풀이
- OX퀴즈로 계산 원리 다시 알아보기

해법 천재교육

해법전략
포인트 3가지

- 혼자서도 이해할 수 있는 친절한 문제 풀이
- 참고, 주의 등 자세한 풀이 제시
- OX퀴즈로 계산 원리 다시 알아보기

정답과 해설

1 곱셈

개념 OX 퀴즈

옳으면 ○에, 틀리면 ✕에 ○표 하세요.

241×3=623

○ ✕

정답은 9쪽에서 확인하세요.

1일차 기초 계산 연습 6~7쪽

❶ 336	❷ 284	❸ 399
❹ 808	❺ 848	❻ 826
❼ 648	❽ 669	❾ 884
❿ 484	⓫ 806	⓬ 639
⓭ 369	⓮ 770	⓯ 864
⓰ 484	⓱ 804	⓲ 609

⓳ 208 ; $\begin{array}{r} 104 \\ \times \quad 2 \\ \hline 208 \end{array}$ ⓴ 824 ; $\begin{array}{r} 412 \\ \times \quad 2 \\ \hline 824 \end{array}$

㉑ 248 ; $\begin{array}{r} 124 \\ \times \quad 2 \\ \hline 248 \end{array}$ ㉒ 633 ; $\begin{array}{r} 211 \\ \times \quad 3 \\ \hline 633 \end{array}$

㉓ 396 ; $\begin{array}{r} 132 \\ \times \quad 3 \\ \hline 396 \end{array}$ ㉔ 408 ; $\begin{array}{r} 204 \\ \times \quad 2 \\ \hline 408 \end{array}$

1일차 플러스 계산 연습 8~9쪽

1 286	**2** 808	**3** 693
4 309	**5** 882	**6** 844
7 448	**8** 468	**9** 696
10 608	**11** 624	**12** 663
13 339	**14** 848	**15** 408
16 288	**17** 880, 620	**18** 824, 963
19 3, 366	**20** 341, 682	**21** 3, 939
22 2, 822	**23** 122, 488	**24** 302, 906

2일차 기초 계산 연습 10~11쪽

❶ 1, 636	❷ 3, 876	❸ 2, 951
❹ 1, 975	❺ 2, 868	❻ 4, 590
❼ 4, 642	❽ 8, 981	❾ 2, 791
❿ 3, 832	⓫ 1, 648	⓬ 1, 650
⓭ 1, 836	⓮ 2, 381	⓯ 5, 954

⓰ 696 ; $\begin{array}{r} 348 \\ \times \quad 2 \\ \hline 696 \end{array}$ ⓱ 684 ; $\begin{array}{r} 228 \\ \times \quad 3 \\ \hline 684 \end{array}$

⓲ 570 ; $\begin{array}{r} 114 \\ \times \quad 5 \\ \hline 570 \end{array}$ ⓳ 476 ; $\begin{array}{r} 119 \\ \times \quad 4 \\ \hline 476 \end{array}$

⓴ 763 ; $\begin{array}{r} 109 \\ \times \quad 7 \\ \hline 763 \end{array}$ ㉑ 840 ; $\begin{array}{r} 105 \\ \times \quad 8 \\ \hline 840 \end{array}$

2일차 플러스 계산 연습 12~13쪽

1 496	**2** 945	**3** 460
4 585	**5** 678	**6** 749
7 820	**8** 878	**9** 942
10 936	**11** 981	**12** 856
13 438	**14** 648	**15** 575
16 627	**17** 3, 675	**18** 4, 424
19 114, 6, 684	**20** 104, 7, 728	
21 4, 868	**22** 2, 292	
23 116, 696	**24** 109, 872	

17 $\begin{array}{r} {}^{1} \\ 225 \\ \times \quad 3 \\ \hline 675 \end{array}$ **18** $\begin{array}{r} {}^{2} \\ 106 \\ \times \quad 4 \\ \hline 424 \end{array}$

21 (사과 4개의 무게)=(사과 한 개의 무게)×4
=217×4=868 (g)

22 (야구공 2개의 무게)=(야구공 한 개의 무게)×2
=146×2=292 (g)

24 (대추의 수)=(한 봉지에 들어 있는 대추의 수)×8
=109×8=872(개)

3일차 기초 계산 연습 14~15쪽

❶ 1, 753 ❷ 3, 768 ❸ 3, 855
❹ 1, 964 ❺ 3, 906 ❻ 1, 789
❼ 2, 987 ❽ 1, 782 ❾ 2, 644
❿ 1, 568 ⓫ 1, 783 ⓬ 1, 708
⓭ 1, 459 ⓮ 4, 955 ⓯ 1, 948

⓰ 684 ;

	1	7	1
×			4
	6	8	4

⓱ 966 ;

	1	6	1
×			6
	9	6	6

⓲ 519 ;

	1	7	3
×			3
	5	1	9

⓳ 910 ;

	1	3	0
×			7
	9	1	0

⓴ 968 ;

	1	2	1
×			8
	9	6	8

㉑ 988 ;

	4	9	4
×			2
	9	8	8

3일차 플러스 계산 연습 16~17쪽

1 546 **2** 960 **3** 960
4 759 **5** 429 **6** 704
7 906 **8** 900 **9** 648
10 849 **11** 819 **12** 928
13 784 **14** 728 **15** 579
16 840 **17** 586, 879
18 655, 917 **19** 373, 746
20 291, 873 **21** 4, 604
22 3, 816 **23** 140, 980
24 161, 805

19
$$\begin{array}{r} {}^{1}\\ 3\ 7\ 3 \\ \times \quad\ 2 \\ \hline 7\ 4\ 6 \end{array}$$

20
$$\begin{array}{r} {}^{2}\\ 2\ 9\ 1 \\ \times \quad\ 3 \\ \hline 8\ 7\ 3 \end{array}$$

21 (키위의 수)=(한 상자에 들어 있는 키위의 수)×4
=151×4=604(개)

22 (색종이의 수)=(색종이 한 묶음의 수)×3
=272×3=816(장)

24 (훌라후프의 횟수)=(하루에 돌린 훌라후프 횟수)×5
=161×5=805(번)

4일차 기초 계산 연습 18~19쪽

❶ 2436 ❷ 2008 ❸ 1448
❹ 1539 ❺ 1864 ❻ 2480
❼ 1284 ❽ 2109 ❾ 4806
❿ 1226 ⓫ 1680 ⓬ 1563
⓭ 1264 ⓮ 1863 ⓯ 3284
⓰ 4277 ⓱ 1648 ⓲ 5409

⓳ 3006 ;

	5	0	1
×			6
3	0	0	6

⓴ 1839 ;

	6	1	3
×			3
1	8	3	9

㉑ 3248 ;

	8	1	2
×			4
3	2	4	8

㉒ 1828 ;

	9	1	4
×			2
1	8	2	8

㉓ 7288 ;

	9	1	1
×			8
7	2	8	8

㉔ 2048 ;

	5	1	2
×			4
2	0	4	8

4일차 플러스 계산 연습 20~21쪽

1 1462 **2** 3699 **3** 1293
4 2804 **5** 2409 **6** 1046
7 4207 **8** 3555 **9** 2484
10 2763 **11** 1248 **12** 2163
13 1682 **14** 4550 **15** 2848
16 2796 **17** 1236, 1648
18 4206, 6309 **19** 732, 2196
20 511, 3577 **21** 3, 2463
22 4, 2408 **23** 611, 3666
24 410, 2870

19
$$\begin{array}{r} 7\ 3\ 2 \\ \times \quad\ 3 \\ \hline 2\ 1\ 9\ 6 \end{array}$$

20
$$\begin{array}{r} 5\ 1\ 1 \\ \times \quad\ 7 \\ \hline 3\ 5\ 7\ 7 \end{array}$$

21 (철사의 길이)=(철사 한 도막의 길이)×3
=821×3=2463 (mm)

22 (털실의 길이)=(털실 한 도막의 길이)×4
=602×4=2408 (mm)

24 (설탕의 무게)=(설탕 한 봉지의 무게)×7
=410×7=2870 (g)

5일차 기초 계산 연습 22~23쪽

❶ 2, 3, 672
❷ 2, 2, 807
❸ 1, 1, 952
❹ 2, 1, 525
❺ 1, 5, 896
❻ 1, 1, 792
❼ 1, 4, 762
❽ 3, 2, 820
❾ 1, 2, 900
❿ 1, 2, 744
⓫ 3, 2, 784
⓬ 1, 1, 714
⓭ 4, 1, 915
⓮ 2, 3, 636
⓯ 3, 3, 990

⓰ 861 ;

	1	2	3
×			7
	8	6	1

⓱ 758 ;

	3	7	9
×			2
	7	5	8

⓲ 891 ;

	2	9	7
×			3
	8	9	1

⓳ 740 ;

	1	4	8
×			5
	7	4	0

⓴ 889 ;

	1	2	7
×			7
	8	8	9

㉑ 876 ;

	1	4	6
×			6
	8	7	6

5일차 플러스 계산 연습 24~25쪽

1 942 **2** 507 **3** 992
4 833 **5** 582 **6** 940
7 918 **8** 885 **9** 732
10 867
11 (위부터) 796, 550
12 (위부터) 591, 735
13 (위부터) 910, 815
14 (위부터) 692, 980
15 276, 828
16 168, 840
17 118, 8, 944
18 134, 7, 938
19 2, 756
20 4, 916
21 136, 680
22 137, 822

15
$$\begin{array}{r} {}^{2\,1} \\ 2\,7\,6 \\ \times \quad 3 \\ \hline 8\,2\,8 \end{array}$$

16
$$\begin{array}{r} {}^{3\,4} \\ 1\,6\,8 \\ \times \quad 5 \\ \hline 8\,4\,0 \end{array}$$

19 (구슬의 수)=(한 봉지에 들어 있는 구슬의 수)×2
=378×2=756(개)

22 (초콜릿의 수)=(한 상자에 들어 있는 초콜릿의 수)×6
=137×6=822(개)

6일차 기초 계산 연습 26~27쪽

❶ 1, 1626
❷ 3, 1528
❸ 1, 2155
❹ 3, 1168
❺ 4, 2905
❻ 2, 1419
❼ 4, 2226
❽ 3, 5250
❾ 2, 1004
❿ 2, 2387
⓫ 1, 2886
⓬ 2, 2608
⓭ 2, 1443
⓮ 1, 1568
⓯ 2, 4255

⓰ 1686 ;

		2	8	1
×				6
1		6	8	6

⓱ 1089 ;

	3	6	3
×			3
1	0	8	9

⓲ 1884 ;

	4	7	1
×			4
1	8	8	4

⓳ 4648 ;

	5	8	1
×			8
4	6	4	8

⓴ 5397 ;

	7	7	1
×			7
5	3	9	7

㉑ 1964 ;

	9	8	2
×			2
1	9	6	4

6일차 플러스 계산 연습 28~29쪽

1 3426 **2** 2073 **3** 3768
4 2737 **5** 2256 **6** 3400
7 5046 **8** 3855 **9** 3848
10 2679 **11** 2924 **12** 1716
13 3366 **14** 1328 **15** 5047
16 3568
17 1686, 2248
18 4205, 6728
19 631, 4417
20 392, 1568
21 4, 3524
22 6, 1746
23 490, 3920
24 653, 1959

19
$$\begin{array}{r} {}^{2} \\ 6\,3\,1 \\ \times \quad 7 \\ \hline 4\,4\,1\,7 \end{array}$$

20
$$\begin{array}{r} {}^{3} \\ 3\,9\,2 \\ \times \quad 4 \\ \hline 1\,5\,6\,8 \end{array}$$

21 (당근의 수)=(한 상자에 들어 있는 당근의 수)×4
=881×4=3524(개)

22 (감자의 수)=(한 상자에 들어 있는 감자의 수)×6
=291×6=1746(개)

24 (수수깡의 수)=(한 상자에 들어 있는 수수깡의 수)×3
=653×3=1959(개)

7일차 기초 계산 연습 30~31쪽

① 2, 1, 1455 ② 3, 1, 2736
③ 3, 2, 1908 ④ 3, 1, 3365
⑤ 5, 2, 3784 ⑥ 5, 1, 3258
⑦ 3, 2, 6678 ⑧ 4, 5, 4914
⑨ 4, 4, 4068 ⑩ 4, 7, 1332
⑪ 3, 2, 1584 ⑫ 2, 3, 1432
⑬ 5, 3, 1995 ⑭ 4, 6, 1264
⑮ 1, 1, 2292
⑯ 1970 ; $985 \times 2 = 1970$
⑰ 2372 ; $593 \times 4 = 2372$
⑱ 1170 ; $195 \times 6 = 1170$
⑲ 2502 ; $834 \times 3 = 2502$
⑳ 3626 ; $518 \times 7 = 3626$
㉑ 3834 ; $426 \times 9 = 3834$

7일차 플러스 계산 연습 32~33쪽

1 1860 2 2556 3 3241
4 5376 5 2352 6 1718
7 3456 8 1980 9 5748
10 4376 11 1548 12 2970
13 3750 14 2744 15 3712
16 1494
17 (왼쪽부터) 1584, 2384, 2736
18 (왼쪽부터) 1910, 2116, 1638
19 278, 1390 20 339, 2712
21 4, 1504 22 7, 3808
23 486, 2430 24 637, 5096

17 $456 \times 6 = 2736$, $298 \times 8 = 2384$, $176 \times 9 = 1584$ (올림: 3 3, 7 6, 6 5)

18 $234 \times 7 = 1638$, $529 \times 4 = 2116$, $382 \times 5 = 1910$ (올림: 2 2, 1 3, 4 1)

21 (소금의 무게)=(소금 한 봉지의 무게)×4
=376×4=1504 (g)

23 (체리의 수)=(한 상자에 들어 있는 체리의 수)×5
=486×5=2430(개)

8일차 기초 계산 연습 34~35쪽

① 700 ② 800 ③ 1800
④ 2000 ⑤ 2400 ⑥ 6300
⑦ 280 ⑧ 690 ⑨ 850
⑩ 1080 ⑪ 2100 ⑫ 3440
⑬ 1400 ⑭ 1140 ⑮ 3300
⑯ 2070 ⑰ 6750 ⑱ 4640
⑲ 4000 ; $80 \times 50 = 4000$
⑳ 2400 ; $60 \times 40 = 2400$
㉑ 3570 ; $51 \times 70 = 3570$
㉒ 7520 ; $94 \times 80 = 7520$
㉓ 4440 ; $74 \times 60 = 4440$
㉔ 2400 ; $48 \times 50 = 2400$

8일차 플러스 계산 연습 36~37쪽

1 3500 2 4800 3 1800
4 8100 5 1110 6 1740
7 2120 8 3480 9 3300
10 3920 11 2800 12 3600
13 2580 14 1950 15 1740
16 5440 17 1380, 2300
18 2040, 3060 19 50, 2500
20 68, 70, 4760 21 70, 4200
22 50, 90, 4500 23 45, 1800
24 78, 60, 4680

21 (사탕 60개의 값)=(사탕 한 개의 값)×60
=70×60=4200(원)

23 (공깃돌의 수)=(한 봉지에 들어 있는 공깃돌의 수)×40
=45×40=1800(개)

9 일차 기초 계산 연습 38~39쪽

❶

		3
×	4	7
	2	1
1	2	0
1	4	1

❷

		4
×	7	3
	1	2
2	8	0
2	9	2

❸

		6
×	9	5
	3	0
5	4	0
5	7	0

❹

		5
×	3	5
	2	5
1	5	0
1	7	5

❺

		4
×	6	4
	1	6
2	4	0
2	5	6

❻

		8
×	5	7
	5	6
4	0	0
4	5	6

❼

		9
×	2	8
	7	2
1	8	0
2	5	2

❽

		6
×	3	4
	2	4
1	8	0
2	0	4

❾

		7
×	5	6
	4	2
3	5	0
3	9	2

❿

		5
×	5	6
	3	0
2	5	0
2	8	0

⓫

		4
×	8	9
	3	6
3	2	0
3	5	6

⓬

		8
×	7	3
	2	4
5	6	0
5	8	4

⓭

		9
×	6	7
	6	3
5	4	0
6	0	3

⓮

		6
×	5	4
	2	4
3	0	0
3	2	4

⓯

		7
×	4	7
	4	9
2	8	0
3	2	9

⓰ 410 ;

		5
×	8	2
	1	0
4	0	0
4	1	0

⓱ 291 ;

		3
×	9	7
	2	1
2	7	0
2	9	1

⓲ 280 ;

		8
×	3	5
	4	0
2	4	0
2	8	0

⓳ 148 ;

		4
×	3	7
	2	8
1	2	0
1	4	8

⓴ 438 ;

		6
×	7	3
	1	8
4	2	0
4	3	8

㉑ 405 ;

		9
×	4	5
	4	5
3	6	0
4	0	5

9 일차 플러스 계산 연습 40~41쪽

1 119 **2** 104 **3** 396
4 760 **5** 370 **6** 531
7 288 **8** 301 **9** 536
10 192 **11** 492 **12** 135
13 837 **14** 441 **15** 288
16 74, 148 **17** 59, 236
18 6, 63, 378 **19** 8, 83, 664
20 23, 115 **21** 36, 324
22 6, 45, 270 **23** 7, 49, 343

20 (축구공의 수)
=(한 상자에 들어 있는 축구공의 수)×23
=5×23=115(개)

21 (농구공의 수)
=(한 상자에 들어 있는 농구공의 수)×36
=9×36=324(개)

23 (읽은 위인전의 쪽수)
=(하루에 읽은 위인전 쪽수)×49
=7×49=343(쪽)

10 일차 기초 계산 연습 42~43쪽

❶

		1	6
×	1	5	
	8	0	
1	6	0	
2	4	0	

❷

		2	3
×	1	4	
	9	2	
2	3	0	
3	2	2	

❸

	4	6
×	2	1
	4	6
9	2	0
9	6	6

❹

	1	3
×	4	3
	3	9
5	2	0
5	5	9

❺

	3	1
×	1	6
1	8	6
3	1	0
4	9	6

❻

	2	3
×	4	3
	6	9
9	2	0
9	8	9

❼

	4	2
×	1	4
1	6	8
4	2	0
5	8	8

❽

	6	1
×	1	3
1	8	3
6	1	0
7	9	3

❾

	5	1
×	1	9
4	5	9
5	1	0
9	6	9

⑩

	1	2
×	7	4
	4	8
8	4	0
8	8	8

⑪

	5	2
×	1	3
1	5	6
5	2	0
6	7	6

⑫

	1	3
×	1	7
	9	1
1	3	0
2	2	1

⑬

	4	5
×	2	1
	4	5
9	0	0
9	4	5

⑭

	3	1
×	2	4
1	2	4
6	2	0
7	4	4

⑮

	7	3
×	1	3
2	1	9
7	3	0
9	4	9

⑯ 656 ;

	4	1
×	1	6
2	4	6
4	1	0
6	5	6

⑰ 735 ;

	2	1
×	3	5
1	0	5
6	3	0
7	3	5

⑱ 224 ;

	1	4
×	1	6
	8	4
1	4	0
2	2	4

⑲ 468 ;

	3	9
×	1	2
	7	8
3	9	0
4	6	8

⑳ 195 ;

	1	3
×	1	5
	6	5
1	3	0
1	9	5

㉑ 816 ;

	1	6
×	5	1
	1	6
8	0	0
8	1	6

10일차 플러스 계산 연습 44~45쪽

1 564 **2** 338 **3** 540
4 266 **5** 558 **6** 348
7 837 **8** 448 **9** 465
10 996 **11** 576 **12** 697
13 806 **14** 728
15 527, 779 **16** 744, 552
17 12, 876 **18** 18, 51, 918
19 21, 819 **20** 13, 533
21 14, 350 **22** 29, 609

19 (연필의 무게)=(연필 한 자루의 무게)×21
=39×21=819 (g)

21 (빗자루의 수)=(빗자루 한 묶음의 수)×25
=14×25=350(개)

11일차 기초 계산 연습 46~47쪽

❶

	2	6
×	1	5
1	3	0
2	6	0
3	9	0

❷

	1	7
×	2	8
1	3	6
3	4	0
4	7	6

❸

	4	6
×	1	3
1	3	8
4	6	0
5	9	8

❹

	2	3
×	3	5
1	1	5
6	9	0
8	0	5

❺

	3	2
×	2	9
2	8	8
6	4	0
9	2	8

❻

	2	4
×	2	5
1	2	0
4	8	0
6	0	0

❼

	3	3
×	1	9
2	9	7
3	3	0
6	2	7

❽

	6	2
×	1	6
3	7	2
6	2	0
9	9	2

❾

	3	9
×	2	4
1	5	6
7	8	0
9	3	6

❿

	1	4
×	3	5
	7	0
4	2	0
4	9	0

⓫

	3	3
×	2	6
1	9	8
6	6	0
8	5	8

⓬

	3	6
×	1	8
2	8	8
3	6	0
6	4	8

⓭

	1	7
×	2	5
	8	5
3	4	0
4	2	5

⓮

	3	4
×	2	5
1	7	0
6	8	0
8	5	0

⓯

	2	7
×	3	5
1	3	5
8	1	0
9	4	5

⓰ 864 ;

	3	6
×	2	4
1	4	4
7	2	0
8	6	4

⓱ 931 ;

	4	9
×	1	9
4	4	1
4	9	0
9	3	1

⓲ 729 ;

	2	7
×	2	7
1	8	9
5	4	0
7	2	9

⓳ 851 ;

	3	7
×	2	3
1	1	1
7	4	0
8	5	1

⓴ 741 ;

	1	3
×	5	7
	9	1
6	5	0
7	4	1

㉑ 741 ;

	1	9
×	3	9
1	7	1
5	7	0
7	4	1

11 일차 플러스 계산 연습 48~49쪽

1 784 **2** 561 **3** 999
4 816 **5** 494 **6** 990
7 612 **8** 812 **9** 748
10 795 **11** 456 **12** 728
13 486 **14** 875
15 17, 663 **16** 16, 880
17 45, 22, 990 **18** 67, 13, 871
19 24, 840 **20** 16, 896
21 23, 621 **22** 48, 864

17
```
   4 5
 × 2 2
   9 0
 9 0 0
 9 9 0
```

18
```
   6 7
 × 1 3
 2 0 1
 6 7 0
 8 7 1
```

19 (초콜릿의 수)
=(한 봉지에 들어 있는 초콜릿의 수)×24
=35×24=840(개)

20 (사탕의 수)
=(한 봉지에 들어 있는 사탕의 수)×16
=56×16=896(개)

21 (공책의 수)
=(한 상자에 들어 있는 공책의 수)×27
=23×27=621(권)

22 (연필의 수)
=(한 상자에 들어 있는 연필의 수)×18
=48×18=864(자루)

12 일차 기초 계산 연습 50~51쪽

❶
```
     4 2
   × 5 5
   2 1 0
 2 1 0 0
 2 3 1 0
```

❷
```
     3 4
   × 8 7
   2 3 8
 2 7 2 0
 2 9 5 8
```

❸
```
     5 3
   × 4 6
   3 1 8
 2 1 2 0
 2 4 3 8
```

❹
```
     3 8
   × 4 6
   2 2 8
 1 5 2 0
 1 7 4 8
```

❺
```
     6 7
   × 7 3
   2 0 1
 4 6 9 0
 4 8 9 1
```

❻
```
     7 2
   × 2 8
   5 7 6
 1 4 4 0
 2 0 1 6
```

❼
```
     4 9
   × 5 3
   1 4 7
 2 4 5 0
 2 5 9 7
```

❽
```
     2 2
   × 8 5
   1 1 0
 1 7 6 0
 1 8 7 0
```

❾
```
     6 8
   × 7 5
   3 4 0
 4 7 6 0
 5 1 0 0
```

❿
```
     8 8
   × 5 5
   4 4 0
 4 4 0 0
 4 8 4 0
```

⓫
```
     2 8
   × 4 7
   1 9 6
 1 1 2 0
 1 3 1 6
```

⓬
```
     9 2
   × 2 6
   5 5 2
 1 8 4 0
 2 3 9 2
```

⓭
```
     3 8
   × 7 7
   2 6 6
 2 6 6 0
 2 9 2 6
```

⓮
```
     5 7
   × 8 3
   1 7 1
 4 5 6 0
 4 7 3 1
```

⓯
```
     6 9
   × 5 2
   1 3 8
 3 4 5 0
 3 5 8 8
```

⓰ 1247 ;
```
     2 9
   × 4 3
     8 7
 1 1 6 0
 1 2 4 7
```

⓱ 7050 ;
```
     9 4
   × 7 5
   4 7 0
 6 5 8 0
 7 0 5 0
```

⓲ 3402 ;
```
     6 3
   × 5 4
   2 5 2
 3 1 5 0
 3 4 0 2
```

⓳ 3198 ;
```
     8 2
   × 3 9
   7 3 8
 2 4 6 0
 3 1 9 8
```

⓴ 1521 ;
```
     3 9
   × 3 9
   3 5 1
 1 1 7 0
 1 5 2 1
```

㉑ 2240 ;
```
     6 4
   × 3 5
   3 2 0
 1 9 2 0
 2 2 4 0
```

12일차 플러스 계산 연습 52~53쪽

1 6110 **2** 2808 **3** 3339
4 3948 **5** 3577 **6** 2450
7 3936 **8** 2714 **9** 1824
10 3818 **11** 2553 **12** 5336
13 1445 **14** 3822
15 (위부터) 1824, 1472 **16** (위부터) 3672, 1566
17 25, 1575 **18** 38, 64, 2432
19 17, 1445 **20** 26, 1404
21 43, 1032 **22** 76, 1292

17
$$\begin{array}{r} 63 \\ \times\ 25 \\ \hline 315 \\ 1260 \\ \hline 1575 \end{array}$$

18
$$\begin{array}{r} 38 \\ \times\ 64 \\ \hline 152 \\ 2280 \\ \hline 2432 \end{array}$$

19 (자전거를 탄 시간)=(하루에 자전거를 탄 시간)×17
=85×17=1445(분)

20 (탁구를 친 시간)=(하루에 탁구를 친 시간)×26
=54×26=1404(분)

21 (윗몸일으키기 횟수)
=(하루에 한 윗몸일으키기 횟수)×24
=43×24=1032(번)

22 (훌라후프 횟수)
=(하루에 돌린 훌라후프 횟수)×17
=76×17=1292(번)

평가 SPEED 연산력 TEST 54~55쪽

❶ 636 ❷ 872 ❸ 843
❹ 870 ❺ 2586 ❻ 3864
❼ 564 ❽ 648 ❾ 4368
❿ 768 ⓫ 894 ⓬ 4856
⓭ 4752 ⓮ 2800 ⓯ 810
⓰ 406 ⓱ 690 ⓲ 6068
⓳ 842 ⓴ 688 ㉑ 3408
㉒ 1890 ㉓ 923 ㉔ 4428
㉕ 387 ㉖ 2084 ㉗ 1911
㉘ 4000 ㉙ 697 ㉚ 1248

⓬
$$\begin{array}{r} {\scriptstyle 5}\ \ \\ 607 \\ \times\ \ \ 8 \\ \hline 4856 \end{array}$$

⓭
$$\begin{array}{r} {\scriptstyle 2\ 7}\ \ \\ 528 \\ \times\ \ \ 9 \\ \hline 4752 \end{array}$$

⓱
$$\begin{array}{r} 46 \\ \times\ 15 \\ \hline 230 \\ 460 \\ \hline 690 \end{array}$$

⓲
$$\begin{array}{r} 74 \\ \times\ 82 \\ \hline 148 \\ 5920 \\ \hline 6068 \end{array}$$

⓴
$$\begin{array}{r} {\scriptstyle 2}\ \ \ \ \\ 172 \\ \times\ \ \ 4 \\ \hline 688 \end{array}$$

㉑
$$\begin{array}{r} {\scriptstyle 4\ 4}\ \ \\ 568 \\ \times\ \ \ 6 \\ \hline 3408 \end{array}$$

㉓
$$\begin{array}{r} 13 \\ \times\ 71 \\ \hline 13 \\ 910 \\ \hline 923 \end{array}$$

㉔
$$\begin{array}{r} 82 \\ \times\ 54 \\ \hline 328 \\ 4100 \\ \hline 4428 \end{array}$$

㉕
$$\begin{array}{r} {\scriptstyle 2}\ \ \\ 129 \\ \times\ \ \ 3 \\ \hline 387 \end{array}$$

㉗
$$\begin{array}{r} {\scriptstyle 5\ 2}\ \ \\ 273 \\ \times\ \ \ 7 \\ \hline 1911 \end{array}$$

㉙
$$\begin{array}{r} 17 \\ \times\ 41 \\ \hline 17 \\ 680 \\ \hline 697 \end{array}$$

㉚
$$\begin{array}{r} 48 \\ \times\ 26 \\ \hline 288 \\ 960 \\ \hline 1248 \end{array}$$

특강 문장제 문제 도전하기 56~57쪽

1 536 ; 134, 4, 536 ; 536
2 1920 ; 48, 40, 1920 ; 1920
3 1080 ; 45, 24, 1080 ; 1080
4 156, 6, 936
5 32, 70, 2240
6 72, 35, 2520

1
$$\begin{array}{r} {\scriptstyle 1\ 1}\ \ \\ 134 \\ \times\ \ \ 4 \\ \hline 536 \end{array}$$

2
$$\begin{array}{r} 48 \\ \times\ 40 \\ \hline 1920 \end{array}$$

3
$$\begin{array}{r} 45 \\ \times\ 24 \\ \hline 180 \\ 900 \\ \hline 1080 \end{array}$$

6
$$\begin{array}{r} 72 \\ \times\ 35 \\ \hline 360 \\ 2160 \\ \hline 2520 \end{array}$$

특강 창의·융합·코딩·도전하기 58~59쪽

융합 1 506, 1980

코딩 2 1152

창의 3

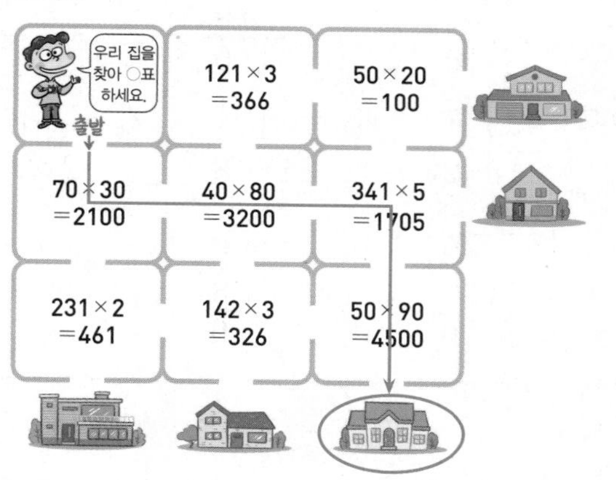

융합 1

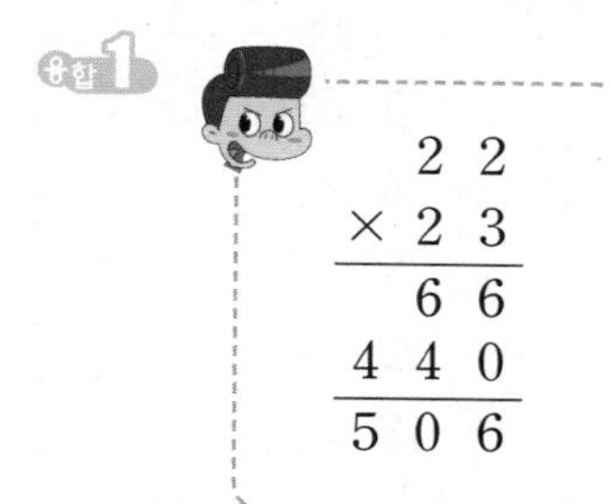

$$\begin{array}{r} 22 \\ \times\ 23 \\ \hline 66 \\ 440 \\ \hline 506 \end{array}$$

$$\begin{array}{r} 44 \\ \times\ 45 \\ \hline 220 \\ 1760 \\ \hline 1980 \end{array}$$

코딩 2 $123 \times 3 = 369$이고 500보다 작으므로 '아니요'로 갑니다.
$369 + 15 = 384$에 3을 곱하면
$384 \times 3 = 1152$입니다.
1152는 500보다 크므로 '예'로 갑니다.

창의 3 $121 \times 3 = 363$, $50 \times 20 = 1000$,
$231 \times 2 = 462$, $142 \times 3 = 426$

개념 OX 퀴즈 정답

$$\begin{array}{r} \overset{1}{2}41 \\ \times\ \ 3 \\ \hline 723 \end{array}$$

2 나눗셈

개념 OX 퀴즈

옳으면 ◯에, 틀리면 ✕에 ○표 하세요.

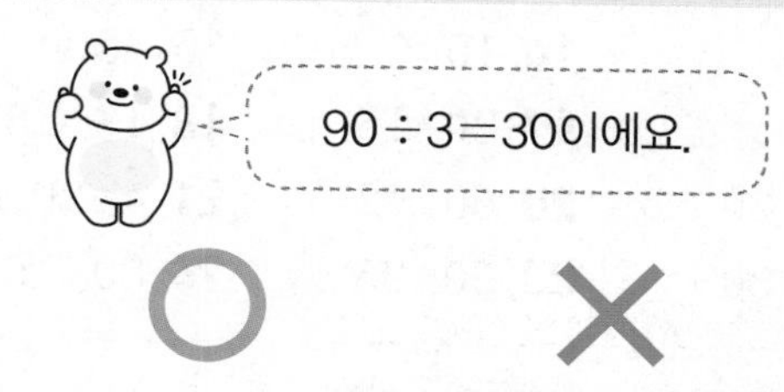

◯ ✕

정답은 17쪽에서 확인하세요.

1일차 기초 계산 연습 62~63쪽

❶ 2, 20 ❷ 1, 10 ❸ 3, 30
❹ 2, 20 ❺ 3, 30 ❻ 1, 10

❼ $60 \div 5 = 12$: 5)60, 5, 10, 10, 0
❽ $70 \div 2 = 35$: 2)70, 6, 10, 10, 0
❾ $60 \div 4 = 15$: 4)60, 4, 20, 20, 0
❿ $80 \div 5 = 16$: 5)80, 5, 30, 30, 0
⓫ $50 \div 2 = 25$: 2)50, 4, 10, 10, 0
⓬ $60 \div 5 = 12$: 5)60, 5, 10, 10, 0
⓭ $90 \div 2 = 45$: 2)90, 8, 10, 10, 0
⓮ $60 \div 4 = 15$: 4)60, 4, 20, 20, 0
⓯ $70 \div 5 = 14$: 5)70, 5, 20, 20, 0
⓰ $90 \div 5 = 18$: 5)90, 5, 40, 40, 0
⓱ $90 \div 6 = 15$: 6)90, 6, 30, 30, 0
⓲ $80 \div 5 = 16$: 5)80, 5, 30, 30, 0
⓳ $50 \div 2 = 25$: 2)50, 4, 10, 10, 0
⓴ $70 \div 5 = 14$: 5)70, 5, 20, 20, 0
㉑ $70 \div 2 = 35$: 2)70, 6, 10, 10, 0

1일차 플러스 계산 연습 64~65쪽

1 20	**2** 40	**3** 10
4 20	**5** 20	**6** 10
7 35	**8** 25	**9** 16
10 12	**11** 30	**12** 10
13 15	**14** 15	**15** 45
16 14	**17** 30, 15	**18** 18, 15
19 3, 20	**20** 60, 12	**21** 4, 20
22 3, 30	**23** 50, 25	**24** 80, 16

20 오각형의 변의 수: 5개
➜ (오각형의 한 변의 길이)=60÷5=12 (cm)

24 (필요한 접시의 수)
=(딸기의 수)÷(접시 한 개에 담을 딸기의 수)
=80÷5=16(개)

2일차 기초 계산 연습 66~67쪽

❶
```
   1 2
3) 3 6
   3
     6
     6
     0
```
❷
```
   2 1
4) 8 4
   8
     4
     4
     0
```
❸
```
   1 1
5) 5 5
   5
     5
     5
     0
```
❹
```
   2 1
2) 4 2
   4
     2
     2
     0
```
❺
```
   1 1
9) 9 9
   9
     9
     9
     0
```
❻
```
   2 3
3) 6 9
   6
     9
     9
     0
```
❼
```
   3 1
2) 6 2
   6
     2
     2
     0
```
❽
```
   3 3
3) 9 9
   9
     9
     9
     0
```
❾
```
   4 2
2) 8 4
   8
     4
     4
     0
```
❿
```
   4 3
2) 8 6
   8
     6
     6
     0
```
⓫
```
   1 4
2) 2 8
   2
     8
     8
     0
```
⓬
```
   2 1
3) 6 3
   6
     3
     3
     0
```
⓭
```
   1 1
7) 7 7
   7
     7
     7
     0
```
⓮
```
   2 4
2) 4 8
   4
     8
     8
     0
```
⓯
```
   3 2
3) 9 6
   9
     6
     6
     0
```
⓰
```
   4 1
2) 8 2
   8
     2
     2
     0
```
⓱
```
   1 1
8) 8 8
   8
     8
     8
     0
```
⓲
```
   1 3
2) 2 6
   2
     6
     6
     0
```

2일차 플러스 계산 연습 68~69쪽

1 32	**2** 13	**3** 22
4 42	**5** 12	**6** 22
7 11	**8** 22	**9** 12
10 34	**11** 23	**12** 31
13 11	**14** 33	**15** 41

16 21
17 (위부터) 44, 21
18 (위부터) 32, 13
19 2, 14
20 48, 12
21 2, 13
22 3, 21
23 77, 11
24 64, 32

21 (만든 꽃다발의 수)
=(튤립의 수)÷(한 묶음의 튤립의 수)
=26÷2=13(개)

3일차 기초 계산 연습 70~71쪽

❶
```
   1 7
2) 3 4
   2
   1 4
   1 4
     0
```
❷
```
   1 7
5) 8 5
   5
   3 5
   3 5
     0
```
❸
```
   1 9
4) 7 6
   4
   3 6
   3 6
     0
```
❹
```
   1 4
6) 8 4
   6
   2 4
   2 4
     0
```
❺
```
   1 2
8) 9 6
   8
   1 6
   1 6
     0
```
❻
```
   1 3
7) 9 1
   7
   2 1
   2 1
     0
```

⑦
```
  36
2)72
  6
  12
  12
   0
```
⑧
```
  12
6)72
  6
  12
  12
   0
```
⑨
```
  25
3)75
  6
  15
  15
   0
```
⑩
```
  16
6)96
  6
  36
  36
   0
```
⑪
```
  14
4)56
  4
  16
  16
   0
```
⑫
```
  48
2)96
  8
  16
  16
   0
```
⑬
```
  13
5)65
  5
  15
  15
   0
```
⑭
```
  16
3)48
  3
  18
  18
   0
```
⑮
```
  12
7)84
  7
  14
  14
   0
```
⑯
```
  23
4)92
  8
  12
  12
   0
```
⑰
```
  19
2)38
  2
  18
  18
   0
```
⑱
```
  27
3)81
  6
  21
  21
   0
```

3 일차 플러스 계산 연습 72~73쪽

1 27 **2** 26 **3** 17
4 15 **5** 38 **6** 17
7 14 **8** 24 **9** 46
10 13 **11** 28 **12** 29
13 16 **14** 37 **15** 18
16 12 **17** (위부터) 23, 26
18 (위부터) 26, 49 **19** 2, 39
20 5, 19 **21** 4, 14
22 3, 28 **23** 84, 14
24 65, 13

21 (나누어 줄 사람 수)
=(연필의 수)÷(한 명에게 나누어 줄 연필의 수)
=56÷4=14(명)

22 (나누어 줄 사람 수)
=(색종이의 수)÷(한 명에게 나누어 줄 색종이의 수)
=84÷3=28(명)

23 (나누어 줄 사람 수)
=(지우개의 수)÷(한 명에게 나누어 줄 지우개의 수)
=84÷6=14(명)

24 (나누어 줄 사람 수)
=(공책의 수)÷(한 명에게 나누어 줄 공책의 수)
=65÷5=13(명)

4 일차 기초 계산 연습 74~75쪽

❶
```
   3
6)20
  18
   2
```
❷
```
   7
8)60
  56
   4
```
❸
```
   4
7)30
  28
   2
```
❹
```
   2
4)10
   8
   2
```
❺
```
   7
9)70
  63
   7
```
❻
```
   6
6)40
  36
   4
```
❼
```
   8
7)60
  56
   4
```
❽
```
   6
8)50
  48
   2
```
❾
```
   2
9)20
  18
   2
```
❿
```
  13
3)40
  3
  10
   9
   1
```
⓫
```
  13
6)80
  6
  20
  18
   2
```
⓬
```
  11
8)90
  8
  10
   8
   2
```
⓭
```
  12
7)90
  7
  20
  14
   6
```
⓮
```
  23
3)70
  6
  10
   9
   1
```
⓯
```
  22
4)90
  8
  10
   8
   2
```
⓰
```
  11
6)70
  6
  10
   6
   4
```
⓱
```
  26
3)80
  6
  20
  18
   2
```
⓲
```
  12
4)50
  4
  10
   8
   2
```
⓳
```
  16
3)50
  3
  20
  18
   2
```
⓴
```
  17
4)70
  4
  30
  28
   2
```
㉑
```
  11
7)80
  7
  10
   7
   3
```

4일차 플러스 계산 연습 76~77쪽

1 3, 2 ; 3, 18 ; 2
2 8, 6 ; 8, 64 ; 6
3 4, 4 ; 4, 36 ; 36, 4
4 5, 5 ; 5, 45 ; 45, 5
5 11, 4 ; 11, 66 ; 66, 4
6 22, 2 ; 22, 88 ; 88, 2
7 5, 5　8 3, 6　9 16, 2
10 13, 2　11 11, 2　12 23, 1
13 7, 7, 1 ; 7, 1　14 6, 6, 4 ; 6, 4
15 70, 17, 2 ; 17, 2　16 90, 12, 6 ; 12, 6
17 6, 8, 2 ; 8, 2　18 9, 6, 6 ; 6, 6
19 80, 26, 2 ; 26, 2　20 50, 12, 2 ; 12, 2

17
```
    8
6)5 0
  4 8
    2
```
➔ 8봉지가 되고 2개가 남습니다.

19
```
  2 6
3)8 0
  6
  2 0
  1 8
    2
```
➔ 26봉지가 되고 2개가 남습니다.

5일차 기초 계산 연습 78~79쪽

①
```
   2 2
2)4 5
  4
    5
    4
    1
```
②
```
   2 2
3)6 7
  6
    7
    6
    1
```
③
```
   1 2
4)4 9
  4
    9
    8
    1
```
④
```
   1 1
5)5 8
  5
    8
    5
    3
```
⑤
```
   1 1
8)8 9
  8
    9
    8
    1
```
⑥
```
   3 1
2)6 3
  6
    3
    2
    1
```
⑦
```
   1 1
7)7 9
  7
    9
    7
    2
```
⑧
```
   4 1
2)8 3
  8
    3
    2
    1
```
⑨
```
   1 1
3)3 5
  3
    5
    3
    2
```
⑩
```
   1 1
4)4 6
  4
    6
    4
    2
```
⑪
```
   1 1
5)5 7
  5
    7
    5
    2
```
⑫
```
   1 1
6)6 9
  6
    9
    6
    3
```
⑬
```
   1 4
2)2 9
  2
    9
    8
    1
```
⑭
```
   2 2
3)6 8
  6
    8
    6
    2
```
⑮
```
   2 1
4)8 5
  8
    5
    4
    1
```
⑯
```
   1 1
5)5 9
  5
    9
    5
    4
```
⑰
```
   1 1
7)7 8
  7
    8
    7
    1
```
⑱
```
   2 3
2)4 7
  4
    7
    6
    1
```

5일차 플러스 계산 연습 80~81쪽

1 13, 1 ; 13, 26 ; 1
2 21, 2 ; 21, 63 ; 2
3 11, 1 ; 11, 44 ; 44, 1
4 11, 2 ; 11, 66 ; 66, 2
5 32, 2 ; 32, 96 ; 96, 2
6 43, 1 ; 43, 86 ; 86, 1
7 22, 1　8 11, 1
9 32, 1　10 12, 2
11 11, 3　12 24, 1
13 5, 11, 4 ; 11, 4　14 3, 31, 1 ; 31, 1
15 79, 11, 2 ; 11, 2　16 85, 21, 1 ; 21, 1
17 2, 24, 1 ; 24, 1　18 3, 32, 1 ; 32, 1
19 87, 21, 3 ; 21, 3　20 69, 11, 3 ; 11, 3

13
```
  1 1
5)5 9
  5
    9
    5
    4
```
14
```
  3 1
3)9 4
  9
    4
    3
    1
```

6일차 기초 계산 연습 82~83쪽

❶
```
   2 6
2)5 3
  4
  1 3
  1 2
    1
```
❷
```
   2 5
3)7 6
  6
  1 6
  1 5
    1
```
❸
```
   1 3
5)6 8
  5
  1 8
  1 5
    3
```
❹
```
   1 2
7)8 5
  7
  1 5
  1 4
    1
```
❺
```
   2 3
4)9 5
  8
  1 5
  1 2
    3
```
❻
```
   1 1
8)9 1
  8
  1 1
    8
    3
```
❼
```
   1 9
4)7 9
  4
  3 9
  3 6
    3
```
❽
```
   1 8
5)9 4
  5
  4 4
  4 0
    4
```
❾
```
   1 3
6)8 2
  6
  2 2
  1 8
    4
```
❿
```
   1 3
7)9 4
  7
  2 4
  2 1
    3
```
⓫
```
   3 7
2)7 5
  6
  1 5
  1 4
    1
```
⓬
```
   2 7
3)8 3
  6
  2 3
  2 1
    2
```
⓭
```
   1 5
5)7 6
  5
  2 6
  2 5
    1
```
⓮
```
   1 5
6)9 3
  6
  3 3
  3 0
    3
```
⓯
```
   1 6
4)6 7
  4
  2 7
  2 4
    3
```
⓰
```
   4 5
2)9 1
  8
  1 1
  1 0
    1
```
⓱
```
   1 9
3)5 9
  3
  2 9
  2 7
    2
```
⓲
```
   1 3
7)9 7
  7
  2 7
  2 1
    6
```

6일차 플러스 계산 연습 84~85쪽

1 18, 1 ; 18, 36 ; 1
2 15, 2 ; 15, 45 ; 2
3 15, 3 ; 15, 60 ; 60, 3
4 14, 4 ; 14, 70 ; 70, 4
5 14, 1 ; 14, 84 ; 84, 1
6 13, 5 ; 13, 91 ; 91, 5
7 46, 1
8 26, 1
9 17, 2
10 16, 1
11 13, 4
12 12, 3
13 5, 16, 3 ; 16, 3
14 7, 12, 4 ; 12, 4
15 77, 19, 1 ; 19, 1
16 75, 12, 3 ; 12, 3
17 3, 24, 2 ; 24, 2
18 5, 12, 3 ; 12, 3
19 88, 14, 4 ; 14, 4
20 99, 24, 3 ; 24, 3

13
```
   16
5)83
  5
  33
  30
   3
```
14
```
   12
7)88
  7
  18
  14
   4
```
17
```
   24
3)74
  6
  14
  12
   2
```
➔ 24줄이 되고 2개가 남습니다.

18
```
   12
5)63
  5
  13
  10
   3
```
➔ 12묶음이 되고 3개가 남습니다.

7일차 기초 계산 연습 86~87쪽

❶
```
   1 4 2
2)2 8 4
  2
    8
    8
      4
      4
      0
```
❷
```
   1 2 3
3)3 6 9
  3
    6
    6
      9
      9
      0
```
❸
```
   2 1 1
4)8 4 4
  8
    4
    4
      4
      4
      0
```
❹
```
   3 7 2
2)7 4 4
  6
  1 4
  1 4
      4
      4
      0
```
❺
```
   2 7 3
3)8 1 9
  6
  2 1
  2 1
      9
      9
      0
```
❻
```
   2 1 8
4)8 7 2
  8
    7
    4
    3 2
    3 2
      0
```

⑦
```
  225
3)675
  6
   7
   6
   15
   15
    0
```
⑧
```
  124
4)496
  4
   9
   8
   16
   16
    0
```
⑨
```
  125
5)625
  5
  12
  10
   25
   25
    0
```
⑩
```
  232
4)928
  8
  12
  12
    8
    8
    0
```
⑪
```
  151
5)755
  5
  25
  25
    5
    5
    0
```
⑫
```
  113
6)678
  6
   7
   6
   18
   18
    0
```
⑬
```
  144
6)864
  6
  26
  24
   24
   24
    0
```
⑭
```
  128
7)896
  7
  19
  14
   56
   56
    0
```
⑮
```
  112
8)896
  8
   9
   8
   16
   16
    0
```


7 일차 플러스 계산 연습 88~89쪽

1 112 **2** 312 **3** 312
4 165 **5** 147 **6** 127
7 191 **8** 121 **9** 248
10 331 **11** 191 **12** 129
13 142 **14** 141
15 (위부터) 378, 174 **16** (위부터) 279, 156
17 4, 117 **18** 696, 116
19 3, 283 **20** 5, 129
21 889, 127 **22** 984, 123

19 (필요한 봉지의 수)
=(사탕의 수)÷(한 봉지에 담을 사탕의 수)
=849÷3=283(개)

20 (필요한 봉지의 수)
=(초콜릿의 수)÷(한 봉지에 담을 초콜릿의 수)
=645÷5=129(개)

22 (필요한 바구니의 수)
=(살구의 수)÷(한 바구니에 담을 살구의 수)
=984÷8=123(개)

8 일차 기초 계산 연습 90~91쪽

❶
```
  224
2)449
  4
   4
   4
    9
    8
    1
```
❷
```
  221
3)665
  6
   6
   6
    5
    3
    2
```
❸
```
  112
4)449
  4
   4
   4
    9
    8
    1
```
❹
```
  119
4)477
  4
   7
   4
   37
   36
    1
```
❺
```
  437
2)875
  8
   7
   6
   15
   14
    1
```
❻
```
  165
3)497
  3
  19
  18
   17
   15
    2
```
❼
```
  248
2)497
  4
   9
   8
   17
   16
    1
```
❽
```
  112
7)789
  7
   8
   7
   19
   14
    5
```
❾
```
  113
5)569
  5
   6
   5
   19
   15
    4
```
❿
```
  149
6)895
  6
  29
  24
   55
   54
    1
```
⓫
```
  125
3)377
  3
   7
   6
   17
   15
    2
```
⓬
```
  236
4)947
  8
  14
  12
   27
   24
    3
```
⓭
```
  132
7)929
  7
  22
  21
   19
   14
    5
```
⓮
```
  112
8)899
  8
   9
   8
   19
   16
    3
```
⓯
```
  186
5)932
  5
  43
  40
   32
   30
    2
```

8 일차 플러스 계산 연습 92~93쪽

1 111, 2 ; 111, 555 ; 2
2 122, 1 ; 122, 244 ; 1
3 122, 2 ; 122, 366 ; 366, 2
4 117, 1 ; 117, 468 ; 468, 1
5 137, 5 ; 137, 822 ; 822, 5
6 123, 6 ; 123, 861 ; 861, 6
7 211, 2
8 122, 1
9 236, 1
10 147, 5
11 255, 2
12 173, 4
13 (위부터) 146, 3 ; 318 ; 1
14 (위부터) 246, 2 ; 128 ; 1
15 (위부터) 138, 3 ; 113 ; 5
16 (위부터) 124, 7 ; 195 ; 3
17 4, 211, 2 ; 211, 2
18 5, 155, 2 ; 155, 2
19 505, 168, 1 ; 168, 1
20 950, 135, 5 ; 135, 5

17

	2	1	1
4)	8	4	6
	8		
		4	
		4	
			6
			4
			2

➔ 211봉지가 되고 2개가 남습니다.

19

	1	6	8
3)	5	0	5
	3		
	2	0	
	1	8	
		2	5
		2	4
			1

➔ 168상자가 되고 1개가 남습니다.

9 일차 기초 계산 연습 94~95쪽

❶

		7	4
2)	1	4	8
	1	4	
			8
			8
			0

❷

		7	3
3)	2	1	9
	2	1	
			9
			9
			0

❸

		6	2
4)	2	4	8
	2	4	
			8
			8
			0

❹

		5	2
5)	2	6	0
	2	5	
		1	0
		1	0
			0

❺

		6	3
6)	3	7	8
	3	6	
		1	8
		1	8
			0

❻

		6	5
7)	4	5	5
	4	2	
		3	5
		3	5
			0

❼

		3	9
5)	1	9	5
	1	5	
		4	5
		4	5
			0

❽

		4	7
7)	3	2	9
	2	8	
		4	9
		4	9
			0

❾

		5	6
9)	5	0	4
	4	5	
		5	4
		5	4
			0

❿

		5	8
2)	1	1	6
	1	0	
		1	6
		1	6
			0

⓫

		7	5
4)	3	0	0
	2	8	
		2	0
		2	0
			0

⓬

		4	5
6)	2	7	0
	2	4	
		3	0
		3	0
			0

⓭

		4	7
8)	3	7	6
	3	2	
		5	6
		5	6
			0

⓮

		8	7
3)	2	6	1
	2	4	
		2	1
		2	1
			0

⓯

		6	5
5)	3	2	5
	3	0	
		2	5
		2	5
			0

⓰

		8	5
2)	1	7	0
	1	6	
		1	0
		1	0
			0

⓱

		7	5
6)	4	5	0
	4	2	
		3	0
		3	0
			0

⓲

		8	4
9)	7	5	6
	7	2	
		3	6
		3	6
			0

9 일차 플러스 계산 연습 96~97쪽

1 92
2 52
3 71
4 49
5 66
6 92
7 37
8 75
9 51
10 26
11 66
12 62
13 86
14 73
15 75, 45
16 57, 38
17 5, 95
18 595, 85
19 2, 79
20 9, 67
21 371, 53
22 296, 74

19 (필요한 봉지의 수)
=(구슬의 수)÷(한 봉지에 담는 구슬의 수)
=158÷2=79(개)

20 (필요한 봉지의 수)
=(딱지의 수)÷(한 봉지에 담는 딱지의 수)
=603÷9=67(개)

10일차 기초 계산 연습 98~99쪽

❶
59
3)179
15
29
27
2

❷
65
2)131
12
11
10
1

❸
47
5)238
20
38
35
3

❹
64
4)259
24
19
16
3

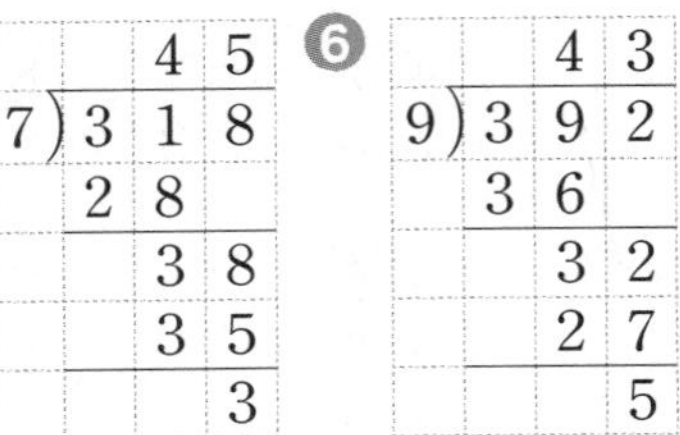

❺
45
7)318
28
38
35
3

❻
43
9)392
36
32
27
5

❼
47
6)287
24
47
42
5

❽
66
3)200
18
20
18
2

❾
85
7)600
56
40
35
5

❿
69
4)277
24
37
36
1

⓫
54
2)109
10
9
8
1

⓬
64
9)584
54
44
36
8

⓭
62
8)500
48
20
16
4

⓮
75
6)455
42
35
30
5

⓯
76
4)305
28
25
24
1

⓰
47
5)238
20
38
35
3

⓱
96
7)678
63
48
42
6

⓲
75
9)680
63
50
45
5

10일차 플러스 계산 연습 100~101쪽

1 51, 2 ; 51, 255 ; 2
2 76, 3 ; 76, 304 ; 3
3 86, 1 ; 86, 172 ; 172, 1
4 74, 5 ; 74, 518 ; 518, 5
5 78, 2 ; 78, 234 ; 234, 2
6 87, 4 ; 87, 696 ; 696, 4
7 47, 1
8 45, 3
9 58, 3
10 42, 5
11 65, 2
12 53, 5
13 7, 69, 3 ; 69, 3
14 8, 95, 5 ; 95, 5
15 387, 96, 3 ; 96, 3
16 377, 75, 2 ; 75, 2
17 4, 45, 2 ; 45, 2
18 5, 56, 4 ; 56, 4
19 203, 67, 2 ; 67, 2
20 404, 57, 5 ; 57, 5

13
69
7)486
42
66
63
3

14
95
8)765
72
45
40
5

17
45
4)182
16
22
20
2

→ 45묶음이 되고 2송이가 남습니다.

11일차 기초 계산 연습 102~103쪽

❶
140
4)560
4
16
16
0

❷
120
6)720
6
12
12
0

❸
280
3)840
6
24
24
0

❹
140
5)700
5
20
20
0

❺
270
2)540
4
14
14
0

❻
130
7)910
7
21
21
0

❼
```
    2 0 8
4)8 3 2
  8
    3 2
    3 2
      0
```
❽
```
    1 0 6
5)5 3 0
  5
    3 0
    3 0
      0
```
❾
```
    1 0 2
8)8 1 6
  8
    1 6
    1 6
      0
```
❿
```
    3 0 8
2)6 1 6
  6
    1 6
    1 6
      0
```
⓫
```
    1 0 8
5)5 4 0
  5
    4 0
    4 0
      0
```
⓬
```
    1 0 9
9)9 8 1
  9
    8 1
    8 1
      0
```
⓭
```
    1 0 7
4)4 3 0
  4
    3 0
    2 8
      2
```
⓮
```
    1 0 5
7)7 4 0
  7
    4 0
    3 5
      5
```
⓯
```
    3 0 8
3)9 2 5
  9
    2 5
    2 4
      1
```
⓰
```
      7 0
5)3 5 3
  3 5
      3
```
⓱
```
      8 0
9)7 2 5
  7 2
      5
```
⓲
```
      9 0
6)5 4 3
  5 4
      3
```

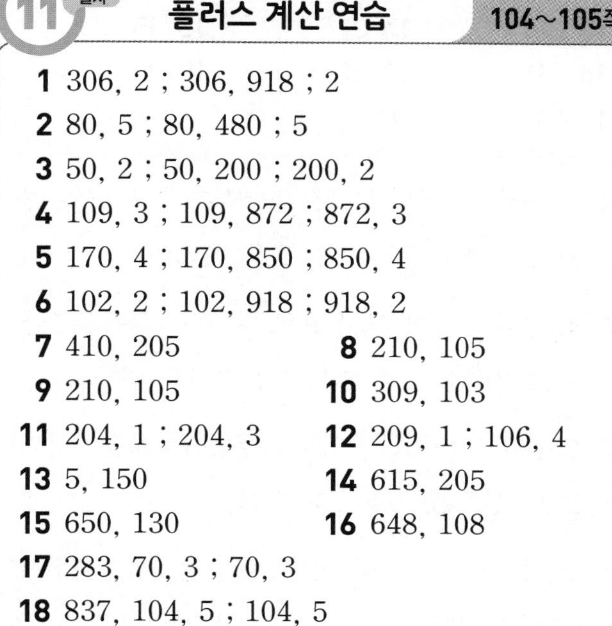
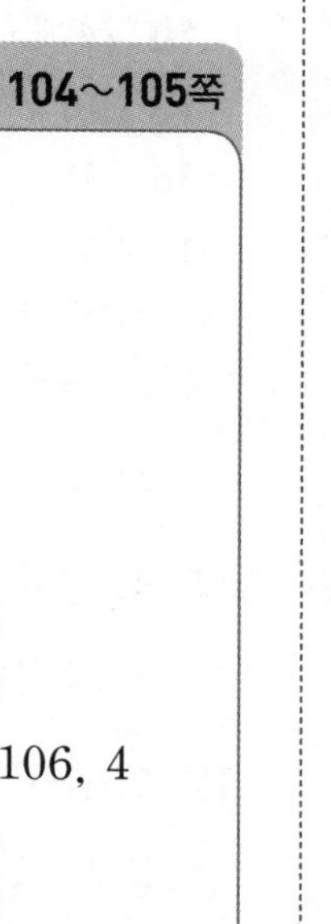

11 일차 플러스 계산 연습 104~105쪽

1 306, 2 ; 306, 918 ; 2
2 80, 5 ; 80, 480 ; 5
3 50, 2 ; 50, 200 ; 200, 2
4 109, 3 ; 109, 872 ; 872, 3
5 170, 4 ; 170, 850 ; 850, 4
6 102, 2 ; 102, 918 ; 918, 2
7 410, 205 **8** 210, 105
9 210, 105 **10** 309, 103
11 204, 1 ; 204, 3 **12** 209, 1 ; 106, 4
13 5, 150 **14** 615, 205
15 650, 130 **16** 648, 108
17 283, 70, 3 ; 70, 3
18 837, 104, 5 ; 104, 5

평가 SPEED 연산력 TEST 106~107쪽

❶ 15 ❷ 31 ❸ 14
❹ 17⋯2 ❺ 17⋯2 ❻ 73
❼ 208 ❽ 136 ❾ 167⋯2
❿ 30 ⓫ 24 ⓬ 16
⓭ 14⋯1 ⓮ 170 ⓯ 107
⓰ 124 ⓱ 212⋯2 ⓲ 148⋯2
⓳ 25 ⓴ 21 ㉑ 16
㉒ 106 ㉓ 95 ㉔ 124
㉕ 22, 2 ㉖ 15, 4 ㉗ 22, 2
㉘ 314, 1 ㉙ 203, 3 ㉚ 159, 3

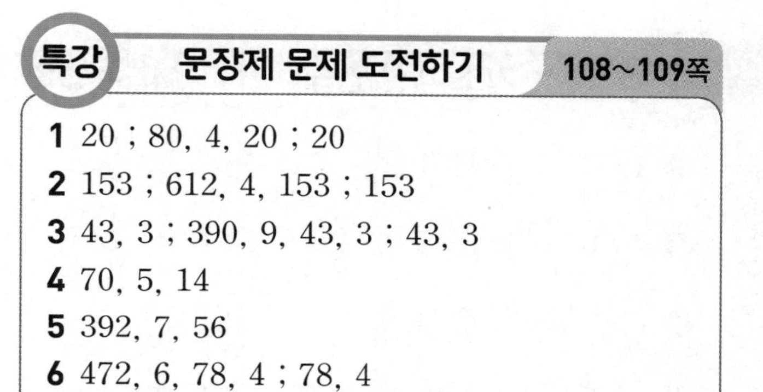

특강 문장제 문제 도전하기 108~109쪽

1 20 ; 80, 4, 20 ; 20
2 153 ; 612, 4, 153 ; 153
3 43, 3 ; 390, 9, 43, 3 ; 43, 3
4 70, 5, 14
5 392, 7, 56
6 472, 6, 78, 4 ; 78, 4

특강 창의·융합·코딩·도전하기 110~111쪽

융합 1 52, 1 ; 52, 1 ; 52, 364, 364, 1

창의 2

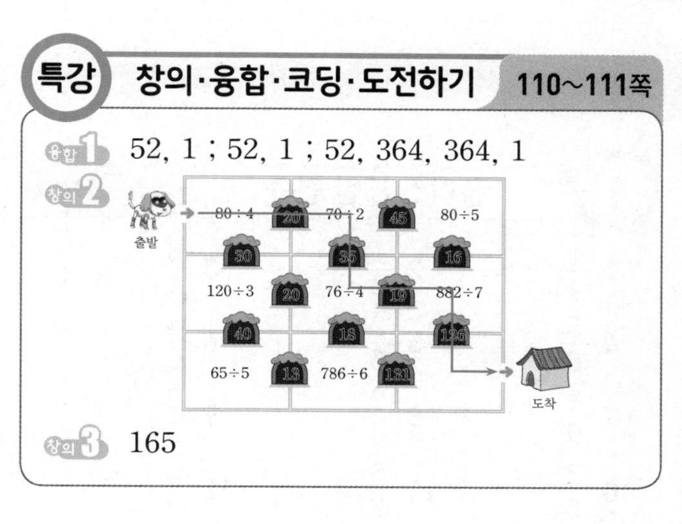

창의 3 165

개념 ○× 퀴즈 정답

◎ ×

3 분 수

개념 OX 퀴즈

옳으면 ○에, 틀리면 ✕에 ○표 하세요.

전체 3묶음 중 1묶음은 $\frac{1}{3}$이에요.

정답은 21쪽에서 확인하세요.

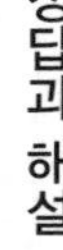

1일차 기초 계산 연습 114~115쪽

① 1, 1	② 1, $\frac{1}{5}$	③ 3, 1, $\frac{1}{3}$
④ 7, 3, $\frac{3}{7}$	⑤ 5, 2, $\frac{2}{5}$	⑥ 6, 4, $\frac{4}{6}$
⑦ 6, 1	⑧ 4, $\frac{1}{4}$	⑨ 5, $\frac{3}{5}$
⑩ 4, $\frac{3}{4}$	⑪ 9, $\frac{5}{9}$	⑫ 3, $\frac{2}{3}$
⑬ 7, $\frac{5}{7}$	⑭ 8, $\frac{5}{8}$	

1일차 플러스 계산 연습 116~117쪽

1 $\frac{1}{4}$	**2** $\frac{1}{3}$	**3** $\frac{3}{4}$
4 $\frac{5}{6}$	**5** $\frac{2}{6}$	**6** $\frac{4}{5}$
7 $\frac{4}{9}$	**8** $\frac{2}{3}$	**9** $\frac{2}{5}$
10 $\frac{3}{6}$	**11** $\frac{5}{7}$	**12** $\frac{5}{9}$
13 $\frac{3}{8}$	**14** $\frac{5}{6}$	**15** $\frac{3}{4}$
16 $\frac{2}{3}$	**17** $\frac{2}{7}$	**18** $\frac{7}{8}$
19 $\frac{3}{7}$	**20** $\frac{4}{9}$	

13 24개를 3개씩 묶으면 전체는 8묶음이고 9개는 3묶음이므로 9개는 24개의 $\frac{3}{8}$입니다.

14 24개를 4개씩 묶으면 전체는 6묶음이고 20개는 5묶음이므로 20개는 24개의 $\frac{5}{6}$입니다.

19 28을 4씩 묶으면 전체는 7묶음이고 12는 3묶음이므로 12는 28의 $\frac{3}{7}$입니다.

2일차 기초 계산 연습 118~119쪽

① 3, 6	② 2, 8	③ 3, 9
④ 2, 12	⑤ 3	⑥ 9
⑦ 5	⑧ 4	⑨ 14
⑩ 15	⑪ 21	⑫ 20
⑬ 24	⑭ 10	⑮ 36
⑯ 12	⑰ 25	⑱ 35
⑲ 36	⑳ 27	

2일차 플러스 계산 연습 120~121쪽

1 2, 4	**2** 8, 2	**3** 12, 4
4 18, 12	**5** 24, 16	**6** 30, 40
7 12에 ○표	**8** 24에 ○표	**9** 14에 ○표
10 24에 ○표	**11** 32에 ○표	**12** 30에 ○표
13 28	**14** 21	**15** 35
16 21	**17** 15	**18** 24
19 21	**20** 36	

13 63개를 똑같이 9묶음으로 나누면 1묶음은 7개이므로 63개의 $\frac{1}{9}$은 7개, $\frac{4}{9}$는 28개입니다.

14 49개를 똑같이 7묶음으로 나누면 1묶음은 7개이므로 49개의 $\frac{1}{7}$은 7개, $\frac{3}{7}$은 21개입니다.

17 25를 똑같이 5묶음으로 나누면 1묶음은 5이므로 25의 $\frac{1}{5}$은 5, $\frac{3}{5}$은 15입니다.

19 27개를 똑같이 9묶음으로 나누면 1묶음은 3개이므로 27개의 $\frac{1}{9}$은 3개, $\frac{7}{9}$은 21개입니다.

3 일차 기초 계산 연습 122~123쪽

❶ 4, 12　❷ 2, 10　❸ 3, 15
❹ 4, 16　❺ 5　❻ 4
❼ 12　❽ 18　❾ 10
❿ 9　⓫ 24　⓬ 25
⓭ 20　⓮ 24　⓯ 28
⓰ 42　⓱ 40　⓲ 28
⓳ 40　⓴ 40

❺ 40 cm를 8등분 한 것 중 1은 5 cm이므로 40 cm의 $\frac{1}{8}$은 5 cm입니다.

❻ 12 cm를 6등분 한 것 중 1은 2 cm이므로 12 cm의 $\frac{1}{6}$은 2 cm, $\frac{2}{6}$는 4 cm입니다.

⓳ 72 cm를 9등분 한 것 중 1은 8 cm이므로 72 cm의 $\frac{1}{9}$은 8 cm, $\frac{5}{9}$는 40 cm입니다.

3 일차 플러스 계산 연습 124~125쪽

1 4, 2　**2** 6, 10　**3** 12, 6
4 12, 8　**5** 15, 12　**6** 20, 15
7 15　**8** 15　**9** 20
10 35　**11** 30　**12** 49
13 10　**14** 70　**15** 20
16 60　**17** 9　**18** 35
19 14　**20** 21

7 21 km를 7등분 한 것 중 1은 3 km이므로 21 km의 $\frac{1}{7}$은 3 km, $\frac{5}{7}$는 15 km입니다.

8 25 km를 5등분 한 것 중 1은 5 km이므로 25 km의 $\frac{1}{5}$은 5 km, $\frac{3}{5}$은 15 km입니다.

13 전체 1 m=100 cm이고 $\frac{1}{10}$ m는 100 cm를 똑같이 10등분 한 것 중 1이므로 10 cm입니다.

17 21 cm를 똑같이 7등분 한 것 중 1은 3 cm이므로 21 cm의 $\frac{1}{7}$은 3 cm, $\frac{3}{7}$은 9 cm입니다.

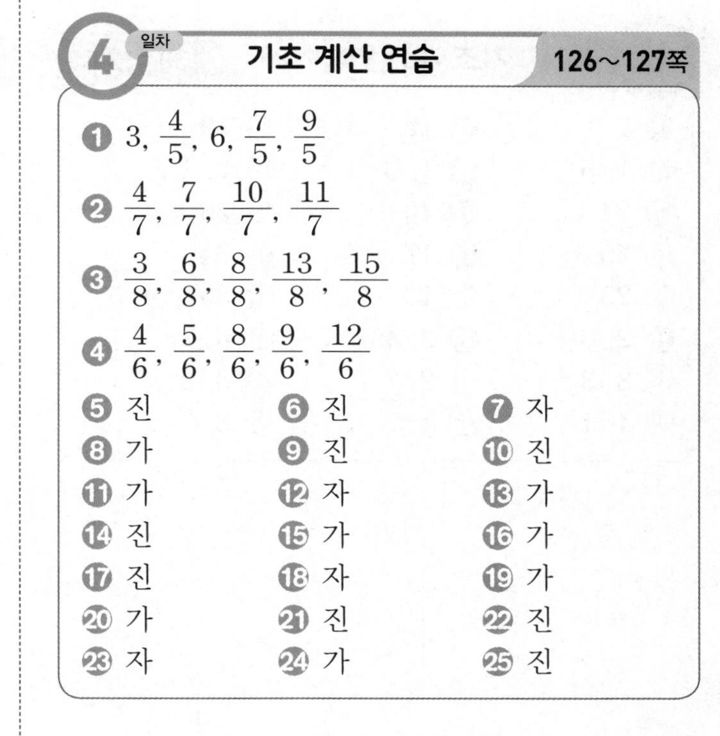

4 일차 기초 계산 연습 126~127쪽

❶ 3, $\frac{4}{5}$, 6, $\frac{7}{5}$, $\frac{9}{5}$
❷ $\frac{4}{7}$, $\frac{7}{7}$, $\frac{10}{7}$, $\frac{11}{7}$
❸ $\frac{3}{8}$, $\frac{6}{8}$, $\frac{8}{8}$, $\frac{13}{8}$, $\frac{15}{8}$
❹ $\frac{4}{6}$, $\frac{5}{6}$, $\frac{8}{6}$, $\frac{9}{6}$, $\frac{12}{6}$
❺ 진　❻ 진　❼ 자
❽ 가　❾ 진　❿ 진
⓫ 가　⓬ 자　⓭ 가
⓮ 진　⓯ 가　⓰ 가
⓱ 진　⓲ 자　⓳ 가
⓴ 가　㉑ 진　㉒ 진
㉓ 자　㉔ 가　㉕ 진

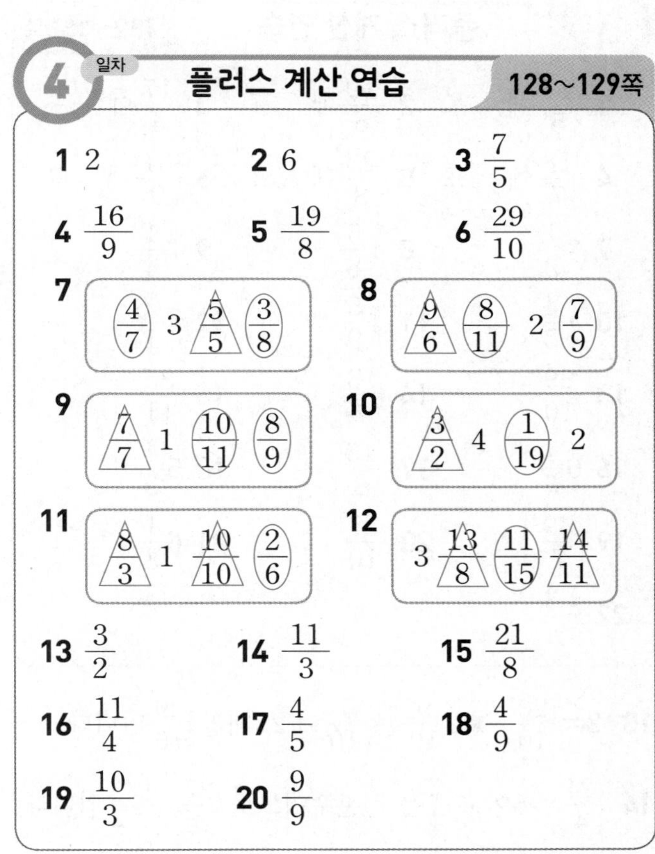

4 일차 플러스 계산 연습 128~129쪽

1 2　**2** 6　**3** $\frac{7}{5}$
4 $\frac{16}{9}$　**5** $\frac{19}{8}$　**6** $\frac{29}{10}$
7 $\frac{4}{7}$ 3 $\frac{5}{5}$ $\frac{3}{8}$　**8** $\frac{9}{6}$ $\frac{8}{11}$ 2 $\frac{7}{9}$
9 $\frac{7}{7}$ 1 $\frac{10}{11}$ $\frac{8}{9}$　**10** $\frac{3}{2}$ 4 $\frac{1}{19}$ 2
11 $\frac{8}{3}$ 1 $\frac{10}{10}$ $\frac{2}{6}$　**12** 3 $\frac{13}{8}$ $\frac{11}{15}$ $\frac{14}{11}$
13 $\frac{3}{2}$　**14** $\frac{11}{3}$　**15** $\frac{21}{8}$
16 $\frac{11}{4}$　**17** $\frac{4}{5}$　**18** $\frac{4}{9}$
19 $\frac{10}{3}$　**20** $\frac{9}{9}$

14 쿠키 1개를 3등분 한 것 중 한 조각은 $\frac{1}{3}$이므로 11조각은 $\frac{11}{3}$입니다.

15 피자 1판을 8등분 한 것 중 한 조각은 $\frac{1}{8}$이므로 21조각은 $\frac{21}{8}$입니다.

5일차 기초 계산 연습 130~131쪽

❶ 7	❷ 12	❸ 19
❹ 1, 5	❺ 1, 3	❻ 2, 1
❼ 24	❽ 40	❾ 26
❿ 25	⓫ 17	⓬ 34
⓭ 25	⓮ 13	⓯ 30
⓰ 2, 6	⓱ 2, 4	⓲ 6, 2
⓳ 3, 3	⓴ 2, 7	㉑ 3, 2
㉒ 4, 1	㉓ 1, 7	㉔ 3, 7

5일차 플러스 계산 연습 132~133쪽

1 $\frac{17}{5}$에 ○표 **2** $\frac{19}{6}$에 ○표 **3** $\frac{17}{4}$에 ○표
4 $\frac{18}{7}$에 ○표 **5** $\frac{23}{8}$에 ○표 **6** $\frac{31}{9}$에 ○표
7 $7\frac{1}{3}$ **8** $4\frac{5}{8}$ **9** $7\frac{1}{4}$
10 $4\frac{4}{5}$ **11** $4\frac{5}{9}$ **12** $4\frac{6}{11}$
13 $\frac{29}{10}$ **14** $6\frac{3}{4}$ **15** $\frac{35}{11}$
16 $6\frac{4}{6}$ **17** $\frac{42}{8}$ **18** $5\frac{4}{9}$
19 $\frac{39}{7}$ **20** $\frac{37}{10}$ **21** $6\frac{1}{8}$
22 $9\frac{3}{4}$

13 $2=\frac{20}{10}$ ➜ $2\frac{9}{10}$는 $\frac{1}{10}$이 29개인 $\frac{29}{10}$입니다.

14 $\frac{24}{4}=6$이고 $\frac{3}{4}$은 진분수이므로 $\frac{27}{4}=6\frac{3}{4}$입니다.

19 5와 $\frac{4}{7}$ → $5\frac{4}{7}$
$5=\frac{35}{7}$ ➜ $5\frac{4}{7}$는 $\frac{1}{7}$이 39개인 $\frac{39}{7}$입니다.

21 $\frac{1}{8}$이 49개인 수 → $\frac{49}{8}$
$\frac{48}{8}=6$이고 $\frac{1}{8}$은 진분수이므로 $\frac{49}{8}=6\frac{1}{8}$입니다.

6일차 기초 계산 연습 134~135쪽

❶ >	❷ >	❸ >
❹ <	❺ >	❻ >
❼ >	❽ <	❾ >
❿ <	⓫ >	⓬ <
⓭ <	⓮ >	⓯ >
⓰ <	⓱ <	⓲ >
⓳ >	⓴ <	㉑ >
㉒ >	㉓ <	㉔ <

6일차 플러스 계산 연습 136~137쪽

1 $\frac{8}{3}$에 ○표 **2** $\frac{15}{6}$에 ○표 **3** $\frac{9}{8}$에 ○표
4 $2\frac{3}{4}$에 ○표 **5** $3\frac{5}{6}$에 ○표 **6** $1\frac{4}{9}$에 ○표
7 $2\frac{1}{7}$에 ○표 **8** $3\frac{3}{11}$에 ○표 **9** $5\frac{7}{15}$에 ○표
10 $\frac{15}{8}$ **11** $\frac{16}{7}$ **12** $3\frac{1}{6}$
13 $3\frac{5}{10}$ **14** (○)( ) **15** ( )(○)
16 (○)( ) **17** ( )(○) **18** $>$, $\frac{33}{8}$
19 $<$, $4\frac{7}{10}$ **20** $<$, 양파 **21** $<$, 대추

15 자연수가 같으므로 분자의 크기를 비교하면 $8<10$이므로 $1\frac{8}{11}<1\frac{10}{11}$입니다.

16 자연수의 크기를 비교하면 $2>1$이므로 $2\frac{1}{15}>1\frac{13}{15}$입니다.

7일차 기초 계산 연습 138~139쪽

❶ >	❷ <	❸ >
❹ <	❺ <	❻ >
❼ <	❽ >	❾ >
❿ =	⓫ <	⓬ <
⓭ >	⓮ >	⓯ >
⓰ =	⓱ <	⓲ <
⓳ >	⓴ =	㉑ >
㉒ <	㉓ >	㉔ <

7 일차 플러스 계산 연습 140~141쪽

1 $3\frac{1}{6}$에 ○표 2 $1\frac{9}{10}$에 ○표 3 $\frac{22}{9}$에 ○표
4 $\frac{34}{7}$에 ○표 5 $\frac{41}{8}$에 ○표 6 $1\frac{7}{12}$에 ○표
7 $2\frac{5}{8}$에 ○표 8 $\frac{41}{9}$에 ○표 9 $5\frac{2}{11}$에 ○표
10 $\frac{11}{8}$ 11 $\frac{16}{6}$ 12 $\frac{47}{11}$
13 $\frac{37}{10}$ 14 ( )(○) 15 (○)( )
16 (○)( ) 17 (○)( ) 18 $>$, $2\frac{3}{9}$
19 $<$, $3\frac{7}{11}$ 20 $<$, 나은 21 $>$, 승아

14 $1\frac{4}{5}=\frac{9}{5}$ ➔ $\frac{9}{5}>\frac{7}{5}$이므로 집에서 더 가까운 곳은 학교입니다.

15 $3\frac{1}{2}=\frac{7}{2}$ ➔ $\frac{7}{2}<\frac{9}{2}$이므로 집에서 더 가까운 곳은 우체국입니다.

18 $2\frac{3}{9}=\frac{21}{9}$ ➔ $\frac{21}{9}>\frac{20}{9}$이므로 $2\frac{3}{9}>\frac{20}{9}$입니다.

21 $\frac{37}{4}=9\frac{1}{4}$ ➔ $9\frac{1}{4}>8\frac{3}{4}$이므로 더 오래 잠을 잔 사람은 승아입니다.

평가 SPEED 연산력 TEST 142~143쪽

❶ 3	❷ 5	❸ $\frac{5}{8}$
❹ $\frac{5}{9}$	❺ $\frac{4}{7}$	❻ $\frac{2}{6}$
❼ 4	❽ 9	❾ 14
❿ 20	⓫ 12	⓬ 40
⓭ 18	⓮ 35	⓯ $\frac{10}{7}$
⓰ $\frac{34}{9}$	⓱ $\frac{37}{11}$	⓲ $3\frac{2}{9}$
⓳ $7\frac{3}{6}$	⓴ $2\frac{3}{11}$	㉑ $>$
㉒ $<$	㉓ $<$	㉔ $<$
㉕ $<$	㉖ $>$	㉗ $>$
㉘ $<$	㉙ $=$	㉚ $>$

특강 문장제 문제 도전하기 144~145쪽

1 $\frac{4}{9}$; $\frac{4}{9}$ 2 20 ; 20
3 $<$; $<$; 병원 4 $\frac{5}{7}$
5 56, $\frac{3}{8}$, 21 ; 21
6 $2\frac{5}{11}$, $<$, $\frac{31}{11}$; 경찰서

5 56 m를 똑같이 8묶음으로 나누면 1묶음은 7 m이므로 56 m의 $\frac{1}{8}$은 7 m, $\frac{3}{8}$은 21 m입니다.

6 $2\frac{5}{11}=\frac{27}{11}$ ➔ $\frac{27}{11}<\frac{31}{11}$이므로 $2\frac{5}{11}<\frac{31}{11}$입니다.
➔ 나은이네 집에서 더 먼 곳은 경찰서입니다.

특강 창의·융합·코딩·도전하기 146~147쪽

창의 1 7, 5, 3 ; 7, 5, 3

창의 2 8, 4
융합 3 $\frac{1}{16}$

창의 1 • 24를 3씩 묶으면 전체는 8묶음이고 21은 7묶음이므로 21은 24의 $\frac{7}{8}$입니다. ➔ ❶=7
• 24를 4씩 묶으면 전체는 6묶음이고 20은 5묶음이므로 20은 24의 $\frac{5}{6}$입니다. ➔ ❷=5
• 24를 6씩 묶으면 전체는 4묶음이고 18은 3묶음이므로 18은 24의 $\frac{3}{4}$입니다. ➔ ❸=3

융합 3 A4 용지는 A0 용지를 똑같이 16으로 나눈 것 중의 1이므로 A0 용지의 $\frac{1}{16}$입니다.

개념 OX 퀴즈 정답

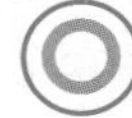 

4 들이와 무게

개념 OX 퀴즈

옳으면 ○에, 틀리면 ✕에 ○표 하세요.

1 L 300 mL는 1300 L예요.

정답은 24쪽에서 확인하세요.

1일차 기초 계산 연습 150~151쪽

① 1000, 1800 ② 3000, 3100
③ 9550 ④ 2150
⑤ 2090 ⑥ 3070
⑦ 4008 ⑧ 7490
⑨ 2000, 2, 700 ⑩ 3000, 3, 400
⑪ 7, 650 ⑫ 6, 850
⑬ 3, 50 ⑭ 4, 7
⑮ 1000, 1300 ⑯ 9000, 9700
⑰ 4950 ⑱ 6250
⑲ 5030 ⑳ 7003
㉑ 6000, 6, 200 ㉒ 4000, 4, 900
㉓ 2, 950 ㉔ 9, 450
㉕ 7, 50 ㉖ 5, 9

1일차 플러스 계산 연습 152~153쪽

1 (선 잇기) **2** (선 잇기) **3** (선 잇기)
4 (선 잇기) **5** > **6** <
7 < **8** = **9** <
10 = **11** < **12** >
13 2600 ; 2, 600 **14** 1200 ; 1, 200
15 3400 ; 3, 400 **16** 4100 ; 4, 100
17 6200 **18** 9030
19 2600 **20** 7080

13 저울의 눈금을 읽으면 2600 g입니다.
➜ 2600 g=2000 g+600 g=2 kg 600 g

18 9 L보다 30 mL 더 많은 들이는 9 L 30 mL입니다.
➜ 9 L 30 mL=9000 mL+30 mL
=9030 mL

20 7 kg보다 80 g 더 무거운 무게는 7 kg 80 g입니다.
➜ 7 kg 80 g=7000 g+80 g=7080 g

2일차 기초 계산 연습 154~155쪽

① 3, 800 ② 6, 800 ③ 4, 900
④ 8, 400 ⑤ 6, 750 ⑥ 5, 950
⑦ 3, 900 ⑧ 5, 500 ⑨ 6, 400
⑩ 9, 100 ⑪ 9, 200 ⑫ 9, 100
⑬ 7, 50 ⑭ 8, 750 ⑮ 7, 850
⑯ 6, 50 ⑰ 8, 400 ⑱ 9, 300
⑲ 7, 100 ⑳ 7, 100

2일차 플러스 계산 연습 156~157쪽

1 3, 600 **2** 6, 900 **3** 6, 950
4 7, 900 **5** 7, 200 **6** 7, 200
7 8, 450 **8** 9, 100 **9** 7, 600
10 5, 850 **11** 9, 300 **12** 5, 50
13 9, 800 **14** 4, 200 **15** 8, 700
16 5, 300 **17** 1, 600, 4, 800
18 2, 450, 4, 150

14

	1	
	2 L	400 mL
+	1 L	800 mL
	4 L	200 mL

16

	1	
	3 L	500 mL
+	1 L	800 mL
	5 L	300 mL

17 (처음에 있던 물의 양)+(더 부은 물의 양)
=3 L 200 mL+1 L 600 mL=4 L 800 mL

18 (처음에 있던 물의 양)+(더 부은 물의 양)
=1 L 700 mL+2 L 450 mL=4 L 150 mL

3일차 기초 계산 연습 158~159쪽

① 4, 200 ② 2, 300 ③ 1, 500
④ 6, 200 ⑤ 4, 250 ⑥ 3, 350
⑦ 5, 350 ⑧ 2, 250 ⑨ 4, 600
⑩ 2, 600 ⑪ 1, 550 ⑫ 4, 700
⑬ 5, 850 ⑭ 5, 950 ⑮ 1, 950
⑯ 4, 550 ⑰ 3, 950 ⑱ 1, 300
⑲ 1, 250 ⑳ 3, 950

3일차 플러스 계산 연습 160~161쪽

1 3, 400 **2** 5, 100 **3** 3, 450
4 7, 50 **5** 1, 300 **6** 2, 600
7 1, 450 **8** 2, 500 **9** 5, 200
10 4, 500 **11** 1, 400 **12** 4, 250
13 2, 200 **14** 2, 100 **15** 2, 600
16 2, 300 **17** 3, 400, 2, 200
18 2, 850, 4, 250

15
$$\begin{array}{rrr} & \overset{3}{\cancel{4}}\ \text{L} & \overset{1000}{200\ \text{mL}} \\ - & 1\ \text{L} & 600\ \text{mL} \\ \hline & 2\ \text{L} & 600\ \text{mL} \end{array}$$

16
$$\begin{array}{rrr} & \overset{4}{\cancel{5}}\ \text{L} & \overset{1000}{100\ \text{mL}} \\ - & 2\ \text{L} & 800\ \text{mL} \\ \hline & 2\ \text{L} & 300\ \text{mL} \end{array}$$

17 (처음에 있던 물의 양)−(사용한 물의 양)
$=5\ \text{L}\ 600\ \text{mL}-3\ \text{L}\ 400\ \text{mL}$
$=2\ \text{L}\ 200\ \text{mL}$

18 (처음에 있던 물의 양)−(사용한 물의 양)
$=7\ \text{L}\ 100\ \text{mL}-2\ \text{L}\ 850\ \text{mL}$
$=4\ \text{L}\ 250\ \text{mL}$

4일차 기초 계산 연습 162~163쪽

① 3, 500 ② 5, 800 ③ 4, 500
④ 8, 900 ⑤ 8, 450 ⑥ 6, 950
⑦ 9, 800 ⑧ 6, 600 ⑨ 8, 800
⑩ 7, 100 ⑪ 9, 200 ⑫ 9, 400
⑬ 7, 150 ⑭ 5, 350 ⑮ 7, 50
⑯ 9, 250 ⑰ 6, 750 ⑱ 7, 50
⑲ 9, 100 ⑳ 6, 400

4일차 플러스 계산 연습 164~165쪽

1 4, 800 **2** 5, 400 **3** 4, 550
4 6, 850 **5** 5, 100 **6** 5, 50
7 8, 150 **8** 8, 200 **9** 5, 800
10 6, 750 **11** 5, 100 **12** 7, 50
13 8, 800 **14** 4, 200 **15** 5, 450
16 6, 50 **17** 1, 200, 3, 800
18 1, 800, 5, 400

15
$$\begin{array}{rrr} & \overset{1}{3}\ \text{kg} & 650\ \text{g} \\ + & 1\ \text{kg} & 800\ \text{g} \\ \hline & 5\ \text{kg} & 450\ \text{g} \end{array}$$

16
$$\begin{array}{rrr} & \overset{1}{2}\ \text{kg} & 300\ \text{g} \\ + & 3\ \text{kg} & 750\ \text{g} \\ \hline & 6\ \text{kg} & 50\ \text{g} \end{array}$$

17 (딸기의 무게)+(토마토의 무게)
$=2\ \text{kg}\ 600\ \text{g}+1\ \text{kg}\ 200\ \text{g}=3\ \text{kg}\ 800\ \text{g}$

18 (사과의 무게)+(오렌지의 무게)
$=3\ \text{kg}\ 600\ \text{g}+1\ \text{kg}\ 800\ \text{g}=5\ \text{kg}\ 400\ \text{g}$

5일차 기초 계산 연습 166~167쪽

① 2, 200 ② 2, 400 ③ 5, 400
④ 7, 500 ⑤ 3, 250 ⑥ 6, 600
⑦ 3, 650 ⑧ 5, 50 ⑨ 1, 600
⑩ 7, 400 ⑪ 3, 600 ⑫ 1, 800
⑬ 1, 750 ⑭ 2, 650 ⑮ 1, 650
⑯ 5, 950 ⑰ 1, 850 ⑱ 3, 250
⑲ 4, 650 ⑳ 1, 850

5일차 플러스 계산 연습 168~169쪽

1 4, 500 **2** 1, 400 **3** 6, 50
4 2, 50 **5** 1, 800 **6** 1, 300
7 3, 750 **8** 3, 650 **9** 2, 200
10 7, 350 **11** 3, 400 **12** 4, 500
13 1, 400 **14** 1, 900 **15** 1, 150
16 1, 250 **17** 4, 100, 2, 300
18 1, 750, 3, 350

14
$$\begin{array}{rr} {\scriptstyle 7} & {\scriptstyle 1000} \\ \cancel{8}\text{ kg} & 600\text{ g} \\ -\ 6\text{ kg} & 700\text{ g} \\ \hline 1\text{ kg} & 900\text{ g} \end{array}$$

16
$$\begin{array}{rr} {\scriptstyle 6} & {\scriptstyle 1000} \\ \cancel{7}\text{ kg} & 100\text{ g} \\ -\ 5\text{ kg} & 850\text{ g} \\ \hline 1\text{ kg} & 250\text{ g} \end{array}$$

17 (처음에 있던 쌀의 무게)−(사용한 쌀의 무게)
=6 kg 400 g−4 kg 100 g=2 kg 300 g

18 (처음에 있던 설탕의 무게)−(사용한 설탕의 무게)
=5 kg 100 g−1 kg 750 g=3 kg 350 g

평가 SPEED 연산력 TEST 170~171쪽

❶ 2, 800	❷ 6, 750	❸ 9, 100
❹ 6, 50	❺ 4, 400	❻ 4, 50
❼ 1, 400	❽ 5, 450	❾ 4, 700
❿ 9, 50	⓫ 4, 100	⓬ 2, 350
⓭ 2, 600	⓮ 5, 800	⓯ 8, 100
⓰ 6, 50	⓱ 4, 100	⓲ 5, 150
⓳ 2, 600	⓴ 2, 650	㉑ 3, 800
㉒ 9, 50	㉓ 2, 450	㉔ 3, 550
㉕ 7, 150		

❿
$$\begin{array}{rr} {\scriptstyle 1} & \\ 3\text{ L} & 700\text{ mL} \\ +\ 5\text{ L} & 350\text{ mL} \\ \hline 9\text{ L} & 50\text{ mL} \end{array}$$

⓬
$$\begin{array}{rr} {\scriptstyle 5} & {\scriptstyle 1000} \\ \cancel{6}\text{ L} & 100\text{ mL} \\ -\ 3\text{ L} & 750\text{ mL} \\ \hline 2\text{ L} & 350\text{ mL} \end{array}$$

㉒
$$\begin{array}{rr} {\scriptstyle 1} & \\ 2\text{ kg} & 500\text{ g} \\ +\ 6\text{ kg} & 550\text{ g} \\ \hline 9\text{ kg} & 50\text{ g} \end{array}$$

㉔
$$\begin{array}{rr} {\scriptstyle 7} & {\scriptstyle 1000} \\ \cancel{8}\text{ kg} & 200\text{ g} \\ -\ 4\text{ kg} & 650\text{ g} \\ \hline 3\text{ kg} & 550\text{ g} \end{array}$$

특강 문장제 문제 도전하기 172~173쪽

1 3, 200 ; 1, 800, 1, 400, 3, 200 ; 3, 200
2 2, 600 ; 4, 300, 1, 700, 2, 600 ; 2, 600
3 6, 500
4 3, 200, 1, 450, 1, 750
5 3, 500, 2, 700, 6, 200

3 6500 g=6000 g+500 g=6 kg 500 g

4 (처음 있던 물의 양)−(마신 물의 양)
=3 L 200 mL−1 L 450 mL=1 L 750 mL

5 (고구마의 무게)+(당근의 무게)
=3 kg 500 g+2 kg 700 g=6 kg 200 g

특강 창의·융합·코딩·도전하기 174~175쪽

융합 1 5, 400, 5, 300 ; 1
코딩 2 6, 100
창의 3

4 kg 500 g+1 kg 300 g	5 kg 100 g−2 kg 800 g	7 kg 400 g−3 kg 650 g
3 kg 750 g	2 kg 300 g	5 kg 800 g

융합 1 1모둠:
$$\begin{array}{rr} 2\text{ L} & 200\text{ mL} \\ +\ 3\text{ L} & 200\text{ mL} \\ \hline 5\text{ L} & 400\text{ mL} \end{array}$$

2모둠:
$$\begin{array}{rr} {\scriptstyle 1} & \\ 2\text{ L} & 800\text{ mL} \\ +\ 2\text{ L} & 500\text{ mL} \\ \hline 5\text{ L} & 300\text{ mL} \end{array}$$

➔ 5 L 400 mL>5 L 300 mL이므로 1모둠이 우유를 더 많이 짰습니다.

코딩 2 1 kg 500 g+2 kg 300 g=3 kg 800 g
3 kg 800 g<5 kg이므로 '아니요'로 갑니다.
3 kg 800 g+2 kg 300 g=6 kg 100 g
6 kg 100 g>5 kg이므로 '예'로 갑니다.

창의 3
$$\begin{array}{rr} 4\text{ kg} & 500\text{ g} \\ +\ 1\text{ kg} & 300\text{ g} \\ \hline 5\text{ kg} & 800\text{ g} \end{array},\quad \begin{array}{rr} {\scriptstyle 4} & {\scriptstyle 1000} \\ \cancel{5}\text{ kg} & 100\text{ g} \\ -\ 2\text{ kg} & 800\text{ g} \\ \hline 2\text{ kg} & 300\text{ g} \end{array},$$

$$\begin{array}{rr} {\scriptstyle 6} & {\scriptstyle 1000} \\ \cancel{7}\text{ kg} & 400\text{ g} \\ -\ 3\text{ kg} & 650\text{ g} \\ \hline 3\text{ kg} & 750\text{ g} \end{array}$$

개념 OX 퀴즈 정답

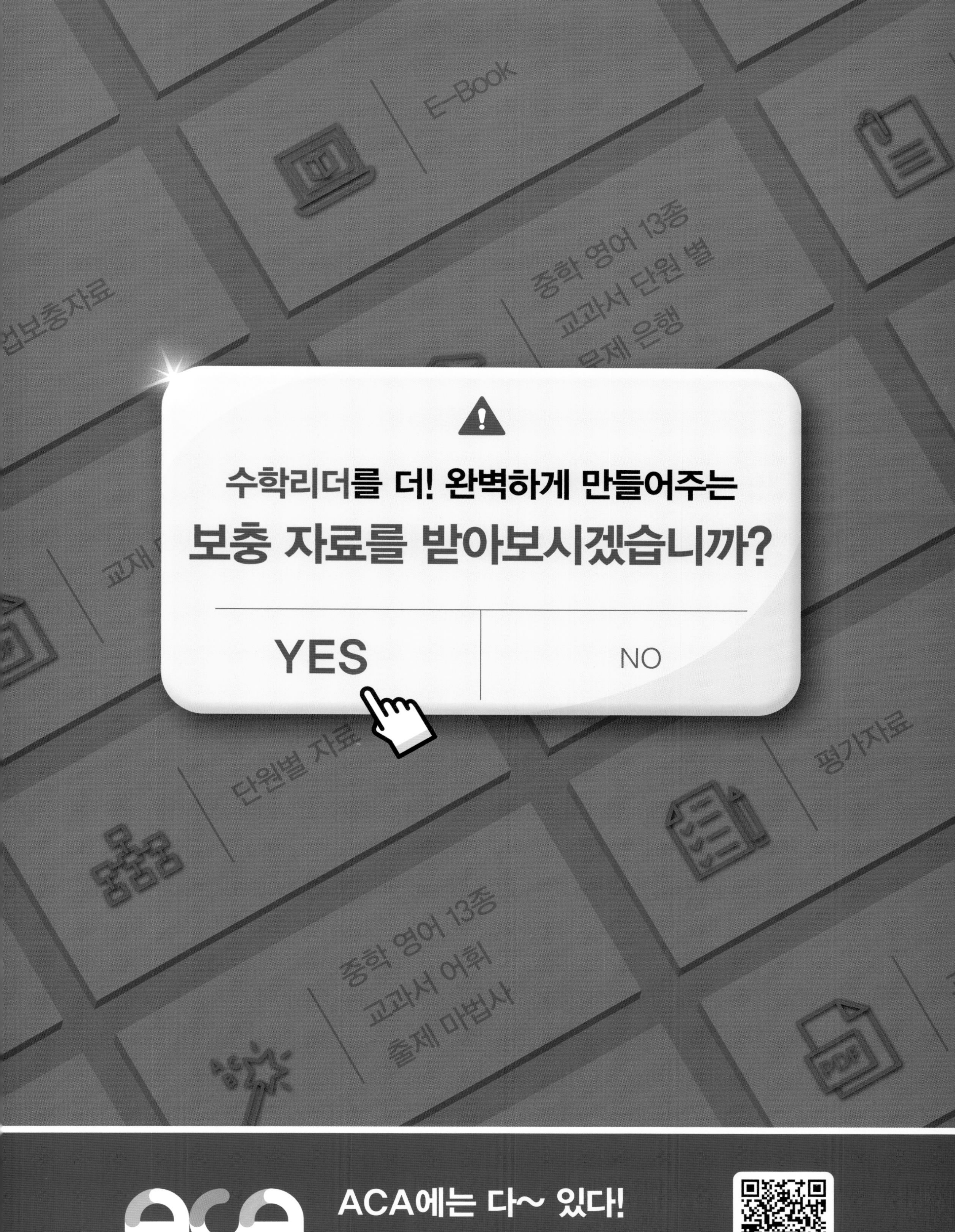
E-Book
업보충자료
중학 영어 13종
교과서 단원 별
문제 은행
교재
수학리더를 더! 완벽하게 만들어주는
보충 자료를 받아보시겠습니까?
YES
NO
단원별 자료
평가자료
중학 영어 13종
교과서 어휘
출제 마법사
PDF

◀ 정답은 이안에 있어!

시험 대비교재

● 올백 전과목 단원평가	1~6학년/학기별 (1학기는 2~6학년)
● HME 수학 학력평가	1~6학년/상·하반기용
● HME 국어 학력평가	1~6학년

논술·한자교재

● YES 논술	1~6학년/총 24권
● 천재 NEW 한자능력검정시험 자격증 한번에 따기	8~5급(총 7권) / 4급~3급(총 2권)

영어교재

● READ ME	
– Yellow 1~3	2~4학년(총 3권)
– Red 1~3	4~6학년(총 3권)
● Listening Pop	Level 1~3
● Grammar, ZAP!	
– 입문	1, 2단계
– 기본	1~4단계
– 심화	1~4단계
● Grammar Tab	총 2권
● Let's Go to the English World!	
– Conversation	1~5단계, 단계별 3권
– Phonics	총 4권

예비중 대비교재

● 천재 신입생 시리즈	수학 / 영어
● 천재 반편성 배치고사 기출 & 모의고사	